国家出版基金项目
NATIONAL PUBLICATION FOUNDATION

《三联经典文库》

第二辑

2012年国家出版基金项目

《三联经典文库》编辑委员会名单

三联经典文库

200

海外的感受

生活书店编译所　编

生活·讀書·新知 三联书店

图书在版编目(CIP)数据

海外的感受 / 生活书店编译所编. -- 北京：生活·读书·新知三联书店，2014.1
（三联经典文库第二辑）
ISBN 978-7-108-04653-6

Ⅰ. ①海… Ⅱ. ①生… Ⅲ. ①散文集－世界－现代 ②游记－作品集－世界－现代 Ⅳ. ①I16

中国版本图书馆CIP数据核字(2013)第246606号

200 海外的感受

责任编辑	卢 莹
封扉设计	蔡立国
责任印制	徐 方
出版发行	生活·讀書·新知 三联书店 (北京市东城区美术馆东街22号)
邮 编	100010
经 销	新华书店
印 刷	北京鹏润伟业印刷有限公司
版 次	2014年1月北京第1版 2014年1月北京第1次印刷
开 本	787毫米×1092毫米 1/32 印张 18.625
字 数	266千字
定 价	67.00元

《三联经典文库》出版缘起

适逢生活·读书·新知三联书店八十华诞，为弘扬传统，接续文脉，回报读者，服务社会，我们决定策划出版《三联经典文库》。

1932年7月，生活书店在上海创办，此后，读书出版社和新知书店相继成立。本文库第一辑、第二辑所选图书，来自于这三家出版单位及其分支机构，以及1948年生活·读书·新知三联书店成立后的出版物，始于1932年，截至1951年，两辑各一百种。此为第二辑，涉及政治、经济、社会、军事、思想文化诸领域，涵盖专著、文集、散文、小说、诗歌、传记、报道等体裁，既有直面现实、追求真理、讴歌真善美、抨击假恶丑的原创作品，又有引介世界各国先进文化、传播新知、开启民智的迻译之作，真实记录了那一代知识分子的思考与探索、理想与愿景和对中华民族文化传承与创新所做出的努力与贡献。

本文库所辑入各书，多为名家名作，在版本方面，以初版一印本或经著译编者审定、修订、增订过的版本为首选，因此本文库又具有较为珍贵的版本价值和收藏价值。

本文库还将编选续辑，使之成为恢弘文化工程。诚挚希望读者给予批评和指正，帮助我们完善编选工作，再现三联经典作品之风采。殊为遗憾的是，由于年代久远，一些原著译编者及其后人未能取得联系并奉付稿酬，诚盼版权所有者与我们联系。祈愿三联前辈所创造的精神财富能薪火相传，为中华文化的伟大复兴增光添彩。

《三联经典文库》编辑委员会

2013年8月

凡　例

一、本文库为重排本，由繁体字竖排版改为简体字横排版。

一、以忠实于原作、整旧如旧为编辑原则，对当时使用的专有名词、外文译名，以及民国时期的语言和特色予以保留。

一、原书注释如旧，编者所出的注释，均以“编者注”标明，以示与原书注释的区别。

一、对原书残缺或字迹漫漶之处，以□示代。

一、对繁简文本转换时的“如右”、“见左”一类，对应改为“如上（前）”、“见下（后）”。

一、对原书中各种错讹脱衍之处，直接订正，不再以其他符号标示。

一、对数字、标点符号的用法，在不损害原文语义的情况下，做必要的规范。

一、本文库各书均前插原书书影、原书版权页和文库版“本书出版说明”。

一、本书出版说明的撰写，以客观中立为原则，扼要介绍本书的内容、版本流转、著译编者的情况。

本书出版说明

本书为多人旅居海外后所写文章之结集，分法国、德国、英国、瑞士、苏联、游欧通讯、美国及日本等九部分，收入游记、杂感、政论等文章 90 余篇。所有文章均为华人所写，文中描述了他们在异国他乡的感受，对当时所在国的印象，其中又以美国、法国、德国的见闻和感受为多。海外华人们深刻感受到，欧美科技进步，教育文化发达，农工商业有条不紊，医疗卫生条件优良，物质生活方便舒适，精神生活健康快乐，政治民主，社会秩序井然。对照我们正处于多事之秋的祖国：经济落后、国际地位低下、战争、匪患、天灾……这一切无不使作者随处都尝到弱小民族的苦味，随处都感受到“国族不能自立，人民不如丧家之犬”。爱国主义情操贯穿本书始终。

本书由生活书店1933年11月初版，1934年5月再版。本次出版即以初版为底本。

本书著者有征言、胡尔、学昭、王光祈、庄泽宣、公望、仲雨等28人，由生活书店编译所编。

生活·读书·新知三联书店

2013年8月

海外的感受

上海生活書店發行

中華民國二十二年十一月

生活书店 1933 年 11 月初版页扉

海外的感受

每冊實價壹圓壹角
外埠酌加寄費

編輯者 生活書店編譯所

發行者 生活書店 上海法租界陶爾斐司路

印刷者 生活印刷所

中華民國二十二年十一月初版

原书版权页

目次

法 国

德　国

英　国

比　国

瑞　士

苏　联

游欧通讯

美　国

日　本

法　国

海外的感受

征　言

愈是身处异地的人们，愈觉国族观念的深厚，因为“世界大同”，还是一个梦想。口里“和平亲善”，尽管说得天花乱坠，但是鬼胎里“弱肉强食”，依样的不会去掉。置身异国人的堆里，任凭你的言谈举止，怎样的温雅谦敬，但是还要不时遭到白种人对有色人种或是强国对于弱国人民的轻视，特别是在祖国多事之秋，真使一般被压迫民族在国外的寄侨，无处容身！这时使你觉得什么“和平亲善”都是高调，欺人的假面具，只恨自家的不争气，没有大炮军舰在示威着，国族不能立足，人民真不如丧家犬！

年来国内的情景，只有以“每况愈下”来代表，祖国传到海外的消息似乎也只有“兵祸”，“匪患”，“天灾”三桩。自然在国外读到关于中国的新闻，也出不了这几项。尤以今年为甚，自入春以来，所看到的消息，只是各地的匪患，继之以兵祸，直到最近的洪水天灾。报纸上对中国的评论，也只是出以“悲天悯人”不关痛痒的口吻，至于新闻的描写，简直把中国五千年文化的古邦，变成人间地狱，的确的，假若是以国内现状而论，人民水深火热的程度，恐怕还不只地狱的景况。

中日事件爆发前不久，在法国马赛地方，有三个中国人因为图财害命，把一个姓蒋的商人杀死，凶手在逃，及至中日事件发生，每日报纸的封面上，便把这两项新闻，并列登载。报纸是人们必读的刊物，于是中国人也就变了“众矢之的”，无论在什么场所，中国人总有多被看几眼的机会，并不是我们神经过敏，一般人都在伫足的议论着，好像是在说:“看啊！这个凶狠的，可怜的，柔弱的中国人！”尤其使人难堪的，便是有时一些无知的工人，向你做鬼脸，好像是在嘲笑，又似在讥诮。为免去这种类似的精神上羞辱起见，只好躲在家里，少在街上走，不到人群里去。

中日事件的新闻传来了，巴黎的侨胞人数虽然也不算少，不过都是远隔重洋赤手空拳的人们，势不能做更有力的表示，但是为了这桩事，亦曾有过两次的聚会，讨论的结果，认为最有力的表示，便是结队去驻法日本大使馆门前游行示威。这个议决，在九月二十三日午后五点半执行了，参加者五六十人，曾在日本大使馆门前喊了“打倒日本帝国主义”的口号，并散了一些简单的印刷品。这一点哀鸣，可算做海外侨胞积愤的一点表现。散队之后，曾有九人被法国警察捕去。这种示威运动，在欧洲真是“司空见惯”，被捕者假若没有轨外行动，马上就可释放，但是这次我们同胞的被捕，因为日本使馆责问法国警局很严，所以经过多次的检查，拘留了二十四小时，才得释出。可见这一点小举动，寄人篱下来做，都不得自由！

以法国现在外交政策看来，对日本是取联络态度的。这次中日事件起后，右派的报纸，以法日同处于帝国主义者的地位，中国虽是极端的吃了亏，也要帮着日本一鼻孔出气，特别是法国香水业资本家所办的两家报纸：一是 *Figaro*，一是 *L'ami du peuple*，态度更为颟顸，把满洲属于日本，认做合理合法的举动，对于国际联盟的处理中日事件，尤尽其讥诮的能事。至于几家号称中立的报纸，如《小巴黎人报》（*Le Petit Parisien*），《新闻报》（*Le Journal*），《晨报》（*Le Matin*），《巴黎回声报》（*Le Echo de Paris*），和半官式的《时报》（*Le temps*），对于这次事件的消息，登载的很多，论调还比较的公允，不过对于日本的暴行，并没加以严重的攻击，对于中国的损害，也没表同情。其余左派的一些报纸如《每日新闻》（*Le Quotidien*），《工作报》（*L'oeuvre*），以及《通俗报》（*Populaire*）等几家报纸，除了对于日本帝国主义加以正当的批评而外，对于中国的处境，也略予同情。至于共产党的报纸《人道报》（*L'humanite*）对于日本帝国主义加以痛骂，不过对于中国民众表同情，而不对政府表同情。关于中日事件，巴黎的报纸上，还不时的看到日本通讯社所发出的新闻，当然都是属于偏面的，但是那一条是中国通讯社发出的新闻稿件，则遍寻不得！

年来国人对于组织一个大规模属于国际性的通讯社，类乎英之“路透”，美之“合众”，这种酝酿虽然很久，不过迄未实现。在没事的时候，我们还不觉这样机关迫切的需要，但是一旦有了外交的事件发生，立刻就好像失了喉舌，在过去的事实里，我们可以找到很多的例证。我们需要这种新闻机关，并不是希望在有外交事件的时候，替我们造谣，混淆听闻，我们只求其能替我们发表公正确实的新闻。

国际联盟年来给人们的印象，并不很好，除了在国际间文化，社会等问题上，确有相当的调查和搜集而外，至于对国际间政治，经济等问题的解决，成绩可以说等于零。这次中日事件，交给她调停，日本的态度非常强硬，势成僵局，所以各报对于国联是否有此能力，都十分怀疑。拉进美国来共同解决，乃是白里安的缓兵计，自然给那些帝国主义一派的报纸，充分攻击和讥诮的机会。总之，这次事件，无论国联有解决此纠纷的能力与否，也不必管交涉胜利的谁属，反正总是我们吃了实亏，国联对我们喜恶的空气，未尝不可以利用，但是这只能管了一时，不能顾到永久，自己的问题，还要自己来解决。最要紧的，便是国人身当大难之际，都应该沉心静气的痛自追悔，把目光放到国际里，睁眼看看世界的大势，不要再一味丧心病狂的勇于私斗，更要把当前的几条重要途径决定，群策群力，一心一德的做去，不要放松现在，更要详虑未来，那么，这次的大刺激，好比一服兴奋剂，深入骨髓，才能见效。

二十，十一，卅一，于巴黎。

日撤上海驻军的真因

征　言

自从去岁“九·一八”中日事件起后，欧美各国报纸，根据事实作公正言论的，未尝没有；但是大多数报纸都依着他们本国对中日外交的政策如何，作一种袒护或是批评的言论。以法国而论，她对日本的外交，是取拉拢的政策，要想以日制俄而保持远东殖民地的安全。因此所有右派报纸，都作袒日之论，再加日方外交当局公然以金钱贿买，于是法国报纸对中国的态度，更为颟顸了。及至上海事件起后，中国的新闻几乎占了首要的位置，各报都有评论和驻华记者的通信发表，因为我军的忠勇，拼命抵抗，节节胜利，使敌人心寒，以致向存轻华态度的几家右派报纸，也不得不掉换口吻，改轻侮而为钦敬。法国报纸中平时登载中国新闻最多的，首推《小巴黎人报》(*Le Petit Parisien*),几乎旅法华侨每日都要人手一份。这次上海事件起后,适巧该报有两个记者在沪,一位是常川驻沪的男记者穆勒斯德(George Moresttre),一位是游行远东的女记者费婀丽(Andree Viollis)。战时穆氏所发电稿,多系简短的消息,费女士所发多系描写的新闻,态度尚称公允,而对于我们那些受害的无辜,还能表示同情。在外国报纸上,常常读到关于评论中国的文字,如果我们以国民的立场看来,大多数不免都含有轻蔑的成分,但是假若我们摈去情感,抱着"他山之石,可以攻错"的态度,里边或者有可以供我们参考的资料,而且有些消息,非从间接方面还不易得到呢。

最近费女士从上海到了日本,关于上海事件,曾往访日本军官,对于日本急于撤退上海驻军的原因,所论尤详。据费女士探访所得,日本急于结束上海事件的原因是:

(一)国际的关系　日本这次启衅上海事件,是在转移世人注意满洲的视线,派兵来华,不过是示威举动,十九军的抵抗初非意想所及,至于惊人的勇猛,更出预料之外，但是“箭在弦上，不得不发”，为了面子起见，不得不一而再，再而三的调运大军，不过日本所受的实在损失，真是哑子吃黄连，苦在心里，而且种种丑誉，传播遐迩，日本一二十年混得文明的假招牌，恐怕这一下都要丧尽，所以还不如趁着战事停止，赶快做一个结束。

（二）财政的困难　日本自去年“九·一八”出兵满洲，军费总数已用去一万五千八百万金圆，政府在责任上，已感万分的不安。对于最近上海事件，在外既受世人的反对，在内也不得同情，但是事实上，曾经用去九千八百万金圆。此外对于陆海军两部以及战事损失发行到一九三三年三月的公债，已经增到二万八千五百万金圆。日本财政的亏蚀以前已经有了二万八千二百万金圆，财政部更有其他不可少的八万万金圆的用费，实际上至少要有十亿金圆的借款，日本财政才能维持。日本财政困难已达极点，因此对于上海事件，不得不急求结束。

（三）满洲的集中　据日人的宣称：“满洲事件的进展，日人时在留心。对于国联调查团迟缓无力的工作，曾予以深刻的注意。最近有谣传说‘满洲国’依然让他存在，不过由中，日，英，美，法，德，意七国代表合组委员会来管理，这种谣传非常可笑，日人绝无接受的可能。日人现已深入满洲，和他发生密切的关系，很多日本退职或是在职的军官，加入满洲政府工作，领导他有八万五千人的军队。行政方面曾有大批的日本官吏和各项专家，日本许多银行和许多百货商店正在开设分号，将有大批的职员和货品送往，若干工厂皆在计划扩充。移民内地也都在进行。尤有进者，日本军队对于满洲已实行了经济的占有，并且仍在握有行政的大权，绝不准任何人来破坏他的工作，并且合力消灭所有的反抗者。”这种言论，可以代表一部分日本人的观念，日人居心如此，无怪急于结束沪案，集中全力，希望吞并满洲的实现！

（四）对华的策略　中国人对外总是屈服，对内愈打愈起劲的习性，深为帝国主义者所洞悉。所以他们利用这个弱点，时常在旁挑拨，好使中国人自己阋墙，他们来鱼肉。日人自是此中老手，他们以为中国人对日本，是处于联合的战线，上海战起，不啻给中国人多一个团结的机会，现在急于结束沪案，撤去积极的共同目标，这样中国人又要自相争打了！这种用意，未始不是日人对华策略的表现。日人的深心是如此，我们是否要被利用，因沪案一时的苟安而移动我们一致抗日的目标，那就要我们问一问自己了。

二十一，五，八，于巴黎。

农家出身的法国新总统

征　言

一般迷信的西人，都说“十三”是一个不祥的数目，偶尔遇到这个数目的时候，总是设法避免。假若是在“十三”上出了什么不幸事件，迷信的人们又有话可说了。去年法国选举的新总统杜美（Paul Doumer）恰巧正是第十三任，而且选举的日期是五月十三，就职的日期是六月十三，又遇到两个“十三”。迷信的人们，都把“十三”这个数目，当着预言说，不知这位第十三任的总统在任期间，要遇到什么不幸的事件。不料不满一年，竟出了毛病。

当着五月六日下午五点左右，总统杜美被刺的消息，渐渐的传遍了巴黎全市，由一些人们面部的表情看来，好像很受感动，而且不胜惊奇。因为从政治的关系上推测，法国总统不过是名义的元首，毫无实权，在政治上并不重要，实无暗杀的理由。至于杜美个人的私德尚好，不致树敌，而且因他为国服务很久，四个儿子曾在欧战捐躯，法国人民对他都有相当的尊敬，但是现在被人暗杀了，所以都当做是意外之中的一种“意外”。当天晚报连出数版，随卖随光，一些人们都被惊讶奇异的心理所驱使，谁不愿意知道闷葫芦究竟装着什么药？法国总统的工作，真是单调，除了签一签字和开一个国务会议而外，任什么大小典礼，总统也要参加，不怕一个讲演会，一个展览会，凡是稍带官方性质的，总统都须出席，于是这些琐碎的事项，便占去总统每日生活的大半。五月六日这天下午三时，杜美是出席一个“退伍战士作家展览会”，刚到不及五分钟，突有刺客向他猛击，身受两枪，皆中要害，当被送到医院的时候，差不多已是半死，以他年纪的老大和他伤势的严重，一般人预料绝无救活的希望，果然延迟到翌日的早晨四时四十分便死去了。刺客当场就捕，被众殴伤，他是一个俄国人，年纪有三十七岁，名叫 Paul Gorgouloff，捷克斯拉夫鲁拉齐大学的医学博士，曾经做过医生，并有著作出版。自称是俄国法西斯党人，和“绿色农民政党”的首创者，因恨法国的帮助苏俄（作者按：此说与事实不符），而想刺杀法国总统，至于有无其他原因，现时正在严密的审问。

最近正值法国全部忙于选举新的众议员，这个时候总统出了缺，既要布置国丧的仪式，又要预备新总统的选举，在这五月之中，法国可谓“多事之秋”。法国无副总统的设置，总统任期七年，任满或是中途出缺，马上就召集“国民会议”，选举新总统。按照法国宪法的规定，凡是法国男子，年在二十五岁以上，享有全部公民权利和政治权利的人，即有当选总统的资格。不过就习惯上讲，当选者类皆国内老成持重，负有众望的人，而且多是参众两院出身的议员，特别是参众两院的议长，照例有资格做总统的候选人。

法国总统因为是用间接选举方法，所以大选好像只是议员们的事，普通人毫不注意，不过当做一件新闻，谈谈而已。这次选举，匆促之间，右派各党团遂决定推现任参院议长骆卜兰（Albert Lebrun）为总统候选人，左派各党团虽然也有推举数学家班乐卫（Paul Panileue）

的拟议——班氏为法国著名的数学家，曾于一九二四年当过总统候选人——但是因为内部意见不一致，班氏曾经一度答应做总统候选人而终又退出。直到选举那天早晨，实际上只有一个总统候选人，选举结果尚未发表，便已经知道骆卜兰一定当选。十日那天的下午，在凡尔赛皇宫仍按去年选举总统的仪式做了一次，结果骆卜兰氏以八百二十六票中，得有六百三十三票的大多数而当选为法兰西共和国的大总统。

骆卜兰现年六十一岁，他的父亲和祖父都是农夫，就连他自己的亲兄弟现在仍在乡间操作农务。他中学毕业后，于一八九〇年考入巴黎高等工专——这是法国造就将来专门人才基本科学的学校。食宿书籍等，都是官费，考进极难，在这学校读书的法国青年，认为极其荣耀——两年后曾以第一名毕业，又继续进入高等采矿专门学校，仍以第一名毕业。此后曾得各项奖金，到国外游历。廿七岁时被选为本省省议员，这是他政治生涯的开始，后二年被选为众议员。经过三十二年之久，始终代表本省而为众议员及参议员。他担任议员的职务和做工程师一样的小心谨慎，曾任众院及参院副议长，出席国联法国代表等职，直到去年杜美被选为总统，继他后任而为参院议长。现在杜美暴死，他便被选为总统，民治国家的总统多是贫陋出身，这也是一例。

二十一，五，十，巴黎。

旅行和消费

征　言

旅行之在欧美，几乎成为得知识寻快乐的唯一途径，所以无论在何时何地都有成千成万的旅客过往，特别是在假期之中，游客人数更多。交通的方便，已不成为问题，而各种为旅客的设备如指南，地图，询问机关，更是应有尽有。所以一般游客，只要手拿一本指南，带上点应用的东西，办了各种手续（如国际间护照之类），便可以在各国间穿来穿往，绝不会受有阻碍或是什么意外。

由经济上讲，旅行是一件消费的事，自然在节省与靡费之间，旅行费用上，就会有很大的差别，不过直接和间接的总要花去较日用费为多的金钱，最显著的便是车船费，膳宿费以及购买纪念物等费，其他各种消费，更不计其数了。因此世界各大名城，除有其在历史，文化，政治，经济的价值外，其余一切事业，大半都要靠来往旅客的消费来维持他的兴隆茂盛。就以巴黎为例，每到春夏之际，便有大批游客到来，各旅馆都住得满坑满谷，几家著名的戏院和娱乐场所中的观众，差不多有一大半是这些旅客。同时其他名胜和古迹的地方，也充满了这些旅客的足迹。欧美各国都晓得了旅行和消费的关系，所以都特设招待旅客——特别是国外的旅客——机关，不惜花了很多的费用来办理，这笔费用，在表面上好像白白的用去，毫无所得，其实在暗中所得到的利益，岂止十倍？美国人是世界上顶富裕的，在闲暇无事的时候，便喜欢出游，而且因为经济的充足，所到各地，尤能尽量消费，因此很得各国商人的欢心，所以有些广告，专为迎合美国人的心理而做的。就以旅行费用一项而论，美国人的消费量，也颇有可观，据去年美国商务部所发表美国人在各国旅行消费的统计，用在法国的达四十八万四千五百万法郎，用在英国的达十万零四千万法郎，其数殊可惊人（百万法郎约合中国国币十八万圆），尚有他处，兹不赘述。

至于在中国作旅行，与其说是找快乐，莫若说是找罪受，一则交通不方便，二则设备不周全。极偏僻的内地不去说，只就通都大埠而言，如果作一次旅行，已是极辛苦的事。先说买车票，除非坐头等的大人先生们，不用受苦而外，其余买二三等票的人们，买票时要挤个死，上了车找不到位子，车子时在半路上停住，误点不知什么时候到，只就从上车到下车的短程间，已经是辛苦备尝。再加上达到目的地后，住房，吃饭，游玩，处处都要被敲竹杠，几天的旅行回来后，不独精神上没寻到快乐，身上好像生了一场病；所以旅行一事，在中国人眼目中，几乎成了“畏途”。不过这也是因为事实上的困难，而养成中国人足不出户门一步不好游的习惯，遂致以我国之大，南北有着无数的名胜和古迹，而得有机会游玩欣赏的，也只限于附近居住的一些人民。有时甚且感到在国内旅行，还没有到国外去的方便。

至于对外国游客的招待呢，中国特设的机关是没有的，都是些外国旅行公司代办，并没有人感到旅行和消费关系的重要，而想干这件事。一些旅客，任其自来自去，他们所感到的只是些交通的不便，食睡的不安，买物的受骗等等印象。就以北平而论，无论就历史，文化，和艺术那方面来看，以我们处在美国人地位而猜想他们的心理，对于这个古城，将要如何的称赞欣赏。但是事实却相反，几天的过程中，天天在灰尘仆仆中的马路上穿来穿去，参观的地方，古香古色，琳琅满目，确是美不胜收，但是因为没有详细的说明书，更没有很好的说明者，看了也多是莫明其妙。至于所买的古玩珍品，也多是仿造的假货，所以一些旅客，游玩之后，也只能以好奇的心理说一声惊奇，而不能有真正的欣赏。以我国年来不断的变乱，和我们对外国旅客的不经心，还时时听到有大批旅客来华游历，假若国内平定，再有专设的旅行机关，那么，每年来华游历的外国旅客，当必更多，至旅行和消费，于我们经济上繁荣有莫大的关系，只要一看上述的统计，便可知道。所以我们在论述本题之后，很希望政府，或私人的商业机关，——如中国旅行社之类——来办理招待外国旅客事宜，要有通盘的计划，和精密的办法，然后才有较好的成绩。这件事在本身未见得是蚀本的生意，而间接所得的利益更无穷了。

二十，六，一三，于巴黎。

中国古物的东鳞西爪

征　言

在每一个国家里，可以从她所遗留古物的多少，来断定她文化的久暂，更可以看她对于这些古物保存的好坏，去观察她国运的盛衰。我们讲古代文化，总是脱不掉中国，印度，埃及，希腊，罗马，同时更因学术的进步，对于有史以前的事物，也有新的发现，于是无形中，又把人类的历史，延长了若干世纪。你看，走到任何国家的博物院，总可以找出许多关于这些时代的遗物。他们对于一般古董，虽然是一木一石之微，也要保存得安全适当，好给后人做一种研究参考的资料。欧洲各国，对于保存古物，不遗余力；就是现代富强的美国，深怕别人说她是新国家没有文化，所以对于古物，也在极力的收集和保存。

谈到历史和文化，自然，中国有她相当的悠远和高度。古代的遗物，随处都可以发现，这些真是中国历史的宝藏，也是我们文化的精粹。不幸，因为我们民智的过低，政府的无力，不能对这些古物的价值，具有真的认识和妥善的保存，以致遗失流散，更有些丧心病狂的认为盗卖古物是发财致富的好机会！例如中国龙门，云冈的石佛，对于中国美术上，占多重要的位置，可惜一些佛头都被盗卖，甚至清朝的档案，在前几年也有当做烂纸整麻袋卖给日人的事实。至于年来因为天灾人祸，而古物惨遭浩劫的更不胜计。

收藏古董和保存古物完全是两件事，前者不过是个人的嗜好，后者乃是政府的职责。保存古物，应用合法的分类和管理，不独可以供一般学者的研究和参考，同时并可以使我们国民时时在回忆中华民族过去的悠远和伟大，更要不断的努力前进，以臻发扬光大。中国人对于自己古物的爱惜和保存，恐怕还不如西洋人对于中国古物的经心。且看，敦煌石室的藏经，假若不是经奥人斯坦因（Aurel Stein）的一盗，云冈石佛经法人夏畦尼（Edouard Chauaunes）的发现，恐怕我们始终还不知道它的重要。在最近一二十年，特别是在边疆的几省，如蒙古新疆等处，时有外国考察团的派往；更可怜的便是我们自己的东西，还要外人捐资才能修理。欧美各国，差不多都有专门研究中国文化的学院。博物院里也不时见到中国的古物。在欧洲，巴黎和伦敦差不多是西洋研究汉学的中心，也是中国古物收藏最丰富的所在。

仅以巴黎而论，除了几处东方博物院可以找出很多的中国物品而外，其余博物院的收藏中，也不断东鳞西爪的看见我们的古物。最著名的有以下几处：

第一是国家图书馆　该馆所存的中国书籍，共刊于两个目录。一种名《古伦（Maurice Courant）中国书目录》，从一九〇二年至一九一二年出版，共有三册，其中分历史，地理，行政，法律，哲学，伦理，文学，科学，美术，宗教，及各种丛书等项，在每种之后，附有本书作者，出版年代，并内容大要，共订有洋装九〇八〇册，如每册以中国线装五册计算，该目录中所载的中国书，至少有线装五万册。另一种名《白希和（Paul Pellist）中国书目录》，这是法国大汉学家白希和氏于一九〇九年，在中国收集，一九一三年编成现在的目录，共分上下两卷，计有中国书籍一七四三种，以丛书和志书两种最多。法国国家图书馆藏书之富，在世界各大图书馆之中，也算数一数二的，而所有外国书籍中，竟有将近十万卷中国书籍的收藏，不可谓不丰富。我们在国外作研究，除去感觉搜集参考的便利之外，自觉非常惭愧，试问中国图书馆对于外国书籍收藏稀少的固可怜，即是中国自己书籍，收藏在十万卷的图书馆，又有几处呢？

第二是卢浮博物院（Musee de Louvre） 卢浮是法国博物院最大的一个，里边收藏，极为丰富，古今东西，无所不有。关于中国的大批古物，可以在该院附设的“远东博物院”找到。最惹人注目的是葛隆狄迪业（Graudidier）氏，所搜集的中国瓷器，其中以大瓷瓶为最多，收藏之富和品质之精，并不让于大英博物院所藏。此外还有不少中国古画，雕刻，铜器，以及夏畦尼同白希和等人几次派往中国考察团所带回的物品。

第三是集美博物院（Musee Quiwet） 集美是巴黎东方古物博物院最丰富的一个。里边的收藏，多关中国，印度，日本的宗教，历史和美术。此外还有图书馆一所，藏有专门书籍约四万册。在各种收藏之中，我们可以看见很多伏羲，神农，黄帝和观音，释迦的像，以及其他和宗教有关的物件。中国瓷器，字画和清朝御用物品很多。郎世宁是清朝有名的西洋画家，他的作品，有很长很细的手卷放在玻璃柜里，龙门和云冈的佛头也有陈列。

第四是塞尔尼西博物院（Musee Ceruusehi） 该院是塞尔尼西个人的收藏，后于一八九五年捐赠给巴黎市。里边的收藏，尽是关于中国和日本的。中国部分，多是汉唐时代的古物，其中有汉瓦，和唐代瓷人，很多是关于当时民间风俗和服装的作品，类如出殡的景况和当时妇人的装饰，都有分组的陈列，此外还有汉时的瓷器和房屋建造的模型。商周的铜器，也有几种陈列，这些都是引起观众注意到两千年以前，可以想见中国的文化。

第五是枫丹白露中国博物院（Musee Chinois de Fontainebleau） 枫丹白露是法国皇帝行宫之一，和凡尔赛宫齐名，在巴黎之南，这个中国博物院就在皇宫附近。博物院叫的好听，其实进去只有三间大小，随便入览，不收门票。里边的布置，倒也精致，除去了一些是关于暹罗的物品而外，中国的东西有：水晶和金玉一类的小器，硬木雕花的条桌，和景泰蓝的大缸，间或点缀两个宫灯，几张字画和一些瓷器。这里边陈列的物品据说是英法联军火烧圆明园，法国兵士抢得来的，以后由国家出价买回，这不过是一部分，还有不少仍在私人手里，所以这个博物院虽小，但是来做我们的国耻纪念，已经很够了。

中国古物的丰富，足证她文化的悠久，收藏保管的不佳，便表示她国运的衰弱，不过要知道保存古物，不单是个人的欣赏和嗜好，其中确具有使国人回念我们祖先所赐之厚，而更要时有努力前进的兴奋力，那么，现在我们的古物，日渐流散，还是听其自然呢，或是要有妥适的保存办法？我们认为这都是政府不可避免的职责。

二十一年七月十日于巴黎。

流落海外的参战华工

征　言

当着欧战方殷，正在激战的当儿，参战各国的青年，都运送前线，国内各业虽有妇女们来维持，不过火线后方，仍有许多事务，待人工作，于是才有协约国来华招工，分赴英法工作的举动。后来我国政府在一九一七年三月，宣告对德绝交，也算做协约国的一分子，负有参战的义务，于是更有大批的华工自天津，青岛，南京等处，分往协约各国的前线工作。这次协约国主动参战的除法，比，英之外，随后加入的有意，日，美等，他们的参战，是为了本身利害，或是为了国际的光荣，唯独我们的参战，乃是为势所迫。最可怜的是我们一些工胞，他们的应征，远渡重洋，冒险舍命，是真真为了争公理抗强权吗？我们想很多人对这些不甚了解，他们出去唯一的原因，是国内生活不安定，没有发展。他们远去祖国，背井离乡，有的是为了趁着这个机会，开广眼界，学些技艺，作为将来图进展的依据。有的是为了既能到外洋工作，或有发财的机会。而且在招募华工办法中，又有种种优待条件，类如开走之前有“安家费”，按月发有“养家费”，在外工作，按照等级给月费。因此一些没出路的找不到职业的工人怎样不心动？但是他们的参战，是环境的压迫，财利的引诱，所以与其说是自动的参战，不如说是被动的招来。

其他参战国家的兵士，每到协约国助战，是以宾主的礼来受招待，类如美国兵士到了法国是何等的受欢迎。我们的工胞，应征而来，是为了同一的目的，不过方法上是用的雇佣式，对于待遇，并不平等。每次由中国开走的华工，都是像猪仔般的装在四等舱里，到后自然所做的，都是些火线后方的粗工，他们每天出入于枪林弹雨之下，既不知什么是危险，也忘尽了生和死。这样的直到大战告终。普通而论，华工在法的名誉还不算坏，但是就仅仅这一点，也不是因为中国名义而得到的，完全是我们工胞的勤朴耐劳的精神而争得来的。

华工的合同是二年，欧战停止即回国的有不少人。但是有些人为了要达到初来时的志愿，仍愿留此。也有些人，因为享受惯了物质的舒适，不愿即回。华工大部分是在法国，因此法国陆军部要求每人缴纳六百法郎的赔偿费，中国驻法领事馆，要求每人缴纳一千法郎的抵押费，借资限制。按照上述办法处理，或另用其他方法而得自由留在法国的仍有不少的人数。他们留在此地所做的工作，可分有技，无技两种：有技的如漆工，木工，机工等；无技的，大多在工厂里做粗工。法国工厂里雇用外国工人，贪图他们肯出力而工价低，因此华工也不能例外，每月工资大约由八百到一千五百法郎的样子。此外的工作，有的是在外省做农事，不过人数很少。有的在中国饭馆做堂倌，还有在人家里做雇佣，或是自己经营小买卖，如卖中国土产虾米，粉丝，黄花，木耳，并自做豆腐豆干等。在巴黎附近华工较多的地方，一个是“里昂车站”（Gare de Lyon），一个是“比映古”（Billancourt）。在那里可以看见中国人自开的旅馆，饭店，咖啡馆等等，日常必须的店铺。在这两个地方，无论什么时候都可以看见华工的踪迹，俨然是旧金山的

“唐人街”，伦敦的“华人区”，不过具体而微，大同小异罢了。

华工里不乏娶法国女人做妻子的，如果职业不发生问题，他们可以渡安定的生活，不过为数不多，约及百人。有的因为祖国无所留恋，再加每日享受物质的舒适，国族观念尽失，大有“乐不思蜀”的气概。至于一些单身汉，每日工作之余，因为没有正当的娱乐，就拿赌博做为消遣，常常因此生出不少的争端。中国人的缺乏知识以及整个的国族观念，是我国散漫衰弱最大的致命伤，这种现象，在华工之中，也不能例外。一些少数身列知识阶级的分子，以为华工没知识，脑筋简单，常常利用他们，做为政治斗争的工具。华工里也有许多觉悟分子，深感本身无知识的痛苦，和被人利用的气愤，但是因为本身没能力，仅有呻吟式的抱怨表示反抗，不过有时仍不免被人当做鱼肉。只看巴黎华侨中，没有一次含有政治意味的斗争，不是利用工胞们当前锋做打手，我们就可以明白个中真相！

当初来法参战的华工，为数约有十万上下，除去死亡及历年回国者外，至今尚留若干，因为向无确实的统计，其说不一，不过就估计，约有六七百到一千人之数。他们向无具体的组织，因为言语习俗的不同，分成南北两大派，南派以浙江，四川，两湖人为多；北派以河北，山东，河南人为多。一些做政治活动的人，为了想利用华工做工具，希为己用，所以不顾一切，忍心的去分化他们，致使他们彼此少有联络，这种人是侨胞中的蠹虫，也是华工里的罪人！有些华工已经娶妻，生有子女，所以他们自动的办理一所“华侨子弟学校”，用款由中法庚款里津贴，学生男女共有三四十人，在散漫中的华工，能有这样的组织，总算“难能可贵”。

法国所以需要大批外国工人的原因，直接固然是受大战的影响；间接的便是因为人口生产率过低。近年来世界间闹着经济的恐慌，严重的失业问题，在法国虽然没有显著的变动，但是各方面也不无影响，全部失业的工人，表面上没有激增，内里却有很多是局部的失工。救济的方法，唯有设法裁减外国工人，来补进法国工人。华工多是无技的粗工，而且年龄渐长，都在四十岁以上，自然被裁的机会最多，因此近一二年以来，华工之中由局部失工而全部失业的人数，日渐加多，总数约计二百余人。西洋人的个人经济很简单，普通除去日常有储蓄之外，差不多都是以下的一个方式：有工作，能赚钱，有金钱，才有饭。换句话说，就是无工作，没饭吃。在法的华工，大多是这样情形。所以有些人，失业之后几乎成了无住处无饭吃的游民。法国虽然有救济失业的办法，但是要在一个工厂继续工作有相当的年限，而且救济的时间，最多不得过半年。中国工人，因为时常更换工厂的关系，不能到相当救济的时间，因此没工作，食宿问题，即无法解决。去呼吁中国驻法使领馆，往往也是不得要领，因为这两个机关，久已囊空如洗，自顾不暇，又那有能力顾及其他！前不久虽由使领两馆出名，组织一个“救济参战华工委员会”，临时向在法华侨方面捐款救济，这不过只能救燃眉之急，终不是久远之计。唯一的办法，还要由政府通盘筹划。

我们稍为一出国门，随处便可以看见我们同胞的踪迹，如果英国人拿他们国旗下无落日的比喻以自豪，那么，我们便可以中华国民足迹遍五洲的事实来相夸。当我们看到自己同胞吃尽千辛万苦在国外挣扎以图存，未尝不叹中国民族富有勤俭耐劳的精神。但是感觉到他们无时无处不受人家的压迫，而绝对得不到祖国丝毫的保护，又未尝不气愤。在法参战华工，姑无论他们是代表国家参战而来与否，即是当做不相干的一些中国人假若羁留海外，不能生活，也应该负责送回。我们希望政府对这些流落海外的参战华工，应该拟有具体计划，一次送回，不要再希望法国政府能有些帮助，因为合同既满，在法律上讲并不再负其他责任，如果我们不自己想办法，只倚赖别人，所有一切接洽，都是等于乞怜的行为，这是我们最可耻的举动，应当注意。

二十一，七，二十七于巴黎。

过红海

胡　尔

五月五日下午二时，船启碇离开吉布的，向红海出发。红海（Red Sea）在记者之理想中以为海水必为红色，面积也不大，第二日（即六日）晨记者在甲板上散步，见船行之海，茫无涯际，水为青绿色，殊不知此即为红海也。到红海后第一变动为天气之热，已到华氏一百零十度。其次，虽为清晨亦无风，气候非常干燥。一到午后热度增加，虽有微风，风却不带凉意（为微温之风）。曾询同船法人以红海名之来历，既名红（Red）海，为何水仍作青绿色？据云，红海名之传说有三：其一，红海两岸为大沙漠，每遇大风即将黄沙括入海中，沙漂浮一层于海面，故以名；其二，红海中产生一种红色的海产物，其物浮于水面，故以名；其三，因红海在阿拉伯与非洲两大沙漠之间，每当日出，阳光照于沙漠上，沙上发出强烈反光射于天空，天空再反映水里，以致海水成金黄色。三者以后说较近事实，并合科学原理。船中搭客入红海后多带黑色的眼镜，因反映于海水上的阳光太强烈，容易伤目。记者事先未曾预料及此，眼力的确吃苦，不能注视海水，稍注视半刻，眼睛视物即作模糊之色。此种经验亦为后来者所宜注意。

五月五日于船中读电讯，知上海事件定于五月六日签字，同伴华人均大哗，认为被强盗抢掠尚须与强盗订和约，这是双重的国耻！

船行红海第三日，天气骤然变冷，降至华氏表五十五度，风浪之大，为海行以来第一次，甲板上已无旅客。但风浪虽大，船却未颠摆。询之船上法国水手，始知此船原为德国船，欧战以后德国欠法赔款无法偿还，乃以一部分船抵款，此船即其中之一艘。船以吃水量深，故不易颠摆。

八日船将到苏彝士，海水作深绿色，两岸衬以黄沙之岸与黄沙之山，倍觉美丽。唯气候更冷，虽夹衣亦不足御寒，旅客多着毛衣，甚有着呢大衣者，据云此去气候只有再冷，故白色之衣服已不复见。

午后三点抵苏彝士（Suez），帆船如白蝴蝶一般漂荡于海中。记者预先计划本拟于此登岸，乃以停留时间有限故未往。但搭客中有往埃及京城开罗（Cairo）游览者却要在此上陆，搭汽车前往，约三小时可到开罗，再由开罗搭火车到波赛（Port Said）下船。要往开罗游览者事前可以和船上接洽，头等八金镑，二等六金镑。记者甚想一游古埃及故都，尤以金字塔为梦想一见者，但以经济限制，只好俟诸异日了。船停后即有数十埃及人上船兜售画片项珠等物，并有数人在头等走栏上玩把戏，冷清数日的船上马上热闹起来了。此地属英，故土人多说英语。

船开行时已六点半，慢慢地往一条窄小的港口开着（这时从那港内刚开出了一只船）。那窄小的港口就是苏彝士运河（The Suez Canal）的港口。右面是阿拉伯，一片沙漠；左面是苏彝士城，绿树红房，相衬似一花园。右岸未筑堤；左岸之堤系用水门汀所筑。此河共长八七点五英里（一六八公里），阔六十米达至一百米达，深十米达至十二米达，共经五湖。从苏彝士至波赛需十二小时或十五小时。因河身只能容一只船，故沿河一带均有红绿号灯，船头装有一大电灯（和汽车前面灯相似），一到夜来灯光射出，如汽车之行于陆地。船沿途可靠之地为五个湖，湖的性质如上海交叉点之电车停车站。苏彝士有船行时，在波赛之船即不能开出。此船开出不久，天色已黑，天空满布星斗，新月一钩，斜挂天边，而人在船上有若游湖（参看本文插图）。苏彝士运河在世界所有工程中是最伟大的一个，工程费用去一万八千万金镑。河的成功不但打通了欧亚的交通，而且减省了无数的时光和金钱（以前从欧到亚须绕好望角）。我们享受着这壮大工程的赐予，虽然出了十法郎（凡过苏彝士运河者每人须纳税十法郎，买船票时付清），心里都是情愿而愉快的。

第二日（九日）晨七点船即到波赛，先给记者的印象，为波赛煤油厂甚多（在苏彝士也有许多煤油厂），而这公司不是美国就是英国的。煤油为波斯与埃及的出产物，英国之侵夺波斯与埃及的目的是在煤油之开发。埃及的油田多为英美所有。煤油及煤本为帝国主义者的命脉，近年来欧美的冲突煤油确为一大问题。船在此有

苏彝士运河之一部。河身阔六十米达，最宽处一百米达，长八十七哩，深十米达。图中左面之物，为掏沙机器，而此船为行于河中之情状。

临时的码头，上岸亦不必验护照。不过下船后就有一埃及人追随身后，斥之不去，云可带吾等至邮局或看女人，只要给他四个法郎。出门口时，埃及警察遍搜吾等身上，而外人出此门口，不但不搜查，还举手行礼，道安问好。记者不胜愤懑，弱国之民，就连亡国奴也得要来欺侮，有何话说？一到街上，满街都是埃及商人，口呼狂叫，甚至动手拉客，此种营业者的丑态，世界要算第一！记者为了埃及人的侮辱，决不购买一物，以示消极的经济绝交。此地地方甚小，人口不过十万三千，其中以埃及与阿拉伯人最多，阿拉伯的妇女身披一黑服，有面网将鼻子下半部笼罩，在鼻子上有数节圆筒，联成一串戴于鼻梁之上。游博物馆后，乃往瞻仰创造苏彝士运河之法工程师雷赛（Ferdinand de Lesseps）纪念像。雷赛的铜像高约三丈，左手执地图，右手指运河。地点在运河之口，出口即地中海，在像前徘徊者久之。雷赛纪念像对面为运河工程处，以运河常须掏沙掘泥，故须人照料，午后三点记者即返船，四时离埠。波赛到马赛需时六夜四整天。地中海以时值夏令，风浪时有时无，有时如履平地，有时颠摆不已。十一日过马西拉（Messina）海峡，北为意大利岛，南为西西利岛。意大利半岛为崇山峻岭，北岸于高楼和绿林之后为崎岖突兀的高山，颇为壮观，过西西利岛见南岸山上的火山的白烟冲天。十二日过科西嘉岛，海面时现尖锐奇形的岩石，不乏巨鱼跳跃于船旁，同伴均以海行结束在即，每人均带喜容，有的忙着收拾行李，有的忙着写信。十四晨七时船达马赛港外，此时算是到了法国了。

五月十四日寄自马赛。

在印度洋中

胡　尔

四月二十六日晚十一点钟船离科伦坡，回头望科伦坡灯光灿烂，而船却向黑暗无涯的汪洋中前进着。以前读游记，说印度洋的风浪如何的汹涌和澎湃，搭客如何的辛苦，但这次我们在印度洋中整整地过了七天七夜，连小小的风浪都未遇着。这也许是时节的关系。这七天当中，不要说山不容易看见，鸟看不见一只，就连船也没有碰着过，除了苍苍的天和黑黑的海水，就只有常见着的一些同船的人了。在这些日子里，心情是特别的感到寂寞，尤其是因和祖国消息隔绝了。关于上海事件，每天船上的无线电都没有报告，直至到了亚丁海面，才有上海前方战事复发的消息，那些高鼻子听了作何感想，不得而知，同船的本国人听了就生出了无限的希望——尤其是处在国外的人引着脖子感着无限的希望，因为他们随处尝到弱小民族的苦味，随处感到帝国主义者种种的压迫和无理的待遇。

船到亚丁海面了，常有海豚争逐船头，两面偶然的也出现一两个小岛，也有不少的鸥鸟飞翔于船的四周，船上的人也都显得有点生动，当船主报告明日（五月四日）即可到法属吉布的（Djibouti）的消息时，大家更活跃起来。（编者按：吉布的在非洲东北部，与亚丁斜对。）

四日上午九时进吉布的港，两面之山高高低低，成半圆形，将吉布的围着，山上无草木，呈现出一片荒凉景象。船停后雨仍落个不住，但载客之小汽船已丛集船侧，无数非洲土人泅浮船前，口唱"和和"之歌，向客讨钱。记者告某君，此种全身皆黑之土人，如蛙浮水面，在我国内地人见之定以为是"水鬼"出现！我们九个中国人冒雨上岸，搭汽车前行。此地建筑带一种沙漠情调，市内房屋完全为四方式（如豆腐方块）。马路不洁，雨后黄沙泥满街皆是，水深将一尺。一入商店或咖啡店，苍蝇乱飞。此地共有土人一万三千。欧人自三百至七百人，有数日人，及两三个中国人。此地土人于市上交易者为山羊与骆驼。土人腰围一布，无论妇女男子均赤足。警察头戴红长圆帽，身穿制服，却赤着双足，这滑稽神情，令人失笑。记者偕四友人入法人经营之餐馆午餐，餐后遇另四同伴，彼等往观土人跳舞返来，谓颇新奇有趣。同伴中杨君系研究民俗学者，竭力主张去看看此种异俗，当即雇汽车往观。中途所经之地多泥泞不可行，车过时土人每作惊呼之声。郊外土人之住屋为长圆形，四面墙壁为篱制。屋前屋后水深数寸，有不少小孩游戏水中。不久至一地，屋之建筑为土墙平顶。无数黑女在四周观望，一见汽车将至则奔跑欢呼。车停时即有数十黑女包围汽车，叽哩咕噜乱叫乱嚷，有的挤眉弄眼，有的解衣将彼等之乳示人，奇形怪状，令人咋舌。后某君告汽车夫，吾等来此为看跳舞的，当即与黑女讲定每人一法郎，即入一室，入室后彼等即脱去衣裙，赤身露体，用手打拍，一面唱歌，一面跳舞，同伴无不大笑，奇风异俗，殊为可怪，其愚态颇又可怜。吉布的非重要商埠，处处给人之印象为荒凉落寞，法人之据此地，也为军事与交通而非为商业，因此地为出入红海之要道，与英之据亚丁而扼红海门户相似。吉布的与亚丁在军事上与交通上实处对抗的形势。帝国主义者之处心积虑，钩心斗角，可见一斑。

五月十四日寄于马赛。

旅法之第一印象

胡　尔

船一靠马赛岸，上船接客的人与码头工人都上船来，都是斯斯文文的，鱼贯而上，没有大呼小叫的声音。你要住旅馆，旅馆接客的人给你一张收条。你要自己搬行李，不会有人来乱拿你的东西。所有的行李都要搬到海关查验处，就是女人的钱袋也要经查验人在外面画上一个A字，否则是拿不出门来的。记者和同来的中国学生的行李都交与一位马赛专接待华侨的中国人陈体志君，我们先雇车去他的公司，行李检查让他去办；他说只要花几个法郎给查验人是可以不查验的。

坐汽车是以表算，表上写明十五法郎，你给他十四法郎九十生丁是不行的，加一是小账，你不给他，他也会不客气的向你要。

马赛是法国的第二大都市。马赛所见着的，什么都是机械工程的表现，黄包车见不着，马车也稀少。在马赛中国人约有三百，他们在那里作的都是最下等的工作，在现在有一半是失业了。记者会着了一个办党的朋友，他不但骂中国的政府糊涂，而且说党卖了国！他的理由是政府对失业的华工持不闻不问的态度。

马赛的火车站甚大，搬行李到车站去，有人帮忙倒很便当，不过有两个印度人却被搬夫敲了竹杠。因为这搬夫中很少是法国人。在马赛，意大利西班牙人很多，法国政府最近统计，一百一十万人中法国人只有三十万。

三等车的设备——无论是到巴黎或到其他地方——较之我国二等还要好，八个人一个房间，为了要使旅行者感到安适，笨重的东西是不让你拿进去的。

从马赛到巴黎十二点钟，沿途所见着的乡村好像一些大花园一样，红的屋，绿的树，如茵的草，平坦的路，一点钟总要碰着一两次从巴黎来的车，两车都不停而过，铁道线总是双线，在半途停下来等车是一次也没有过。

到巴黎车站了，接客的人很不容易，因为从马赛在一个小时内开出了三班车，差的时间不过二三分钟，几乎是同时到，来接记者的友人曹师昂君煞费了苦心跑了好几个门才接着。到巴黎了，记者不要去描写巴黎红红绿绿的色彩，要说的是这一天正是星期，除了咖啡馆都是关门闭户，每个人的衣服都穿得整整齐齐的，好像过新年的光景。同伴戴君说巴黎见不着工人，其实这儿的人他们是在休息，休息的日子他们是在过快乐的日子，换去了他的作工的破衣穿上新的。

贴广告的墙上贴满了政府党，法国社会党，民主党，甚至共产党等的宣言和广告，好像商店的广告一样，各自说各自的长处，并且又说到旁的党的坏处。同一墙上就有互相攻击的招贴，原来就是十日前各党竞选的广告，选举的结果，社会党得胜了，但不见得胜的党把那些反对他的东西派警察撕去。

巴黎的地道车，记者曾费数小时去赏鉴过，工程的伟大，恐怕也不亚于苏彝士运河吧。地道车是特别为穷苦人而设的，所以地道车的生意也特别发达，但也不因为是穷苦人而设的车就污浊，它仍是清洁，整齐，花的钱只有七十生丁，可以走遍全巴黎。一个研究市政学的人说，巴黎的市政，在欧洲比较起来还是污浊的。我说，我们中国的市政只要赶得上法国一半已经不错了。听说苏俄最近从德国请了几个工程师在莫斯科建筑地道车，而巴黎已开始把地道车推广到乡间去。

五月十八于巴黎。

乡　间

胡　尔

记者在巴黎只住了三天，把要办的手续办了，便乘火车到这沙都铁梨（Chateau Thierry）来，巴黎来此不过一个钟头零十分钟。到沙都铁梨来，除火车以外，还有三条长途大马路，马路分国道，省道与乡道，国道好像上海南京路那样宽大而美丽。省道与乡道也很好。沙都铁梨在欧战时颇为重要，故在这里美国人死得很多，在这里最高山上有一个纪念亭。这里也因为欧战时中国的华工来过，或曾在此地住过的也很多，一般人见着中国人倒并不显出惊讶的神情。沙都铁梨是 Aisne 省的一个市，这里的房屋建筑多小巧，红色瓦小屋杂在绿树林中，有一条人工掏成的小河围绕着全市。自来水，瓦斯（Gas），电灯都有的。这里只有一个唯一的男学校（里面也有好几十个女生），也有一个唯一的女学校，全市的青年学生男的入男学校，女的随自己的意。什么私塾之类的学校连名字也没有听说过。记者住的地方离市约一里，房东是一个六十多岁的法国老妇人。到这里还不到一点钟，房东马上拿着记者的履历去警察局报告，记者本人也到警察局去报告，因为一个生人到这里来，是在二十四点钟内必须报告的。依法国的法律，无论那一国人到某地，须于二十四点钟内报告当地警察局，否则是犯罪的。而报告了警察局，一方面也是自己的好处，因为你报告了，警察局就要负保护你生命财产的责任的，第二步便是办居留证（Carte d'identité），中国带来的护照没有用了。办居留证，学生只要二十法郎，但当地的警察局并不能直接收这钱的，仅由警察局写好兑条自己去邮局兑到巴黎全法国总警察局。警察分局给你一张暂时居留证，他把你的永久用的居留证先寄到巴黎，经总局盖章以后再送给你。这些办好，在这里那就可以安心住下了。

这里的商店，差不多都是女店员，不论是咖啡店或大商店。（这种情形据说全法国皆是。）游手好闲的人是很少见的，每个人都在工作，从早上九点钟起，到十二点，十二点要关门（这时是午餐时间），再由下午二时起到七点，七点后除了咖啡馆都是关门闭户的。（每人每天工作八小时。）这里有一家影戏院，礼拜一，二，三，四都不开演，礼拜五，六及礼拜日开演。这里有一个公共洗澡堂，那种替你擦背捏脚的事这里是没有人做的，自己带肥皂，手巾，否则每样都是要用钱租。洗澡堂不分男女，但每人有一个房间。礼拜天全市都停工，连咖啡馆也只晚上做二三点钟生意，不管男的或女的老的或小的，他们好像过年过节一般，喜容满面，有的去旅行，有的去看戏。礼拜那天有一家跳舞场可以去跳舞（只礼拜天，余时不开），但里面没有舞女，不管男女进去都得化五法郎钱买门票。记者晚间常同友人到万籁俱寂的街上走走，有时虽是深夜回到乡间，心里到还没有怕要遇着匪盗剥衣服的感觉。我真感到这法国的乡间，如同一个大的花园，无处不表现出统一秩序，人民生活的安宁！

五月二十四日，于法国沙都铁梨。

诗人拉芳丹纪念日

胡　尔

在法国提起拉芳丹（Jean de La Fontaine）这名字，差不多三岁的法国小孩都知道的。虽然他离开人间已经三百多年了，但他的美丽的童话诗继续流传于法国社会，没有那一个大人和小孩不爱他的。

他出生的地方是玛伦（Mrane）河畔的沙都铁梨（Chateau Thierry），这个地方因了拉芳丹诗人的名，在法国成了一个著名的城。这地方为了纪念这伟大的童话诗人，还保存着他生长的住家，并把他的住家作为一个博物院。为了纪念他，把他住家的街改作拉

法诗人拉芳丹。

芳丹路，为了纪念他，两个学校，一个男学校和一个女学校都把诗人的名字改作校名。在一个桥畔立了一个他的铜像，更有趣的是许多年来，每年都在他的生日，整个的沙都铁梨及叶内（Aisne）省的人民都像发狂似的来纪念他。

这样的日子今年我第一次参与着。

六月廿五日，是礼拜六，像往常礼拜六的下午全个沙都铁梨都是沉于清静之中。因为法国人的生活，他们在这个礼拜六，一个礼拜的终结日，都很快乐的在家里

拉芳丹纪念日的皇后与化装汽车。（曹师昂摄）

休息。可是，这一天却反常的；街上拥挤着装饰得很美丽的妇女们，及穿得整整齐齐的男人们。玛伦河中浮着无数船只，全市街上挂满了法国的国旗，拉芳丹铜像四周及像旁桥上挂满了无数的红绿电灯……处处都显出快乐的神情。这便是纪念拉芳丹诗人三百十一周年纪念之前夜的表示。

夜降临了。全市拥挤着。不久全沙都铁梨的音乐队与提灯队从市政厅前出发。

为了纪念拉芳丹诗人，特别组织了许多竞赛，礼拜六先选举了沙都铁梨的皇后，第二日是正式的纪念日，皇后游行全市，脚踏车赛跑，与汽车化装比赛。一到第二天早上七点，全市活动着。美国柏拉蒙电影公司早把摄影机安置在市政厅门前。巴黎著名报纸的记者都来摄影，全市无线电收音机都放着音乐。

当市长的汽车一出车站时（一切的车都从火车站集合出发），后面跟着二十八部为比赛而化装的汽车，每部车是代表一个团体或者一个公司，皇后也是坐在这化装汽车的一部汽车上。当车经过街上时，两旁的观众与两旁楼窗中的人们都丢鲜花，丢纸花，丢蛇形纸炮，只见满空飘飞着绿红色的花朵，皇后带着微笑，丢着“飞吻”回答这些狂欢的人们！

车是绕全市一次，最好的现象便是虽有这样多的人，秩序依然很好的，一直到了市政厅集合着，市长用播音机演说，皇后也演说几句。人们在微温的太阳光下迟迟的散去。

到晚上九点钟，玛伦河中放烟火，千变万化，白的光把黑暗的玛伦河照白了。市政厅前及各街上都充满了跳舞的曲子和一对一对跳舞的男女。

礼拜一是第三日，在沙都铁梨公园内表演拉芳丹的作品，看的人真是人山人海。汽车化装的比赛得第一奖的一只船却是一个中国人扎的，一位在此做工的姓刘的朋友。

感人心灵的诗人固应受人怀念，但能不忘有功社会的诗人的民众也值得我们的沉思。

六月三十日于法国沙都铁梨。

远东与西欧的海航

郁　英

从上海到法国马赛，从马赛到上海的这一条远东与西欧海航的情景，国内好似已有许多人把它描写过，但是我翻阅他们所描写的一切，都是很浮泛，不切实，不是观察错误的，便是犯了中国式艺术家的那种种形容一个人的忿怒，说他的胡子竖起了三千丈，这事实上是可能的么？

我们交得了一个好朋友，通常总是经过了长久的时间而成的，有了相当的接近，相当的观察，相当的认识，然后渐渐成为患难的好友。当我们得了一个敌人，通常也总要加以长久的时间而才成的，在许多次经验中证明这是我的一个敌人。中国人却不是如此；在没有观察之前，先认定了这是一个好友或一个敌人的这种成见。留学生到外国来留学，目的是在搬一点中国没有而需要或中国有而不好的外国东西回去，然而许多留学生却没有认清自己的这一个使命，所以就连那极简单的远东与西欧的航海，在这般人心中也是神秘而古怪的。

我愿意在这里矫正一下人家所给予人们的错误的观念，同时切实的讲究一些实情。

（1）护照问题　留法学生的护照，最好自己直接去办；办法是很简单，外交部领到护照后，就直接往法国领事馆去签字。签字的时候，法国领事馆里的中国门房大老爷照例便要为难你，叫你须做一张铺保的证书；你做成了，他还要叫你做一张携带千圆现款的汇票；你做成交他了，他还要你做一张在“大法国租界”开店的铺保证书，说你本来的这张铺保证书是“大英地界”开的店铺出的，是无用的……结果，弄得你没有办法了，你要是聪明一点，送赠他五块钱的谢金（他的胃口倒不大），他当天就说已签好了，叫你在门房里等一回，他去请求领事就交你拿去。法国领事真的要中国留学生有铺保，有什么等等才肯签字么？中国留学生到法国来化钱，法国的当局视为最好的交易，为什么要给中国学生以这般的阻难及麻烦？事实上：这完全是中国门房大老爷的鬼伎俩。你要是懂法文，会说法语的，你只要不理那中国门房，说你自己去见法国领事，这门房老爷见你如此，只好让你去见法领事，那么护照便是一点也没有麻烦的签成。（我自己已这样做过，我有好几个朋友都这样做过。）然而这办法只有懂法文的人能行，不懂法文的人，我竟替他们想不出更好的办法了。

（2）法国邮船上的待遇及其他　法国邮船上的待遇，我绝对不承认像胡尔君在本刊上所说的阶级是很严的。我清楚地记得当我一九二八年回国的那次，四等舱中有一个留比利时的中国学生，他与我们在三等舱的三四个中国学生熟识了后，他便天天到三等舱的甲板上来消磨他在船上的时间。说到三等舱的人要到二等舱去看他的朋友这是自由的；只不过一个坐三等舱的人要拿了长椅去躺在二等舱的长廊上，这当然有点不大好，至少二等舱的旅客对你有点不高兴了，觉得这是不合理而野蛮的。但是并不是对中国人如此：在法国境内旅行多了时，你会明白法国人对于买三等票偷坐二等的事，是很被认为卑劣的。

我曾听好几个留学生说，虽然并不见诸文字，我却要矫正：凡是经过远东来西欧的或西欧返远东的中国女留学生，都是被船上法国水手强奸过的，这真是说的好可怕的悲剧啊！事实是怎样呢？我曾经过二次海航，但我倒并没有被法国水手强奸过，我承认一个女子，在深夜，独人留在甲板上，是的确有点不大方便的，可是甲板上通常除出餐时外，或下雨或风浪太大外，总是有好多的人在。我在返国的那一次，一个同舱的安南女生，在红海上，热的时候，她夜夜睡在甲板上的长椅上，她说有什么可怕，人很多，没有人敢来惹你一惹的。

戈公振先生在本刊上刊布的《白里安回忆》中说到中国人在西贡上岸去居留于安南者，护照及居留证上须盖手印，不错，这是事实。但是这件事，实在倒不是法帝国主义卑视中国人的证据。事实是这样起来的：居留在安南的大部分中国商人像在法国的中国小贩一样，既不懂法文，就是他们自己的中国名字也不会写的。签字既不可能，法政府就实行叫他们盖手印了，因手印与签字有同样的效用。（在法国，辨别手印的真假也有专家的，这两种是难得有人敢假造，就是假造，也一定会被辨出真伪的。）在这方面，要希望提高中国人民在国际间的地位，只有希望中国的革命家放弃了造“元老院”，“国葬”，而从事于人民的公民教育才得成的。

（3）踏到法国的土地后　到马赛上岸时，最麻烦的便是被法国海关检验行李这件事了，有时幸而只略受检验，有时不幸被他们大大的检验，而且纳税规例及税价都没有一定的章程，完全是由海关职员的兴致，可以听便作弊，听便乱喊的。不过处置这个麻烦，却也有一个很巧妙的办法。就是海关上的小职员是可以用钱贿买通融的。有一个朋友，他去马赛接他的未婚妻时，他公开地拿五十法郎给一个检验行李的小职员，倒惹得这小职员唾骂：“什么？我们法国人是不做这种事的。”不但不接受这五十法郎，反又大大的检验了。其实，法国人却也正做这种事的：你只要把钱在人家不见时悄悄地塞给他，他就乖乖的收起，不来检验，或马虎地假作检验放你走了。有好些有经验的留法学生，都是这样做成了的。

一九三二年七月九日。

巴黎的新闻报纸

镜　渌

法国全国的日报，有二百四十余种，而巴黎一处，占三十四种以上。其中《小巴黎人报》（*Le Petit Parisien*）日报，每日平均销数，达一百七十万份，为世界销数最广之报纸。美国的《纽约日报》（*The New York Daily News*）每日销数，仅及一百三十万份。法国在近世纪以来，一方因印刷与编辑方法之改良，一方因人民教育程度之普及，故报纸销数，日见增进，同时售价极廉。除带有绅士色彩之《时报》（*Le Temps*）与《讲坛报》（*Journal Des Debats*），以及共产党机关报之《人道》（*L'Humanite*）等外，余均售价在二十五生丁左右（约合国币四分左右），而带有法西斯主义色彩的《民友报》（*L'Ami du Peuple*），每份售价十五生丁。若以三年前，中国外汇不降落时计之，十五生丁，仅及国币一分半耳。每天早上，假若我们由巴黎近郊，搭车到巴黎城市的中心，无论在电车，火车，或公共汽车上，都是充满了各办事房以及各工厂的劳动者，他们差不多都是静默无声的人手报纸一份。我们一方面可以看出欧洲社会的勤勉活泼，一方面可以看出人家的人民知识程度发达到什么样子。

巴黎的日报，除《小巴黎人报》外，另外还有几个势力相埒的日报，如《日报》（*Le Journal*），《晨报》（*Le Matin*），《小日报》（*Le Petit Journal*），《巴黎回声》（*L'Echo de Paris*）等，均为法国销数最广之报纸，世所谓巴黎报纸之"五大"是也。除《巴黎回声》为保守派外，其余四大日报，间于守旧派与激进派之间，差不多完全代表法国政府的态度。无论政府是那一派别上台，它们总是替政府说话。所以我们在一切世界问题发生以后，可以从这几大日报上面，窥测法国政府的态度。近年来《巴黎午报》（*Paris-Midi*），《巴黎晚报》（*Paris-Soir*），《民友报》（*L'Ami du Peuple*），以及《不妥协报》（*L'Intransigeant*）等，销数激增，几与前述之五大日报，有并驾齐驱之势。

在三十几种的巴黎日报当中，除前述几种外，另外有十五种，完全为各政团之机关报，代表守旧派如《法国行动》(*L'Action Francaise*),《自由》(*La Liberte*),《胜利》(*La Victoire*)等；代表左派如共产党机关报之《人道》，社会党（第二国际）之《平民》(*Le Populaire*)，以及社会党与社会激进党之《每日新闻》(*Le Quotidien*)等等，均为政治色彩最浓厚之日报，而其销数亦日益扩张。

巴黎的新闻报纸有三大特征：（一）分量短简。像伦敦的《泰晤士报》，纽约的《纽约日报》，以及我们中国的《申报》《新闻报》或上海出的《大陆报》，那样多的页数，实在是很少，普通均在六页至八页右左（两大张）。（二）文字优美。法国因为中等教育极其充实的缘故，所以中学毕业生，普通均能写通畅流利的文字。因此一班报馆访员与编辑，自然而然的胎育于文学社会的当中。一切的新闻记载，与短篇社论，均能充满了无限的文学情绪。美的巴黎，这实在是最重要的表现之一，美国哥伦比亚大学的史学教授海斯（Hayes）先生，关于这一点，他同我有同一的感想。（见氏著《战后法国之社会经济的研究》[*Socialand Economic Studies of Past-war France*]，第五卷第一五六页。）他并说："这一点，是世界任何国的报纸，普通看起来，不及法国。”（三）充满了国家主义。我们检查法国的报纸，从极右的保皇党机关报《法国行动》，直至最左的第三国际共产党的《人道》，差不多没有一个不是充满“大法兰西”精神在内。法国的共产党虽是站立第三国际旗帜之下，但是关于这一点，仍是有意无意，从它的机关报上，不时流露出来。不过法国报纸，有一个最大的缺点，就是国外通信，往往委托一二个偏重感情的文人（这是有几个著名国际政论家所公认），他们往往忘记了新闻记者的公正确实的态度，多以个人的喜恶，出之以讥刺的口吻，描写国外的社会状况和新闻事实。凡是日久注意法国的舆论界的人，均能感觉得到。有人说他们的背后，均有铜臭在那里作怪，但是我还未能发现确切的证据，未便悬断。在远东的几个主要通讯员，我对他们均不甚满意，这几个人，均是几个巴黎最有势力的报纸的远东特派访员。上海战事发生以后，《小巴黎人报》的远东特派访员便在上海尽量描写日本的威武，与中国的弱点。我们迫击炮的轰击，他偏说中国人无经验；我们飞机高射炮的高射，他偏说射向天空，化作乌有。一切冷嘲热讽的态度，实在令人生气。还有避重就轻的记载的方法，实在可以说他是日本人的一个特约通讯员。《小巴黎人报》是法国最有势力的报纸，同时与法国政府一鼻孔出气的。关于远东一切新闻，差不多由这些特派访员等一手包办。现在法国人之观察远东的政局，差不多专靠他们笔锋底下的事实。东方老大的中国，充满了土匪，难民，与自私自利的军阀，值得一班帝国主义者来代管一下，这是法国人脑筋中普通对中国的概念。同时也是这几个宝贝远东特派访员笔锋底下努力的成绩！他们有租界保护，我们政府又不甚注意对外的新闻政策，这类事的救济确是个难题——至少在目前是如此。

廿一，十一，巴黎。

法国女子是不是比中国女子幸福

学　昭

最近法国女子获得选举权与否的问题，终于在七月七日的上议院会议中，以二百五十三票反对四十票而否决了。否决的大原因是，法国女子如果混入了政治潮流，就难免要荒弃她们为妻为母的责任，其实，这否决的结果，似乎很是全法国女子所预料的。这件事，在十分之八九的法国女子，是抱着“我不管”主义的，法国女子真不关心这种事呢。

现在，上议院中却又有人提议要把男女在警厅结婚时所执行的这条法律也改去：“妻该服从她的丈夫，丈夫有选择长住地点的权利。”提议的议员以为法国女子，特别自欧战来，在社会上已有了她们独立的地位，不能再用这种法律来轻视歧视她们了。这话当然很有理，但是上议院开会的时候会得通过取消这条么？我却不敢信任。

“法国女子是不是比中国女子幸福？”我偶然在一册时装杂志上看见了这样一篇小东西，这作者是一个法国已婚的女人，说：“中国女子固然较我们为少幸福，但是却比我们少被弃。中国女子在物质生活上是没有负担的，然而现在革命的潮流把这推翻了。被弃的中国女子也逐渐增加起来了。”从事实上仔细一想，她的话比那种宣传对中国侵略的法国无聊文人说中国女子也拿了机关枪夺租界的对得多了。

法国女子，什么都没有，她们所有的，只是自由，但是她们这个自由，在男权的社会上得不着保障，所以，她们因此有时可以占点便宜，有时竟因此吃亏。

一个法国女子，她可以自由与异性交际，自由恋爱，自由结婚，这是她的便宜。但是，吃亏来了：她与她的情人在未曾结婚之前偶然生了一个孩子，她的情人本来不过与她玩玩的，并没有与她结婚的诚意，当孩子生下后，他不承认这孩子是他的儿子，并且离开她而与别的女子正式结婚去了。她既然成了一个被弃的而受不到法律保障的可怜女人，这孩子当然变成私生子了。法律上的规定，私生子的父亲不愿承认是可以的，但私生子的母亲却必须承认，就是私生子的母亲不愿领养，弃放在公立医院，由国家出钱去管领，那么在警厅的育儿报告上还是用母亲的姓。这种可怜的母亲，我们在法国真是见的多多！她们难得肯把她们的私生子抛弃在公立的医院里，她们总是还去自己养育，勇敢地工作而把这孩子抚育长大，使孩子成为一个极好的外科医生做公立医院的医生，医科大学的教授，成为一个有名的律师……她自己从此孤独了一生。然而做私生子的父亲，却可逍遥法外！一个女人与男子正式结婚而生的孩子得受国家的津贴，私生子却没有！

法国女子因为自由的结果，难免不走上了轻浮这条路，这也是当然的结果，然而你如拉开法国社会上的第一层幕，向法国社会的底层看时，你会觉得法国女子是如此的勇敢，如此的负责，如此的母性！

有些在法国上了法国女子的当的无聊的留学生，说法国女子全是妓女化的，拿丈夫的钱去养她的情人，这类的事在法国社会上的确是有的。但是，一个妓女，人人都觉得她是可恶的，是骗男子的财产的魔鬼；可是当你一留心全法国的报纸，你却常常会看到嫖客把妓女白嫖了之后，还把妓女钱袋里的钱也抢走了的这类事实。所以法国女子就是狡猾作恶，她们的狡猾与作恶总还是着实比不上法国男子的狡猾与作恶。

中等及中等以下的法国女子，她在家庭里的地位完全与丈夫一样的，她就是不去做直接赚钱的工作，那么她在家里也得做：烧饭，管理家务及孩子；或者管理家务，同时做赚钱的工作：如开设洗衣铺，咖啡店等，一天到晚是没有空的。法国的家庭既然完全是一夫一妇为主体，所以妯娌间的挤压，翁姑的虐待是谈不到的，因为妯娌与翁姑也自成他们的家，大家不合住的；他们之间，谁也没有干涉谁的家务及一切的权力。这一点也可算法国女子比中国女子幸福的地方。

法国女子至少受了义务教育，同时又因社会情况的不同，所以一个法国女子如要找工作，是比中国女子在中国社会为容易。虽然她们工作所得有时还着实不够维持她一己的生活，但事实是法国女子对于结婚不像中国女子样的完全看待做一种职业。当她们被弃了时，遇到丈夫是没钱而不能给她以多少津贴时，她们的物质生活由自己工作去维持，是不会像中国女子那样一旦被弃，丈夫如不给津贴，她简直绝对没有办法来维持最低限度的物质生活。

中国女子，把恋爱，结婚，完全看待做一种职业，不幸这个特别的职业是无条件的而同时亦无保障的。找到一个丈夫，便是找到一种职业，中国女子的不幸便产生在这里！某妓女嫁了一个有钱的资本家，两人感情很好，还生了一个孩子。忽然，这个妓女的新寡的姊姊到妹子家里来作客，便与妹夫结合了。这结合的结果，把某妓女挤出，弄得某妓女及她的孩子不能度活。（这是一件事实，上海某报曾刊载过。）你觉得这真是一件情爱的事么？我绝对否认。我觉得这只是一个生活的斗争。

我有好些法国女友，她们比较懂得中国女子的情形的，都说中国女子是不懂得爱情的，所以中国女子是不易得到彻底的幸福。这话我不能否认。中国女子不但不懂得爱情，也没有谈爱情的资格；她们既然把男子当做一种职业的对象，一种虚荣心的满足工具，无论是明媒正娶，无论是介绍证婚，无论是同居之爱，其内里的精神则是一样的。我这话，中国的新女子们也许要反对。但我却有很多很多的事例，这还不过是最不复杂的一件。

我女友A的丈夫是作一个杂志的编辑者，有一个曾经是女子师范毕业的女读者，读了A的丈夫的文字很敬仰他，老缠不清的写许多单方情书给他，无奈他不理她，她还是写给他，他终于理她了。他与A的结合，本来是半新不旧的，所以他自己也总觉得他还没有尝过真正恋爱的滋味，有了这机会，忽然有一个女子爱他，在男子，这当然觉得是有趣的事。于是悲剧就来了：他差不多要把A遗弃，与这女读者结合，闹到这样的光景，弄得A与她的孩子们很苦。你觉得这女读者真的爱这编辑么？她从未与他谋面，她从未与他交际，从什么地方会发生爱情呢？这只是满足虚荣心的梦想所造成，虽然是女子师范毕业生，其实这种对于异性的梦想是与高楼上的小姐梦想后花园私订终身是同样的滑稽，同样的无聊，同样的变态，而不是真正的爱情。

中国女子是没有恋爱道德的：（我是最反道学的，不过我在这里不能不借用道德这两个字，没有别的字可以替代。）一个妹子把她的阿姊挤走，弄得那阿姊本与姊夫有好感情的，结果也忽然变成了仇人；一个B小姐与她的要好女友C小姐的丈夫要好了，把C小姐挤走，弄得C小姐的生活没有办法……这样的事实，实在太多了。在贪婪的中国女子以为这样一举两得，但是悲剧却循环地来了！妹子把阿姊挤走后，不会就有别的第二个女子把妹子挤走么？把C小姐挤走的B小姐也不会就给H小姐挤走么？恋爱的牺牲精神，恋爱的责任心，她们是没有的。她们有的，只是职业性质的生活的竞争，要说她们是性的问题，未免太恭维她们了。

中国女子幸福的对象——男子，对她们是怎样呢？中国男子，他们看清楚了中国女子这种以婚姻为职业的事态，所以他们是不尊重女子的，他们是没有爱情的，他们都是爱情之贼，他们不懂得与女子交际的友谊，既然女子要依赖他们为生，他们对于女子自然还不是看做性与奢华与自私品的对象？在旧社会制度下，一个男子新讨一个妾，与以前别的旧的，只停止了性生活，而她们的物质生活仍旧是负责的，法律并不规定他这样做，但旧社会的旧势力逼得他不好不这样做。所以当一个旧式男子讨了小老婆，（其实现在新式男子也还是同样的讨小老婆。）把旧的弃了时，不是到法庭上去彻底解决这事，却是什么家长啊，族长啊，来调停。中国旧式女子没有法律保障，然而有旧社会的旧制度稍替她们作消极的保障。现在的新女子，行为与事实仍是旧女子的，不过因为表面上新了，所以旧势力的保障她也失却了。真的，现代过渡时代的中国女子，不论牺牲的多与少，谁也都做了时代的牺牲品。这种现代中国女子的苦闷，只有女子自身的努力才能够彻底解除。

自从革命后，旧的势力推翻了，一个男子，今天由某人证婚与K小姐结合，隔几时把K小姐抛了，他只要说他从未爱过她，他们间没有爱情，就完事了，再与L小姐结合，再隔了几时，抛了L小姐，与T小姐结合了，随抛随结合，他对她们是一点责任也可以不负的。一个年已五十外的男人，或者他也有好几个成人的子女了，忽然说是爱上了一个新式的女子，于是把他的太太抛弃了，他为尊重爱情起见，连旧式太太，替他生了好些子女的可怜女人的生活费也不肯负担，把旧式婚姻的罪恶全般推在那旧式太太身上。人家还要赞扬他为勇敢的忠于爱情的“新丈夫”，还要加以了不得的演说辞，好像这一件简单的两性间事件，把它弄成为有历史性质的人民大事。这位“新丈夫”对于爱情或者很忠，但是他对于他的旧式太太，就是没有爱情，至少友情是有的，因为有同居的历史，那么为什么这样一抛就完事了？这就证明这“新丈夫”对于女子是取不负责的态度的。我们在表面上看去，觉得做新式女子太便宜了。但事实上，新式与旧式，同样的是被男子玩弄了。只要他活得再久些，他不是可以把这新式女子抛掉与更新式的结合么？这种老头子口中的恋爱，骨子里还不是与抽鸦片的大老爷讨小老婆的，因性的厌倦而谋性的变换是一样的。

爱情不能写保票，但是爱情却有责任与义务，爱情如脱却了责任与义务，便变了不尊严的两性玩弄。

中国女子不负担经济的责任，这的确在法国女子看去是幸福的事。但是因为这种只作消费品的依赖生活，造成一个男子要找许多钱来养活全家的人，特别是女人，于是他不能不去做卖国贼，贩仇货，贪官污吏，来维持这种经济负担。他不但要养活他的妻，还要养活许多不相干涉的人：什么内侄，什么外甥，连死了的叔父抽鸦片烟而负的债也要他负责归还。本来勤勤俭俭下来可以谋求学深造的男子，这样一来，就完结了，他觉得做好既然是不可能，倒不如做坏。大家族制度是一个罪恶的结晶，然而专以依赖男子为生的女子却要负大半的责任。

恋爱以后怎么样？中国的时代女子应该想一想，占有了一个丈夫就完事了么？依赖丈夫的生活是有保障的么？对人的责任尽了么？对己的责任尽了么？在这伟大的时代，中国女子负有几重的责任：中国有知识的女子，应该设法把自己的生活独立起来，同时领导那没知识的女子，共同谋一条真真女子职业的出路，勇敢地肩上对社会的责任及义务，这才是中国女子真真幸福的所在。否则，中国女子是永远地沉在循环式的悲剧里！

一九三二年七月十一日。

法国的陆军军士

依　伯

法国的陆军在欧战时，因了福煦与霞飞的两人之力，在战史上很留了一点声名。战后胜利者的法国，对于陆军更大事扩充，近年来对于人民鼓励投军的布告，满贴在市政厅，警察厅及各种公共机关的门前，也因为法国当局在预备，当第二次大战发生时，有需用于更大的陆军。

法国陆军军士的生活，（这里指的是职业性的，指那些终身当兵士的人而言，法国是一个实行男子人人有当兵义务的国家，一个法国男子到了二十一岁，就被逼当兵，为期一年。四年前是二年，近有人提议改为八个月，未准。一个法国男子到了十八岁，就有投身做义勇军的资格，如国家有急难，欧战的时候，就是这样。）

做小兵的每月有七百到八百法郎（合中国约一百四十圆到一百六十圆）的月薪，一个最下级的军官就有一千到一千二百法郎（合中国约二百圆到二百四十圆）的月薪。做小兵的每月有相当的例假，像星期日及大的节日是准许外出的，军官的生活那更来得宽容：一个最小的军官，他在上午军营点名及下午军营点名时必须到外，余下来的时间，是自由的，夜里也是可以住在家里的。但是有许多小军官常常不能带了家眷走，因为法国陆军部时常把他们调动。一月里他被调在司塔斯埠，六月里，他又被调到克莱蒙，陆军部所以这样，是有用意的，可以使这些小军官熟悉法国地势及地方上的一切大略情形。做军士的家庭得享受国家的特种权利，像军人的子女的教育得享受经济的津贴，子女的职业，也得受特种的优待。（法国国立的有几个像军工学校，只招收军士的子弟做学生，别的不收。）军士的子女有疾病时，有军医的义务诊治，就是住公立医院，也得特别的待遇。欧战前，法国国家对于军士结婚规律很严：一个小兵须有至少某数的家财才得结婚，如小兵自己没有财产，而他的未婚妻很有财产那也得结婚；军官的结婚亦是如此，较小兵更为困难，军官等级越高，结婚财产的限定也越大，须有更大的财产，才得与女子结婚，如自己没有财产，而他的未婚妻很有财产达到被限定的婚产数目时，那也得结婚。所以这样，他们以为军人是代表国家的军律及团体，做了军人须得穿的很好很庄严，及庄洁的仪表，引外人及国民的尊视。近年以来，这条军人结婚财产限定的规律虽尚存在，实际上则已宽放多了，军士没有多少财产也可与没有财产的女子结婚，但一个法国军士不得与外国的女子结婚，除非他辞却军士的职业。一个法国军士如果坐过监狱，那怕只是嫌疑罪，他终身再没有资格做军士了，法国军部以为一个坐过监狱的人是已经不能令人起绝对的信任及尊敬。

法国陆军军士旅行时，车位也得受军部的规律：譬如某种以上的军官，他一定须坐头等，如他坐了二等，是须受军罚的，除非他不穿军服而穿了常人的服装旅行；一个小兵他只该坐三等车，他自己有钱坐了二等，那也同样的要受罚，除非他不穿军服，穿了常人的服装旅行，那就是他自己有钱，他要坐头等，也听他的便。

说到法国满二十一岁的男子的义务当兵（service

militaire）的一年里，生活与小兵一样，没有月薪，但每人每天有一支香烟，是国家供给的。他们各人实习的地方，由军官抽签，有的被派到非洲法国殖民地，有的被派到安南，有的被派到法德交界……全看各人的运气。这办法，被法国大多数人民反对，觉得对于这辈实习军事的青年不应该送他们到远处，他们都是初离开家庭，就是在本国，那军人的生活已够令他们不惯而觉到苦痛，但是法军部却不肯改变，觉得这样做才能养成真真的法国光荣的战士。一个法国青年男子和在义务当兵的时间里得了什么病，像肺病，肝病，心病，及热带地（非洲及安南）得来的疟疾，痢疾等，得国家的款为他诊治外，每年尚得国家极丰富的津贴，最大的每年有二万法郎到二万五千法郎（合中国四千到五千圆的数目），如果他不结婚，只是独身，或只一个妻而没有子女，那么他即不做事拿这津贴也很够生活了。法国国家每年在这里面的开支实够使我们吃惊。

一九三二年十月八日。

在法的日货与在法的中国小贩

依　伯

在法国销行的日本货，最为法国人士所爱好与注意的，是珠玉，瓷器。在巴黎，日本人经营的店铺专销售这两样东西的也有。其他还有钓鱼竹竿，那是法国商人用了大大的字挂在店门口：精美的日本钓鱼竹竿。我曾仔细看了看，做得的确很精美，绝对不是手工业的中国能产出来的：钓鱼竹竿可以折起来，用铁皮做可以曲折的关节，这样可便利于携带。自从中日事件以来，一方面因为日本的大事宣传，及法国当局的与日本联合，一方面因为法国人的心里突然有了日本人的地位，于是日本货更多在法国商场销行了。就是在外省，也有了许多法国绸布店放着好些日本绸，有着大绿大红的花的日本绸，还挂着日本的小小纸灯，在那法国店门口，当然还有替日本绸做广告的大大字母。最近我在一个杂耍班子里，法国人叫做vogue的里面，看见了竟有几个店铺堆子专售日本瓷器的，店铺的名字就叫“日本瓷器”，店堆是法国人摆的，货则的确是日本货：杯子，碟子，碗，盆子，盘子，花瓶……这种日本杯子，碟子，在法国上等及中等阶级，最为流行，我曾赴过好几个友人家的茶会，吃点心时，他们总用了这种日本杯子及碟子来招待我，说：“这是东方货，日本货，一定很使您爱好的！”

日本的珠玉宝翠，很为法国人所珍视。我认识一家在Rogat温泉疗养地的珠宝制作店（Rogat是产宝石的），这店的经理对我说他们曾有十四家分店，散在南方旅行各地Nice，Canne等地及温泉疗养地Vichy一带，他们店铺中有好多日本来的珠宝，据他说最小的一件，价至少须在一千五百法郎以上，可是法国的资产阶级及英美有钱的旅行者及阔气的养病人都爱这种日本珠宝。

日本货在法国有这许多种，但是却从不见一个日本小贩，这可见日本的商业已经着实比中国进步了，资本的集中及商业上的有计划的合作企图。

反之，中国货在法国有畅快的销行的，可说是没有。

在巴黎尚有两三家中国商铺，程演生君做经理的中外贸易公司，偏于丝绸一类的品物，但也不听说有盛大的批发。说到中法隆，那只是零星的售茶叶，及中国的干食品与小物件，但他却不是做法国人的生意，却是做中国留学生的生意，东西的品质并不好，而价钱则异常的贵，一双在杭州化不了五个钱可买到的天竺箸，他们却要售四法郎。其他，在司塔拉斯堡埠（Strasbourg）有中国发网店，专做批发，经理是一位姓刘的，听说生意不顶坏。里昂（Lyon）有位姓钟的，专做山东绸的批发，这类绸门面很阔，售价也不贵，每个 metre（每 metre 合我国营造尺为三点一二五尺）约十一法郎到十九法郎，颜色也很适合法国女子的胃口，是暗色的，也有浅黄色的。

照我们的理想，中国的茶叶，应该很可畅销法国社会的了，事实却不然。在巴黎，各个中国饭店都有装罐的中国茶叶出售，但他们也还不过是做中国留学生的生意。这种装罐的茶叶，小盒约十五法郎，大一点的二十法郎到二十五法郎。我每次买这种茶叶来送法国朋友，我总先小心地打开来仔细看过，有没有死的小虫，蚊子，苍蝇在里面！因为我曾有一次买一盒来自用，竟遇到了一只死干的蚊子混在茶叶里面，而且这种茶叶当装进去时没有经过好好的理，所以不干净，柴屑，草根都会混在里面。自然我们做中国人的见了不觉罕奇，要是被一个法国人买去见到了，当然以后您随便如何请他去，他再也不肯去买这种东西了。法国用的茶叶，爱好的茶叶，还是印度茶，都是红茶。

中国货在法国这样不畅销，然而中国的小贩却很多。街头，小巷里，拿了红红绿绿的丝绒花叫卖的小脚的湖北女子，她们都是照着她们家乡的习惯，不穿裙子，也不戴帽子，这便是法国人眼光中所认为的中国女子，统是这样的。这种湖北女子是一帮，据青田的小贩们说她们是从云南经过那样辽远地走了来的。还有一帮，是浙江青田，温州人，她们都是没有护照，在邮船上不买票偷了来的。去年曾有四五次 Clermont 城的警察厅找我去做翻译，每次都是麻烦的事件。法文，他们一个字也不识的，也讲不来的，他们只知道说法文的数目字：五，十，六十，一百……中国文，他们也是不会写的，中国话罢，他们又只会说他们温州，青田的土话。当他们来见我时，他们总是用了一种极不信任我的眼光看我，我问他们来了几年，他们也照我说的回答：来了几年？接着呵呵的微笑。也不知他们真的没有听懂我的话，还是装假的不肯回答我。等到我说出了我也是浙江人以后，他们对我似乎信任一点了，告我法国警厅对他们如何可恶，不许他们在咖啡店里做生意等等。

他们既然没有护照，也没有居留证。有的，办了居留证只拿了收据，也不照规律去换取正式居留证，也没有做小贩的允准书。其中有一个青田人因为他的居留证已三年没有换，等他抵 Clermont 时，竟已积有六个城市的警察厅来追他去的文件了，他却还一点也不知道，木然不理。我再三对他解说：法国的法律如此，在法国境内的人都该如此，他还是不相信，怀疑我说的话，好像我做了法国当局的走狗，不帮他的忙，有意为难他。后来他不愿再在法国了，就到比国去，法国的警察厅当然求之不得，趁此机会，赶紧把他打发走，麻烦就结束了。但是我想，他到了比国，又是有怎样的麻烦！

在法的中国小贩不但不做清这种法国的法律手续，还要犯法：到人家或咖啡店去对人强卖物件，警察见了便把他们拉去拘禁。法国近年来因失业增加，商业不振，而且许多法国小商看见外国的小贩日多，并且外国的小贩：如埃及人，犹太人，罗马尼亚人，西班牙人……他们方法众多，竟进人家或咖啡店对人强卖，所以现在法国已有了一条法律，经法国小商的抗议而禁止小贩进人家或咖啡店去对人强卖，只能在路旁设摊或跟了杂耍班子或在菜市的一角设摊或路上出售。可怜我们的中国同胞，不知道这些原因。当法国警察把他们在咖啡店里拘去时，他们怨恨，却还不知道是有这么一段法律上的纠纷！他们因为实在没有知识，要把法国的这种法律手续讲得使他们懂，实在不容易。事情本来很简单，只要他们能照法律做就没有丝毫麻烦了，但他们却不懂，口口声声说中国从没有这种事！

这种小贩所卖的都是中国的零星小物件：香烟，毛毯，地毯，帘子等等，我曾见他们拿了好些明明是日本帘子，上面有日本字，还有日本的美女画的帘子，我说这是日本货，他们却再三反抗说这是中国货。他们穿的都很破旧，为了他们，法国人眼光中遂都以为中国人是如此的。他们的生活也是很苦，今年有一个温州籍的老者，带了他的一个侄儿及一个朋友的儿子，为了写一封给警厅的信而来找到我的，诉说他们的一切：他的朋友是当年与他同来法国做生意的，前年病死在马赛，现在那朋友的十七岁的儿子出来找父亲，他收留了，现在帮着做生意，要是今年赚的钱多，他们就回国了。他们都不知道中国领事馆是什么东西，因为他们也从未受到过中国领事馆的保护，其实，中国领事馆本来只知道有中国阔人，当然不把这些可怜的中国小贩放在眼里。我听了这平常而凄惨的故事，很使我心酸地引起乡思。

中国的商品，为什么不能在法国畅销？为什么不能与日本商品竞争？我觉得那是很简单的，不外乎中国商品的不好，与中国商人的不懂得做生意。中国商品的不好，便是中国人不知改良他们的商品来投合法国人的胃口。譬如绸织物，中国至今还是用人工，织的不均匀，不美观，而且门面太狭，要是能够改良，像在法国已有销路的山东绸一样，更好好地加工改良，那也可大大发展；茶叶也一样，要是制法能加以改良，弄的很清洁，也能在法国畅销的。

我国商人往往把商业看作赌博，专靠狡猾的手段及运气，随便做什么，恨不得想在顷刻的一天二天里就发财，所以绝不管信用及悠久的问题，这实在是弄错了。还有，我国的商人不知道集资合作，而且同行间嫉妒的很厉害。中国人在商业上像在政治上一样，不知道积极的竞争，只会消极的挤压，自相陷害，弄得商业本身不能改良，也不能发展。这真是很可痛惜的事情。

德　国

德意志民族的偶像

谭孟衍

欧战中的著名人物，显赫一时者，迄今多已萎逝，或退隐不复问政，唯此八旬老叟的兴登堡仍巍然高居德国元首的地位。德人于战败后所以拥戴兴登堡，不是因为他在政治上尚有何等伟大的力量，也不是因为他在军事上尚有什么潜在的势力；他年事已高，虽老兴犹复不浅，然实际能为国效力者亦极有限。德人之所以拥此元老者，乃以他的廉洁公正，忠诚爱国，饱尝艰苦，有责任心等等特性，受德国人民的虔诚崇拜，故特奉为偶像，为德意志民族精神的表征。

当德国在欧战中走到了末路的当儿，外有敌人的进迫，内有革命的骚扰，别的将军，大臣，官吏，都逃走一空，可是他却有始有终，整军而退，继续在德意志民国服务，直至军队的整理完毕，他才退隐归田。退隐以后，他著了一本书，名《我的生命史中的一段》。在这本书的导言里，他说：“像普通人一样，我曾经思想过，调度过，也错误过，我在生命中和行为上的规律和动机，不是世界的同意和赞美，而是我的责任与良心，与唯一的自信。”

“责任与良心”原是老生常谈的口头禅，在别人说来，也许一文不值，但在这位忠直不苟赤诚为国的兴登堡口中道出，这几个字的力量实足以鼓舞七千万战败气丧的德意志国民。所以在一九二四年爱尔勃氏中道崩殂之后，兴登堡被激于“责任”一语，慨允充当总统候选人，从解甲归田中得全国国民多数的投票，当选为德意志共和国的总统。在艰难困苦中奋斗以求出路的德意志民族，就奉这位饱经世故肝胆照人的偶像，扑战目前的困苦，期望将来的复兴。

最近德意志民族重陷于悲境——经济国难的悲境，比战争尤为酷烈而普遍的经济恐慌。在这经济国难当中，法国乘机要挟，以撤销德奥税约停止建造袖珍军舰为条件，始肯借款救济。德政府彷徨无计，几至屈服；可是兴登堡不肯。这个饱尝艰苦的人的一个“不”字力量确不小，终于在伦敦七国会议中得到相当的救急办法，法方要挟终未成为事实。

关于这个老头儿，还有一件事颇饶趣味。德国在四年酷战之后，国民人口大损，生产率亦随之而大受影响。兴登堡接任总统之后，忽想出一个新花样，凡是国民中每一家庭里生到第七个儿子时，倘若他的父母都是良好公民，且把这个儿子培养得好，合于他所规定的条件，这个小儿子便可拜他做干老子——义父。国民因崇拜他，纷纷应命，到现在他的干儿子已超过一万四千人。一个人有一万四千个干儿子，不能不说是一件希罕的事情，但在这个干老子却大吃其亏：因为他要给每个干儿子一点礼物，平均每人约送金洋五圆价值的东西，他现在已送去了七万圆了。政府预算里既没有款子供这笔费用，他只得克苦克俭，从他自己所得的薪俸挖出贴补！

二十，七，二十二。

噩耗传来

谭孟衍

九月十九日清晨，房东送早餐进来，照例我是问他，报上有什么关于中国的消息。他说：“有的，中日开战了！”当时我疑信参半，还以为未必这么快。到了中午，柏林各报，通通以大字标题，载明日兵占领沈阳了。留德的同学，大家看了报，都如晴天霹雳，惶急无措。尤觉关心的，是来自东北的同学。东北同学会，留德学生会，国民党支部，这几天忙着开会，但除了演说，发宣言或通电外，似无别的办法。许多人痛骂各方当局，但尽骂也是没用的。日本人早就有了准备，他们“迅雷不及掩耳”的干一下，我们连“招架之功”都来不及。在海外的我们，都觉得彷徨无措，国内当局的人，更不知道怎样惊骇了。这只好怪我们平时没有准备吧。

说得天花乱坠而没有半点实际的我国国际宣传，因这回的事，露尽破绽。欧洲所知道的中日消息，全由伦敦路透社来的。它说，肇事的原因，是由于中国军队炸毁南满路的桥梁，日本始为断然的处置。英国舆论是袒日的:《泰晤士报》且以英人不报复韬明之仇为憾，由英伦拍来之电讯，于我有利有害，也可想知。这里的公使馆，平时对于国民会议的开幕，谭院长的国葬，转达中央来电，通告皇皇，这回独寂无声息。据闻使馆没有接到什么重要的电报，所得者也不过是这里各通讯社的消息。我国简直毫无国际宣传之可言！日本方面，则事件发生之日，立即训令驻俄驻美驻英驻法四大使，向各该国政府解释。他们的国际宣传，同军事一样地急进。

德国舆论，对于中日事件，各派态度，略有不同，但一般的倾向，都同情于中国。德政府的态度，据社会民主党报纸讲，是不作表示；因为对中对日，两方面都友善。德自欧战后，在远东无殖民地，对中日事件的关系，仅是间接的，非到它的远东贸易受危害的时候，它不会得表示，但即使表示，亦无影响。至于德国舆论，一般的同情于我的原因，大概是由于它的苦况，与我相若，不禁有“同病相怜”的感想吧。

德国右派的《德国日报》说：“在国际联盟与《开罗公约》的时代，突然向一有自主权的国家，采作战的行动，这无论如何是没有充分理由的。满洲的事，正可以证明‘强邻迫处’，是怎样的危险。”从这里，我们可以看到，他们是德法的关系，来看中日的关系。更有些报纸，是讲到中日事件的世界性，谓足以引起第二次的世界大战。如社会民主党的《科思报》说：“……这不只是关系中国一国。日本这种举动，和美国的亚洲政策冲突，和俄国在中东路的权利抵触……巴尔干一声枪响，欧洲大战突然爆发；这次沈阳的炮轰，也将成为二次大战的导火线。”世界和平，虽非由我破坏，但我不能自卫而作世界纷争之导火线，实是一件极可惭愧的事情。

二十，九，二十一，柏林。

东北问题与国际形势

王光祈

当九月十九日日军强占沈阳之时，是日《柏林午报》即有长篇纪述。到了各家晚报发刊之际，所载尤为详尽，余是时方卧病柏林大学医院，每日皆有一位卖报女郎，按时入院售报。同室各位德国病人，看了此项消息之后，多围立余床前询问，并互相讨论，一若第二次世界大战之终不可免也者。

余卧病异邦，闻此噩耗，百感交集，殆难言喻，但中心之引以为深忧者，却不在此次日军之武力占领，而在数十年来日人之对满积极经营。因为武力侵略之举，无论在国外，在国内，皆最易引起世人注意；而经济侵略之法，则无人能斥其非；尤其是我们一般醉生梦死之中国人，但知忙于内争，对于东北问题之危机，殆一无觉察，或不愿觉察，或觉察而视若无睹。

以吾国今日之军事，政治，经济，学术情形而言，无论世界上任何强国，皆有独力亡我之可能。其所以直至今日尚能苟延残喘，腼然自称为“独立国家”者，全恃“均势”二字之力。日本之在东亚，本来雄视一方，无可与敌，但一挫于俄德法三国干涉还辽，再挫于华盛顿会议之逼还青岛。现在距华盛顿会议之期，虽已时隔十年，而国际对华形势，却仍依然未变，此次国际联盟中日本之陷于孤立，即是列强干涉日本之“开宗明义第一章”，但其效力，亦只限于“开宗明义第一章”而已。将来对于日本加以实力干涉者，却为美俄两国，而非国际联盟。

俄德法三国干涉还辽一役，虽云“三国”，但实际上，只是俄罗斯一国为其主角。（请参看拙译《三国干涉还辽秘闻》一书，中华书局出版。）俄国之所以出头干涉者，非有爱于中国，不过不欲日本占领满洲为其近邻而已。自日俄战争而后，美国对于满洲一隅，渐渐发生密切关系。一九〇五年之日俄和约，美国从中极力斡旋，而以保全中国领土，开放中国门户为原则。一九〇九年，美国提出“满铁中立”一案，亦在欲将满洲一块肥肉，从日俄两国口中拖出。（请参看拙译《美国与满洲问题》，中华书局出版。）一九一五年五月九日，日本乘欧战机会，提出二十一条件，强迫中国承认。而美国即于是月十三日，向中日两国政府，提出同样牒文。略谓“中日两国间，如缔结有伤美国在华权利，有妨中国土地完全，有碍门户开放政策之约，则美国均将誓不承认”云云。一九一九年，日本方面欲将满蒙铁路投资建筑权，作为日本所独有，不愿属于当时新组之“国际银行团”，其事亦为美国银行代表 Lamont 氏所严拒，其后日本终于屈服，将满蒙铁路投资建筑权，归诸“国际银行团”，但将已成之铁路（如南满铁路之类）除外而已。一九二二年，华盛顿会议结果，日本不得不自行宣言：该国对于满蒙方面，并无独占优先权利之意，将来南满方面，建筑铁路，亦不必完全限于日资。此外，对于前由二十一条件所得之权利，亦愿自行放弃云云。近数年来，日本国内，因经济恐慌之故，借入美款不少；其中实有一部分用于日人南满事业。凡此种种，皆为美国在满关系日深一日之明证。

倘日本果然长期占领满洲，不但有违列强所谓“开放中国门户政策”；而且在事实上，日本占领满洲之后，无异将其国土国力国富扩大一倍。太平洋上之均势，从此打破。此岂美俄两国所能忍受者？诚然，现在美国因为世界经济难关之故，未必即用武力解决。俄国因为五年计划尚未完成之故，亦未必立刻出来一争雌雄。但过数年之后，各方准备完全，则今日中国之满洲，实为他日国际之战场！日本虽强，以一身而兼敌美俄两国，恐终非日本武力所能胜任。同时，中国兵力虽弱，但扰乱其后方接济，则亦有余。（假定陆战地点，在满洲一带。）因此，将来如果战事一开，日本所处地位，至为不利。欧战前，德国自恃武力，经济，学术，皆已准备充足，以为“举世无敌”，因此轻视外交。其结果，协约方面利用德国此项弱点，遂使该国陷于“举世皆敌”之地位，以至于一败涂地。现在日本态度，殆极类似当年德国。现在美俄两国之极持镇静态度，只让国际联盟出来干涉者，无非先欲获得世界同情，以陷日本于孤立，然后师出有名耳。此正是白种人之狡猾处。

近来吾国当局，对于东北纠纷，一意倚赖国际联盟，固然错误；但一般喜唱高调之人，直斥当局之求助国际联盟为多事，亦非正当。盖呼助于国际联盟，正所以暴露日人罪恶于世界。此次国际联盟会议之一致非难日本行动，实与吾国以精神上之助力不少，现在国际联盟中之有力分子，当然要推英法两国。当国联议决，邀请美国列席之时，日本代表芳泽曾提出抗议。于是英国代表，乃向其多方解释，而芳泽则只是摇头不已。但投票结果，日本终归失败。至于法国方面，据云，该国外交人员，颇带袒日色彩。当时国联议邀美国列席之际，似已预计，日本如不尊重国联议决之时，当由美国出来，加以经济压迫，譬如收回短期对日借款之类，以使日本就范。此正与德国近事相同。盖德国自与奥国密订关税联盟以后，法国闻之大愤，乃勾结美国银行家，（按：美国银行家中，颇有一部分，极与法国接近。）同时向德收回短期借款，而德国各大银行乃不得不大闭其门。于是德国外长亦不得不在日内瓦，自行宣布，取消“德奥关税联盟”之约。

总之，日军此次在满暴行，最足以耸动世界耳目，日本当局，如不觉悟，则未来日俄美大战，转瞬即到目前。满洲一地，终非日本囊中之物。

二十年十一月五日。

柏林病院四旬记

王光祈

（一）德国医院与民众健康

余留德虽已十一年余，但对于德国医院生活，却未尝领略一次。最近因患胃疡症（ulcus）及贫血症（anamie）之故，不得不到柏林国立大学医院诊治。其结果，卧病该院四旬，幸而得庆更生。其中见闻以及治疗情形，颇饶兴趣，兹特濡笔记之，以饷国内读者。

柏林国立大学医院，通常称为Charite，位于柏林中心，为柏林最大之医院。其中包含内科，外科，眼科，耳科等等病院。每院各占洋楼一大座，外面环以短墙，俨如一座小城。该院之设，原为柏林大学的医科学生临床实习之用。所有内科，外科，妇科，童科以及传染病各科，无不特设专院，（附图一，系传染病院中之隔离小屋。）均由德国著名医生主持其事，同时，并兼任大学教授，以指导学生实习。该院人才既多，取费又廉，而且无病不医，于是遂成为柏林病人集中之地。不但柏林病人如此，即外城病人，甚至于外国病人，亦多送至该院医治。

该院每科之中，各分两部：一为取费部，一为送诊部。其在“取费部”中，又分三等：“头等病室”每日十八马克；“二等病室”，每日十二半马克。以上两等，皆系各人一室。除上述每日费用外，每星期每人尚须缴纳诊治费数十马克。“三等病室”，每日六马克八十分；系二十人共卧一间大厅之中；所有诊治费，均不另取，可谓便宜之至。柏林市立医院，为数亦复不少，几乎每区皆有一二个，其“三等病室”，每日亦只取六马克八十分，但此项权利之享受，只限于柏林居民；其他由外城来此者，则“三等病室”，每日须缴十一马克。因此之故，凡外城居民之患疑难病症者，均由其“疾病保险公司”，送往柏林大学医院，因取费既廉，人才又多故也。当余在该院养病之时，有一俄国铁路工程师，因患眼疾之故，已在莫斯科医院居住四月，但未得探出病源；乃由俄国医院当局，将其送来柏林大学医院医治。此君亦卧在“三等病室”之中。此则不仅因其价廉而来，实为德国医界盛名所致故也。一年以前，英皇病笃，伦敦医生业已束手无策，乃密召柏林大学医院医生 Sauerbruch 前往，居然药到病除。但此事英德两方，至今严守秘密，因恐有伤英国医界面子，最近英皇拨款一百万马克与 Sauerbruch 氏，为扩充柏林医院之用，借以报答该氏，外间始稍知其事。是时德国政府因实行减政主义之故，正拟裁撤柏林大学医院之一部，得此巨款帮助，喜可知也。

其在“送诊部”中，则来诊之人，只以无力请医者为限。换言之，富室人家，或缴有疾病保险之人，（按：德国各种职工平时均缴有疾病保险。病后，由保险公司出资医治。）均不得来诊。其中只有一个例外，即柏林大学之学生，虽系富家子弟，亦可得享此送诊权利。因该院固系柏林大学附属机关故也。送诊之后，由医生开方，病者自向外间药铺购买，仍回家中调治。但病者如果病势危重，则由医生留在院中三等病室调治，其一切费用，则由特组之慈善机关担任。总之，德国医院，从无眼看他人病死，袖手不管之事。

至于吾辈在德国大学肄业者，每一学期，均缴有疾病保险费数马克。倘在学期之中，一旦染恙，则由“大学疾病保险处”担任三等病室全部费用，唯在放假期间，则不担任，由学生自向大学医院交涉。家道贫寒者，可由医院方面，斟酌情形，准其少缴一半，或免缴全部。但此事对于外国学生，似乎不甚容易；因德国自身，现正十分闹穷也。余此次入院医治，正值暑假期间，故一切费用，皆出自个人私囊。照章，每个病人入院求治之时，先由医生诊察；若认为有病，而且必须在院医治，始能收功，则由医生给予病人一纸凭单，再由病人前往“医院管理处”，请求准其住院。如有“疾病保险”者，则须将“保险证书”呈验，以后便由管理处直接函向该保险公司索款。倘无“疾病保险”者，则须预缴十天之费，计六十八马克；如早日出院，尚有余款，则由管理处一一如数退还。倘若既无“疾病保险”，又无养病之资，则由管理处通知院中特设之“救济病人的慈善机关”担任院中养病一切费用。

附图一，系传染病院中之隔离小屋。

德国疾病保险法律规定：凡病人卧病期间，超过二十六个星期者，疾病保险公司即不再行担任医院费用，而由国家所特组之“残废保险处”，继续担任该病人之医院一切费用，以至于痊愈或死亡。倘该病人卧病二十六星期之后，继续作工一星期，然后再入医院，则疾病保险公司又当继续担任二十六个星期之费。不过重病之人，安能继续作工一星期？而且医院方面，亦不准其出去作工。故此种办法，事实上只以“病愈出院之后，为时未久，又复大病之人”为限耳。

德国疾病保险，计分两种：一为“强迫保险”，如官吏工人之类，每月领薪之时，直由官厅或厂主，从中扣去“疾病保险费”若干，（通常大约每月十余马克。）转交“疾病保险公司”。将来本人有病，便可直入医院，不出一钱。倘欲在家养病，则所有医生诊金购药之资，皆有保险公司担任。此外，更由保险公司，给予病人在家每日赡养费若干。一为“自由保险”，如普通商人之类，其保险费，由双方议定。（通常每月六马克左右。）其待遇则以保险费之多寡为转移。照德国疾病保险法律，若病人之疾，由医生诊出，系在保险之前即已染得，而病人故意秘而不宣者，则“疾病保险公司”有拒绝担任费用之权利。（按：保险时，即须自行注明曾有何疾等等。）但在事实上，亦不如此严格。当余在医院之时，有一酒店主人，曾害足疾，害了一年之后，才去保险，缴了一年保险费之后，始入医院。彼所缴之保险费，不过七八十马克，而彼在医院所用之费，却在四五百马克以上，均由保险公司担任，未尝加以刁难。

余此次到院医治，原拟诊治之后，将诊治费照缴，（是时内科送诊部，正值暑假期间，停诊。）仍回家中疗养。不幸诊治之后，身体不支；乃由该院内科主任医生用“紧急处分”法，直接送往“三等病室”，并未经过上述医院管理处之允准。盖病人如果病势沉重，无力自办一切手续，则医生可用“紧急处分”以办理之，不管病人有无力量缴费。是为医院收容病人之例外办法。

迨余次日精神稍稍复原，主任医生乃令余前往“医院管理处”办交涉。其后余到管理处接洽，并问：对于大学生，有无减费之举？该处办事人员答曰：“医院方面，无减费之举。但是君若不能缴纳，可用大学生资格，向医生请求减半或全免。盖此事全属于医生方面慈善之举，与医院方面无涉。”旋彼又将桌上文书一封示余。并云：“此系贵国一位商人，肺病沉重，但无力缴费，现正在此医治。”彼又云：“照院章须预缴十日之费六十八马克；君入院时，带有钱来否？”余答之曰：“只有二十马克。”彼遂言曰：“好好！只预缴二十马克亦可。”余是时业已决定，将来全部缴纳费用，不向德国医生作此乞怜之举。一则现在德国实行减政主义，医院经费大行减少。当主任医生对余“紧急处分”之时，彼深恐余不能缴费，已再三踌躇。（但未明言。）倘余现在以请求减费之事累之，殊使彼陷于困难地位。二则上述吾国侨商，在此身染肺疾，无力缴费，德国医院既已不得不尽义务为之医治；余虽贫穷，但历来卖文之资，尚可孤注一掷，何必累人？（按：余留学德国十一年，全系卖文为活，未受任何国家私人家庭之资助。至今未尝欠人一文，亦未尝废学一日。）计此次在院四旬，共用二百七十马克左右，皆由余事后一一缴清。

（二）世界最流行之病

胃病为世界最为流行之病，轻者损及健康，重者致人于死。而且得病原因，至为简单，人人可以预防。治疗方法，亦极容易，人人可以仿行。（但以病轻者为限。病重者则非由医生剖腹开割不可。）特借本刊篇幅，述其大略，或亦为国内注意健康者所乐闻。

余所患者为胃殇症及贫血症，历时已久，但余却不自知。十年以来，令余最感痛苦者，唯头痛一事而已。此外，晚间饮食稍多，辄睡眠不安。而且工作效率，近亦日渐减少。今年七八两月，更加上呕吐昏晕种种病象，以至于卧床不起。乃赴柏林大学医院中之第一内科病院

（参看附图二之右边建筑）诊治。经五日之检验，乃发现胃部某处，因食物不慎受伤，因伤而流血，因流血过久，遂成贫血之症，因贫血之故，以致头痛不止。

胃疡症之原因，系由于饮食之时，吃得太快，嚼得不烂，以及吃得太辣（如胡椒青椒之类），太热，或误吃不易消化之物。于是胃部某处，（尤其是胃部底口之处。）受其侵伤，成为疮疽。其后该疮渐向胃壁侵去，轻者流血不止，重者则将胃壁侵穿，因而胃中食物，冲入腹膜，酿成腹膜炎之症，往往不能医治而死。此种胃疡症，尤以我们瘦人，最易发生。吾国饮食之中，最喜多用香料，而四川等省之爱吃青椒，尤称巨擘，故胃疡症之流传，似极普遍。不过患者莫明其妙！只笼统的称为“胃口不好”而已。大约胃疡症之主要病象，为消化不强，大便黑色（系流血所致），胃部疼痛。（但余胃部，却不疼痛，似非必具之条件。）至于治疗之法，轻者则只饮药静卧，并用特别食物，大约两旬以至于四旬，便可痊愈；重者（如伤痕不能合口，或胃壁业已戳穿），则非开刀剖腹割胃不可。但割了之后，身体虚弱之人，往往不能支持，引起其他病症，因而一卧不起。

有时开割之后，病者饮食减少，亦复恹无生气。（病室中，有一位年方二十五岁之德国青年，割后已五六星期，仍不能多进饮食。）故开刀之举，危险殊大。但胃疡已深，如不开刀，似又无其他办法。病室中有一位年方二十之德国青年，养了四旬之后，疮痕仍不能合口。于是主任医生乃劝其暂行离院；如其间仍无起色，则于明年春天来割云云。但该青年却严厉拒绝开割。余之胃疡症，幸属于轻者一类；未劳医生大施刀斧，即已痊愈。

病院中诊察病源，除有极明显之病征外，通常须用五六日工夫，始能确定。究系何病？然后下药。著名德国医生之拿手好戏，即在善于诊察，但诊察手段之武辣，却使闻者吓退。病人每被诊察一次，如上杀场一次。因此德国病人之中，常有拒绝诊察，而中途离院者，余在院中时，曾亲见两次。

检察之前，病人必须从早晨起，不得稍进饮食。午前八时左右，即到X光线室内，将上半身露出，由医生细细检验。检验之时，如欲照像，必须先吃一碗形似石灰之白面一碗。此项白面，并不消化，六个钟头之后，仍随大便输出。当时余之胃部，曾照了四张像片；静立

附图二，其右边建筑，即系第一内科病院。

X 光线之前，由医生在余肚外，将胃东按一下，西摸一下，连问此处痛否？彼处痛否？照像之时，病人并须止住呼吸少顷。总之，身体虚弱之人，受此一番磨折，殆已精疲力尽，不堪承受矣！

但尚不止此。同日并用橡皮小带，由鼻孔直穿到胃部，由带口灌入盐水一瓶，然后再将胃汁抽吸而出，察看是否含有酸素在内。抽毕复令病人散步五分钟（是时皮带犹在胃中）。散步毕，再将病人卧于床上，并将床之下方两足（即病人足部一方面）高高垫起。（约有一尺之高。）于是病人在床上，遂成倒悬之状，足高而头低。病人身体，须向右侧睡卧。鼻外橡皮小带之一端，则垂于一个瓶子之内。如是者三四点钟。最初带子之内，流出白色泌液若干，其后渐流黄色胆汁，医生乃将瓶子换去。迨胆汁流满半瓶之后，始将病人倒悬之危解去。然后医生再将此项胆汁化验，以推断病人消化机关如何。

同日，又有医生一人，将余之耳部（约在妇女所戴耳环之处），刺了一针，将血检验，以查看白血球与红血球之数量。其结果乃发现余之红血颜色，只有百分之四十四。通常健康之人，其红血颜色，从百分之八十，到百分之九十左右。若颜色减至百分之二十五，则不能再活。凡患贫血症者，大抵脸上毫无血色，精神亦复不振。吾国人之患此症者，似乎甚多。余之患此，系由于胃部流血过多，但饮食营养不足，亦为最大原因。盖胃部既病，食量当然随之而减。更加以个人经济，饱受压迫，于饮食一道，太不讲究，亦为促成此病之原因。

同日，又有医生一人，在余左臂之中部，刺入血管之内，取出血液一小筒，以检验血内有病与否。余来此求诊之时，本已卧床数日，热度已高至三十八度，在第一日之中，先后饱受上述种种磨折，于是取血之时，不禁昏迷过去。少顷，始苏醒转来，因此医生乃用“紧急处分”手续，留余住院医治。

次日饿了一个早晨，又由看护妇将我押至医室之内，放在一个睡桌之上，由看护妇用手将我双眼蒙着，更有几个医生，将我按住。然后用一金属物质之筒子，有大姆指大小，拼命要从口内，一直塞到胃部。并先用药水将口腔上面敷过，以便筒子入口擦出血时，亦不知痛。主任医生并向余云：“王先生，你是学医的么？这是检查胃部最好的机器！”但无论机器如何好，我亦只能将管子吞到喉管，再亦吞之不下！于是，此次检验遂未成功。据云，该筒塞到胃部之后，医生乃用显微镜在外面窥看，所有胃部内面情形，皆一目了然，此则非普通X光线所能办到者也。

其余数日，或检验肺部，或查看肾部。每日小便大便，均须化验。到了第五日，主任医生遂决定为胃瘍症。从此，每日给我丸药四枚，名为Atropin。令我终日卧在床上，不准起床，并用饮食治疗之法：第一日，吃生鸡蛋一枚，并牛奶少许。第二日加生鸡蛋一枚；以后每日递加一枚，加到八枚为止。从第八日至第十二日，每日除八个生鸡蛋之外，并有生牛肉泥一盘，热火腿片一盘，饼干几片。普通病轻者，经此十二日之后，便可痊愈。但余病根已深，未能即痊，胃部犹流血不已。于是医生又用第二种饮食治疗法：每一点钟吃面酱（即麦面和糖煎成者）一盘。此外，早晚两餐，则食煎熟之鸡蛋各一枚，及烤过之面包两片。午饭，则吃马铃薯泥，及煎鸡蛋一枚。如是者又十余日。前后二十余日，至少吃了一百多个鸡蛋。院中各位病人，每人皆有特别饮食，恰与该病相适，由医生根据实际病状加以规定，不能由病人任意自主，固不独余等害胃病者为然也。

余病中检查之时，既每日早晨受饿，从第六日起，又只准吃一个鸡蛋，逐日仅仅递加一枚。于是到了第八日，饿得头闷眼花；同时，又苦便结；于是遂在厕所之中昏倒。并将眉头之上，撞裂一缝，流血满额。其后由看护妇一位，及同室病人两位，将余抬至床上。是时天色刚明，室中只有值夜班之看护妇一人。伊急忙打电话与主任医生。迨余苏醒之时，只见该看护妇将余之脉握着，吓得气喘不止。盖该看护妇为诸看护妇中之年纪最轻者，更事不多，故吓得如此。不到数分钟，主任医生已踉跄而至。（按：主任医生皆住在院中别墅，故其来也极为迅速。）余乃告以厕所昏倒之事，于是该医生乃正色告该看护妇曰：“须仔细小心看护！”该看护妇因余之故，受此委屈，事后余为之抱歉不已。是日午前九点之时，又由一看护妇将余载往外科病院施行手术，将额上伤痕缝好。

余到院两星期之中，每日头痛如故。主任医生遂疑余之头痛，或与耳目方面有关。乃陪余到“耳鼻颈专科”病院。该院医生用X光线将鼻腔内部，照一盈尺像片，检验结果，毫无疾病。其后又到眼科病院，检验之后，亦谓毫无疵点。余乃要求主任医生，送余到神经专科病院，检验头脑。但该医生不允，并谓余之头痛，系由于体弱之故；俟主要病源既去，头痛亦当自止云云。其实余幸而未到神经病院诊治，如去，又当受一次大罪。因为检验头脑及神经方法，系由医生在病人背脊之上，打入一针，将精液抽出化验。打针之后，病人在二十四钟之内，静卧床上，精疲力尽。吾国旧医之只验脉跳，便武断病源所在，固然荒唐，而西洋医生所用之诊治方法，却亦未免过于武辣。因此，西洋病人拒绝检验之事，所在皆有。（又吾人既在内科三等病室养病，所有其他耳目等科检验之举，皆不再行缴费，亦属甚为便利。）

两星期之后，头痛即止。五星期之后，胃病亦愈，现在所余者，只是贫血一症。现在西洋医界医治贫血之剂，首推牛肝猪肝等等。尤以生吃，收效最速。当余在治胃期间，既不能生吃肝子，乃用肝子所制成之药水，用针打入股内。其后胃病既愈，乃继饮肝子药酒。余之血色，遂由百分之四十四升致百分之五十八。不过从此以后，遂归停顿，再亦不升。本来治血方法，还有一种“移血”之举；换言之，即在健康人之臂上，取血一筒，灌入病人臂上。余在院中，曾见一位六十五岁之德人，其来院时血色只有百分之三十二，久治无效，院中乃决定用移血之举。其后该德人之兄弟二人，前来院中，自愿给血与兄。但该二人之血，经医生检验，实与其兄之血不适，不能移转，继而该德人之子，亦来院中，检验结果，其血实与其父之血相合。乃由医生施用移转之术。该德人之血色，立刻增至百分之六十五。医生遂允其回家休养。盖医院规矩，病人血色，至少须在百分之六十五以上，始准其出院。余之血色，既只有百分之五十八，照例不能出院。但余因经济困难关系，乃恳切请求主任医生放余出院，回家休养。于是主任医生允许，并开一药单（大约系铁质药丸），给余回家医治。同时再三叮咛，饮食须要小心，宜多吃蔬菜水果，少吃刺激物品云云。余归家之后，十日之后，血色即已增至百分之七十五；现在则更升至常人血色矣。

（三）第一内科病院生活

柏林大学医院中各科病院生活，不尽相同。余现在所述者，只是第一内科病院A站之生活。（此外还有一所第二内科病院。）第一内科病院系三层楼建筑，内分五站。A，B，C三站，系收容男病人之所，D，E两站，系收容女病人之所。每站有三等病室一大间，容二十人左右。（附图三，系三等病室之一部分。）二等病室及头等病室各一二间，每间只容一人。每站有主任医生一人，助医七八人，看护妇八九人。换言之，每站医生与看护妇之总数，几与该站病人之总数相等。所有化验室，小厨房，浴室，厕所，无一不备。

每日早晚，医生临床诊问二次。早诊一次，约在午前九钟左右。所有该站全体医生均到，将病人之床，四面围住。（附图三中之左边，即为医生早诊情形。）更有看护妇二三人，在旁记录药方；因主任医生诊询之后，宜用何药医治，随即告诉主任看护妇，其后再由该看护妇一一依法配合。（附图三，中间有玻璃柜一架，即系藏药之所。）晚诊一次，约在午后五钟左右。此次只有助医一人，前来各床，遍询病人安适与否，如夜间不能

附图三，第一内科病院A站三等病室之一部分。图中左边，为医生早诊情形。

安眠者，则命看护妇，给予安眠药片等等。

每站约有看护妇八九人，已如上述。每人每日作工九点钟，轮班看护，终日终夜，均有看护妇在旁照料。每日早晨五钟，所有病人，均须一律起床。(晚间八钟，一律熄灯就寝。)起床之前，由夜班看护妇(只有一人)，给予各人温度表一只，须插入粪门之内十分钟。(A站规矩如此。至于其他B站等等，则只插在腋下即可。)然后由该看护妇一一查验，填入床前所挂表单之内。(每日午后三钟，如法再验一次。)同时并将病人昨日昨夜尿量多寡，填入表内。此外职务，则为病人整理床铺及分配早餐等等。七点半左右，主任看护妇临床诊脉一次，亦复填入表内。

院中每日用餐五次。第一次早餐，约在七钟左右，其食品为咖啡及糖酱面包。第二次早餐，约在八点半钟左右，其食品为可可及香肠面包。第三次午餐，约在十二点半钟左右，系熟食，其食品为汤一，以及肉菜马铃薯若干；系由大厨房做好，送入站中，再由看护妇煎热分记，其味极淡。第四次为午后茶点，约在午后三点半钟左右，其食品为咖啡及小面包。第五次晚餐，约在五点半钟左右，其食品为牛奶及香肠面包。以上食品种类及次数，皆指普通病人而言。如系胃病或糖尿症等等，则其食品分配之法，与上述微有不同。（闻友人张君言，院中治疗肺病之处，饮食极佳；有大学教授一人，专司病人饮食，别无他事。）每日吃药，皆在用餐之后。

每星期换洗铺盖等等一次，洗浴一次，称身体重量一次。病人所着衣服，皆系院中特制，全体一律。病人带来之衣服，则藏在库中，出院之时，始行给还。

每星期会客时间，只有三次。（星期三，星期六，星期日，均在午后二时至三时。）亲友之来访者，类皆手持鲜花，殷勤慰问。余虽孤处异邦，但德国男女友人之来访者，几乎每次皆有。故桌上香花常满，颇为一般德人所艳羡。德俗同室病人，彼此互称为“汝”。对于看护妇，亦只呼“名”而不呼“姓”，所以示亲热也。每星期四晚间，有牧师一人，前来各床慰问，随后继以演说一段。病人之中，有往往为之泣下者。每星期之中，有慈善机关女职员一人，前来访问。每见新来病人，辄询其有无医药之资，以及家中老幼生活，有无困难情形，如病人家道果贫，又无疾病保险，则该慈善机关，即代为设法，至少亦可得到若干零用之费。

A站之中，并非治疗肺病之所。但病人之中往往有一人而兼数病者。如果肺病轻而胃病重，则亦留在A站医治，故站中各种病症皆有，尤以癌症一种，最令人胆寒。所谓癌症者，系一种恶性肿毒，生于体内或体外；疼痛异常，无法医治，只有开割一途。但开割之后，仍是十九无望。余之床铺对面，有一年方四十八岁之德人，系患胃癌，有吃必吐。其后由医生剖腹，将其割去。并在腹上开割之处，插一皮带，每日由看护妇从皮带中灌入牛奶若干，以延残喘；因彼已不能用口饮食也。在第一星期之中，居然大有起色；彼已能看报，能会谈。但到了第二星期之时，病势忽转，仍是有食必吐。不到三星期，遂呜呼哀哉。三等病室之中，每遇病人将临终之际，辄将其床移入洗浴室内，或其他空室之中，听其寂寞死去。迨家人到时大抵均在瞑目之后矣。此外，还有一位六十五岁之德人，系患颈癌。开割之后，亦无效果。彼已三月不能进食，只饮牛奶少许，亦复随吃随吐。彼之神志，已不清明；终日吐痰于地，甚至于吐在桌子上，铺盖上。看护妇每到二三分钟，必须前来照料此君一次。

但该看护妇却同时为余等预备饮食，有时洗手，有时不洗。余素有洁癖，观此常令余食不下咽，急欲逃出医院而归。

院中医生对于病人，皆极慈祥亲切，有如家人父子。至于看护妇则因管理病人起居之故，稍不如意，即向病人干涉；但伊等对于职务，却极认真耐烦。

民国二十年十月二十九日病后寄自柏林。

战机尚未成熟

王光祈

记者于“东北问题与国际形势”一文中，曾言及日本强占满洲，打破太平洋上均势，行将惹起日俄美战争云云。但现在战机却尚未成熟，故俄美两国犹抱谨慎态度，而日本军阀亦因此得以逞其横行之欲。不过将来战机成熟之后，满洲一地终将为国际战场；此则吾人不可不预先加以准备者。

美国国务卿史汀生，在未就现职以前，曾任菲律宾总督，对于远东情形，素称熟悉，美国总统胡佛亦尝久住中国，对于中日关系，尤有深切研究。此次美国对于日本侵满一事，本可援引《九国公约》，出头加以干涉，最为直捷便当，然而美国方面却不愿出此，反让不关痛痒之国际联盟，以当其冲者，亦正有其故。第一，如美国援引《九国公约》，而日本仍不服从，则最后解决之法，只有出于武力一途。但以现在国际经济情形如此凋敝之时，所有欧美政治家无不终日忙于德国赔款问题，协约战债问题，国内失业问题，国际金融问题，安有余力再向远东作战？第二，今年春间，将开国际裁军会议。美国对于裁减各国陆军问题，虽极力主张，而对于扩充自己海军一事，却不遗余力。假如日本不愿撤兵满洲，正与美国以扩充海军之口实，而日本财力又不足以与美竞争；其结果，美国或将以“不扩充美国海军”，为“日本撤兵满洲”之交换条件，亦未可知。第三，假如现在美国即用武力对日，就海军而论，美国虽可与日一战，而对于满洲之日军，则美国却无法动其毫末。其势不能不有待俄国之相助。但日去而俄来，又殊非美人所心愿。因此之故，美国如未获得“国际助力”之前，决不愿独向日本开衅。所谓“国际助力”者，在海军方面，则由英美两国联合以压日。在满洲方面，则由签字《九国公约》之列强，出来实力干涉。其结果，满洲一地，或将由“日本独占形势”成为“国际公有局面”，换言之，政治名义，仍将属于中国，而经济大权，则操诸列强之手。其实不但满洲一地如此，所有吾国不能自守，以及不能自行开发之区域，皆将落得此种下场。现在世界列强对华形势，除日俄两国外，无不抱此“国际共同发展中国”之政策。换言之，即“经济的国际共管”。日本之利，利在武力独占中国；俄国之利，利在主义普及中国；而皆不以“国际共管中国”为利。因此之故，当国际联盟讨论满洲问题之时，一方面，排斥日本独占中国之野心；他方面，又只邀美国参加讨论，而独将俄国屏外。此非俄国在满利害关系，不及美国之大；实俄国所抱政策，不与欧美列强相同故也。日俄皆为中国近邻，皆有吞并中国土地之野心。当一九〇九年美国提出“满铁中立”条陈之时，(即所有满洲境内日俄两国铁路。均由中国自行赎回。此项赎路之款，则由国际共同借与中国，并派外国顾问共同监管各路。）曾密征列强意见。是时，英国因与日本有同盟之谊；法国因与俄国有协约之结；故均不敢冒昧赞成，只有德国一国，极表同意。美国提议因而搁浅。但日俄两国，却由此捏着一把冷汗，乃于次年，订结日俄协约，为共同瓜分满洲之备。自欧战以后，俄国一变而为共产国家，其吞并中国土地之野心（如合并外蒙之类）虽未尝稍戢，然而日本当局深惧共产流毒，却不敢与之公然合作。同时，英国因顾虑美国同族之谊，早将英日同盟解除；以便将来美日开衅之时，英国纵不助美，至少亦可以宣布中立。此外，法国对于俄国亦复早已恩情两断，无所顾忌。其结果，日俄两国之于对华问题，虽彼此同处孤立地位，却又不能合作，如一九一〇年之日俄协约故事，不但不能合作，而且时有冲突危险。在其他方面，则英美法德以及其他西洋各国，对于“国际共同发展中国”一事，彼此利害既同，自然容易结成一条战线，迥非一九〇九年美国孤掌难鸣情形。此次国际联盟能够演成“一致投票反对日本”之活剧，亦自有其背景，并非完全出于公道之心。日本满心欲吞中国，以其武力而论，亦复具有此项资格；但为国际形势所扼，始终不能大举，只得做出许多“小孩撒娇”样子，蹂躏许多无辜人民。但结果究何所得？重兵驻扎他国境内，终日提心吊胆，自然说不上什么“中日提携”，“经济发展”，而在此国际形势之下，长期占领满洲一事，虽在日本当局，亦不敢安然自信。故余对于日本武力占据满洲一事，始终认为可以利用“国际形势”加以解决。其令余终日寝食难安者，即吾国因“均势”二字，得以苟延残喘；将来亦随“均势”二字，呜呼哀哉！日本武力吞并中国，是急性症的亡国。列强经济共管中国，是慢性症的亡国。倘国人尚不“从各方面”，为“有计划的急起直追”，则吾人即或偶然打死一两位日兵，争回一二里失地，皆与中国最后命运，无大关系！

俄国自实行“五年计划”以来，国内一切事业，虽皆有长足进步，但其进步之程度，却远不如俄国当局之预期。尤其是交通问题，毫无何等发展。据欧人熟习俄事者言，俄国至少还须一个“五年计划”，或“十年计划”，始能成为相当强国。俄国主要兵力皆在欧洲，俄境方面，以防波兰捷克等国。俄国因欲集中力量，以整理内政之故，最近且与波兰芬兰等国，缔结“互不相攻”之约。数日前，俄京方面，捷克驻俄代表之书记官某，因勾结俄人，谋刺驻俄日使，以便引起日俄战争之故，已为俄国官厅驱逐出境。捷克政府至今尚未正式承认俄国政府，故只有代表暂驻俄京，而无正式公使。此次谋刺日使之举，更可以想见俄国之欧洲邻邦，其希望俄国与人开战为何如者。当英国保守党此次选举胜利之时，竟有一部分英人，主张利用此次满洲纠葛，怂恿日本驱逐北满俄人势力；然后再进而组织“十字军”，以征暴俄云云。但欧战之际，日本曾因援助捷克在俄俘虏之故，派兵甚多，用款不少，初以为从此可以永远占据西伯利亚东部一带，扩充日本势力，孰知日本政府其后竟为美国所压迫，不得不将日军撤回；所耗军费，一无所偿，日人至今犹抱恨不已。现在英国虽欲利用日本作傀儡，而日人似已学乖，不复再上其当。因此，日人占领齐齐哈尔之时，力向俄人担保，并无妨害俄人在满势力之意。其在俄国方面，则鉴于日俄战争一役之败因，系在交通不便，粮食困难。现在俄国交通之不便，尤甚于昔；西伯利亚农人之不愿供给俄军粮食，恐亦较昔尤甚；此外，更加上许多“白俄”从中作祟，列强在旁伺隙；俄国实无能力与日一决雌雄，因此，不能不暂时隐忍，以待战机成熟。昨日德国某报，曾有东亚通讯一篇，谓满洲三个大城——哈尔滨，大连，沈阳——最足以表现俄日中三个民族鼎立争雄之势。哈尔滨共有居民四十余万，其中约有俄人七万；所有建筑，皆系俄式；通行语言，亦为俄语。大连共有居民三十余万，其中约有日人十万；凡入境者，实无异身到日本。沈阳亦有居民三十余万，其建筑样式及生活习惯，均足以表现华人精神云云。中日俄三国，在满争雄之局面，早已形成，而谓俄国将来竟能坐视日本独拥满洲，在理实为必无之事。

满洲问题，迟早终须出于一战，殆无疑义。但现在战机尚未成熟，故日人犹有撒娇发疯之余地。至于吾国将来，能否保有满洲，则以国人对于未来战争，是否能够积极准备为转移。

民国二十一年一月一日寄自柏林。

御侮之武力

王光祈

近来爱国之士，愤暴日之侵略，纷纷主张对日宣战。但宣战必须武力，故国人对于御侮之武力，不可不有相当之研究与准备。

开战第一要件，必须器械子弹充足。据熟习中国兵工厂情形之某君言，中国虽连年内战，遍地皆兵，但至今国内，尚无一所“制造”军器之兵工厂，只有几处“配置”军器之兵工厂。换言之，所有军械重要部分，如枪筒子弹之类，皆由外国先行制就，然后运到中国，再由中国兵工厂，将其配置起来。譬如枪筒一物，口径略欠均匀，则射击便不准确。中国至今尚无能力自造枪筒，故必须向外国购买。而各国奸商，又往往将欧战时所遗枪筒，略加修理，卖与中国。于是中国各师所用军械，口径大小，至为不一，甚至于一师之中，所用军械，有时亦复彼此不同。口径大小既异，所需之子弹大小，亦当然随之而异。但中国所用子弹，既从各国运来，往往张冠李戴，射击至为不准。我们知道，欧战时三大战术，一曰散队击，二曰侧翼击，三曰纵队击。（即兵队列成纵线形式，不作横线排立。）假如射击不准，则站在后面的兵士，往往把站在前面的自家人打死。至于子弹所用弹壳火药等项，亦皆购自外国；中国尚不能自制。而现在战事胜负关键，即以双方子弹多少为转移。中国军队购置军器，均由外国洋行包办。平常一支毛瑟枪，在欧洲只值华币十二圆左右者，一到香港，便增至七八十圆。每当南北混战之际，而外国洋行辄辟客厅数间，东厅迎接北方军阀，西厅招待南方军阀；双方重价购械，打得民不聊生！而洋行老板，则因此腰缠万贯，好不开心！凡外国军队已不应用之军器，皆设法卖与中国南北军阀。凡南北军阀已不乐用之军器，则又设法卖与四川军阀。好在此项军器，不是用来抵抗敌人的，而是用来枪毙百姓的。百姓手无寸铁，被军阀绑得紧紧的，相距只有几个米达远，一声开枪，此种无辜百姓，当然应声而倒。枪之射击准否，在此尚无重大关系。反之，若与外人开战，则射击准否，实为决胜第一条件。又此次日军，在满攻我，处处利用飞机，而吾国射击飞机之炮，只有寥寥数尊。据军事专家云，一尊“射击飞机自动炮”，每一分钟内所击出之炮弹，约需华币两千圆，换言之，每一点钟之内，约需十二万圆；实非中国今日财政情形所能胜任。日本军队，到紧急时节，可出兵四十万左右。而中国军队虽号称二百万，但具有真正战斗力的（指训练精良子弹充足而言），至多只有五万。以一敌八，安能取得最后胜利？数年前东省军队为俄所败，当时张学良曾有通电，谓：“以东省一隅之众，抗强俄倾国之师。”以“一隅”对“倾国”，文笔何等工稳！但当时俄国何尝“倾国”出征？实际上不过数师军队而已。此次日军侵占我东北军，亦复只有数师；竟能在东省之内，任意横行，如入无人之境。以中国如此腐败之军队，而欲与日开战，断无侥幸之理。话虽如此，余并非完全反对向日开战者，但开战程度，只得偏重抗御。换言之，日人来攻一城，吾必死守抗御，必至力尽而后退。凡有守土之责者，皆应如此。至若大规模作战，直将暴日军队，逐出东省，则尚须有更充分之准备。

请以德国为例。德国现有陆军十万，（此外尚有武装警察十五万。）与法国陆军人数（七十万）相较，为一与七之比。但现在德国士兵训练，已不用战前"被动式的训练"，而改用"自动式的训练"。换言之，每个兵丁，皆有自动的应敌能力，皆有充当军官的资格。至于德国人民中之曾身经百战者，至少尚有一千万以上。一有战争，皆可立时召集。德国战前共有兵工厂二十余所，战后受《凡尔赛和约》之限制，几乎全体改为普通工厂。当记者一九二二年游览德国商品展览会之时，曾见克虏伯炮厂所制农具多种，成绩斐然。德国以最短时期之中，悉将军用工厂，改为生产工厂；当时曾使各国人士大惊。但将来一遇战争，德国再将各种生产工厂，迅速改为军用工厂；亦同样的将使世界各国为之骇然。（按：从前南京政府德国顾问Bauer，曾建议南京当局，用二千五百万圆，建造五个基本工厂，平时作为生产机关，战时则改为军用工厂，其法即系仿照德国办法。）此外，德国既不能在国内公然建设军用工厂，因而在国外（尤其是欧洲各中立国内），秘密经营军用工厂不少。一旦开战，即可悉数移植国内。一年前，德国在俄秘密组织德国航空军队。后因其飞机队长某跌死之故，其事始暴露于外。法国方面曾起而干涉。（当时该队长之少妇，闻其夫跌死后，旋亦自驾飞机，从空跳下，以便与其夫为同样之死亡。）又德国科学家，对于战争利器，亦复不断的拼命发明。现任柏林大学主任化学教习，即系战时前线指挥毒气攻敌之重要人物。现任德国总统兴登堡，为德国战时元帅，与世界列强血战四年，不使敌军入境一步。当欧战初起之时，俄国乘德国全力集中西部之际，忽派八十万大军，侵入东普鲁士。而兴登堡乃回师攻击，以少数精兵，将俄国八十万大兵全数歼灭。其用兵之神速，较之吾国军事当局为何如？现在德国军事准备之周到，又较之吾国今日军事准备为如何？此无他，欲御外侮，非有充分之武力准备不可。

吾国近年，不务实际上之努力，徒有空喊“取消不平等条约”之声，高入云霄，久为帝国主义者所厌闻。自日本改计，宣布“进兵理由，系在保护条约权利”之后，于是列强对于日本进兵满洲一事，居然予以相当原谅。当日内瓦国联会议之时，吾国外交形势，至为顺利。

但到巴黎国联会议之时，则形势大变；各国舆论，均带袒日色彩，尤以巴黎报纸，慨然以“拥护列强条约权利”为己任！其结果，乃有国联派遣委员到满调查之举。其调查目的，即在考查中国方面，是否有无违背条约之事。彼等实有一鼻孔出气之关系，我国欲求得如何公平之结果，恐终属梦想，实际上欲求根本解决，仍非有御侮之武力不可。

廿一年一月二日寄自柏林。

国防问题
——团练国防军

王光祈

近代西洋国防原则有二：（一）常备军之数目须极小，以免多耗军费；后备军之数目须极多，以便倾国出战。（二）兵工厂须极少，“准兵工厂”须极多。所谓“准兵工厂”者，在平时则努力生产工作，以作经济竞争；在战时则将其内容，一律改为军用工厂，以作铁血竞争。关于第（二）问题，余他日当另为详文论述，兹仅言第（一）问题。

征兵制之善于募兵制——可以减少国家财政负担，可以强健全国国民身体，可以打破私人军队制度——论者已多，无待赘言。但征兵制度，却有两个前提：第一，该国人口数目，并不甚大。第二，该国户口调查，极为严密。吾国人口既如彼之多，如果实行征兵制度，则每年应征之义务兵役壮丁，为数极众，世界各国，殆无其匹，以吾国生产如此落后之国家，忽将无数有为青年，置诸毫不生产之途，毋亦太不经济？而且户口调查不详，每年征兵之时，必将引起无限纷扰。故在今日吾国情形之下，征兵制度殆难一时实现。

团练制度，为吾国所旧有。就近代战术之精深复杂而言，团练诚不足作为御外之用，但在他方面，团练组织，却可以作为征兵制度之基础。换言之，中央“国防总监”每年可由各地团练之中——包括商团，农团，工团，民团等等——征调壮士若干（以各该处团练数目之多寡为比例），前来中央，加以训练（专重基本训练）。一年之后，复派赴各处“国防区域”，充当兵役二年，并作实地练习。（按：各国防区守卫性质互不相同，故其练习，亦复彼此相异。）兵役满后，复遣回原籍。或在团练之中，担任教练；或改就其他普通职业，均可听其自便。惟其住址，必须详细登记，以便对外开战之时，可以立时调集。倘在防区兵役期满之后，仍愿继续留彼服务者，亦可准其再行服役五年或十年。在此“自由兵役”期间，所得饷银，虽远较供职其他普通职业所得为少，但“自由兵役”年限满期之后，可在官营事业之中，如铁路邮政之类，得一良好位置。（按：德国从前征兵制度以及现在募兵制度，均有此种奖励“自由兵役”之办法。）因此之故，曾充兵役之人，尤其是曾充“自由兵役”之人，可以一生不愁衣食，安有流而为匪之虞？而况此项国防军士，皆曾一度前赴中央，受其训练，各省人士，齐集一堂，可以打破省界观念，可以增高中央威严。则吾国今日之割据形势，私军制度，均可一扫而空。同时，各地团练，经“役满回籍军士”之参加与教导，战斗能力益增，可使各地匪患灭迹。一遇外患之时，并可作为后备军队之用；至少亦可作为后方工作之备。较之今日国家养兵二百余万（除极少数例外），既不能捍御外侮，又不能削平匪患者为何如！

客有新自吾蜀来德者，谓四川有兵三十万，匪三十万，团练三十万。而团练之势力，实大于军队。每遇各县团练齐集会操之时，该地军队，无不捏着一把冷汗。四川号称多匪，但现在已无拦路抢劫等事，居民可以安枕而卧。上面所谓匪三十万，乃系大股之匪，多系散兵集合而成，每与军队沟通，时常统率大队，攻劫城池，与团练正式开战。而各处团练，一闻匪警，辄将长衫脱去，手持枪械，伏在要隘，待匪到来。同时，各处团练并以发枪为号，颇寓古代烽火报警之意。于是顷刻之间，邻地团练，无不立刻动员，与匪接战。其结果，匪军往往不支，大败而逃。并闻四川团练，竟能自造子弹，其成绩如何，虽不可知；但吾民在军阀专横政治黑暗之下，毅然起而自卫，大下牺牲决心，固可从此察见一斑矣。最近我国东北义勇军之与日血战，前仆后继，视死如归，使日本暴军疲于奔命，不能安卧，实现币原所预料之吞下一枚炸弹，为民族生存而奋斗，亦可以表现民团所具牺牲精神。如果吾国各地，皆有善良团练组织，则更内乱不足平，外患不足畏矣。

二十一年五月四日。柏林。

一位德国奇士
——捐款中国以征服欧洲

王光祈

五月五日，意大利 Brixen 地方民庭，开审“德国乞丐富翁巴舍（Basse）之遗产继承纠葛”一案，颇与中国有关。其中情节，甚饶兴趣与兴奋，兹特记其梗概如下。

有德人名为巴舍者，流落意大利地方，形同乞丐，去年九月饿死客舍之中。意国警吏检其行箧，乃发现巨额黄金，并有银行存款若干，总计约值五百万意币，约合华币一百万圆。更有遗嘱一件，系将该款全部捐与中华民族，以作征服欧洲白种之用！吾国驻意公使闻之，乃偕秘书及领事，前往该地，接受遗产，将存金及银行存款册子取去。但巴舍之妻，在德接得此项消息，乃托其戚某女士延请律师，向该地法庭起诉，不承认中国方面有此继承之权；并指巴舍遗嘱，为临死乱命，应属无效。盖在巴舍行箧之中曾有两种遗嘱。第一次遗嘱立于一九一三年，系将遗产全部赠与其族戚。第二次遗嘱则立于临死之前数星期，即将遗产全部赠与中国者。巴妻既在法庭起诉之后，法庭即令存款各银行，暂缓付款中国公使。因此，中国使馆方面只领到二万意国金币。此案将于五月五日开审，记者作此通讯时，胜负如何，尚不可知。柏林某报访员，曾与巴氏之戚某女士作一度谈话，其内容如下。

该女士云："巴舍为人，少时即甚古怪，无人能了解其性质。其父开一肉铺，生意颇好。尝令其子巴舍在铺学习一年；继而复遣其投戎。迨巴舍兵役期满归家，其父已死。于是巴舍遂将肉铺产业继承，并自行经营一年，但其性质殊不近于此项营业。因此彼将产业出卖，其间并与其母及弟妹发生意见冲突。最后彼乃将其继承所得之财产携走。是时彼之年龄约在二十左右；为人缄默寡言，尤其是仇视女性。

"最初彼到比利时，其后到法到美，未几复回欧洲，卜居意大利。彼精通各国语言，无论留寓何处，均能适应环境。当彼离家之后，即行开始从事股票投机生意。据云甚为顺利，所获颇丰。每隔二三年，辄回其故乡彭城（Bozen）一次，并在该处银行存有款项；但回来未久，旋又离去。

“彼虽富有资财，但其衣服极为破烂，而且生平最为吝啬。其家人有一次出游名胜，便中寄彼一张风景明信片。但不久接得彼之回信，竟斥其家人，此后勿再浪费金钱，作此蠢事。（指购寄风景明信片而言。）因彼此种古怪性质之故，以致亲族戚友之间，早已不通往来。其幼弟某（已于一八九九年死去），曾有一次在巴黎途中与彼相遇，但彼竟掉头不顾，扬长而去。其后于一九一三年，复回彭城，往访其妻一次。十年之前，尚有人在彭城街上见彼一次，弯背白发，衣服褴褛，直上前行，毫不左右顾视。自此以后，遂无人知其下落矣。当报端登载此次遗嘱之事，其家人始托该地女友代探其事，以及彼之生活情形。

“该地女友乃回书述彼当时惨死情形。据云，彼居一间小房之中，每月租金仅十二马克，在临死之前三月，来住于此，无人知其来历。直到后来，始知彼于一九二七年曾旅居该地一次；但未几忽然失踪，尚欠房租三百意币未付。当时房主以彼系一可怜穷人，遂亦未尝追问，现在彼复来寓该地，终日闭居于小屋之内，不与人见。每日只离宅一次，前往商铺购买牛奶，面包，马铃薯少许充饥而已。每遇女房东入屋打扫之时，彼则靠壁而立，呆视该房东之一举一动。

“一日，房东入室，见其已死于地。（按：巴舍死时，年已八十有一。）据医生检验，谓系中风而死。并云，彼之饮食营养不足，以致身体如此虚弱。其时官厅检尸之吏，遍寻室中行箧，以为或者可以觅得少许金钱，以作葬尸之用。不料竟于破衣箱中，忽然发现二万意国金币，该吏大惊，更往下寻。于是银行存款，公司股票，以及奇异护照等物，皆一一出现。该吏立即通知法庭。法庭方面初不相信，最后遣一律师前来，将其财产一一清算，约合五百万意币，计值一百万马克。（约合华币一百万圆。）同时并发现遗嘱两通。其一系立于一九一三年，以其财产继承权，属于彼之戚属。其二，则系临死前数星期所立；即以其财产全部捐助中华民族，以为将来征服欧洲白种之用者。其原文如下：

> 下面签字之人，名为亨利巴舍，一八五零年生于彭城，愿将其全部财产赠与亚洲中华民族，或中国政府，以为将来征服欧洲白种之用。余愿葬于祖茔内姑母某某之侧。

“此事宣布以后，该地居民大哗。一日，保款律师之处，忽来三位华人——中国驻意公使，及其秘书，以及 Bozen 地方中国领事——要求该律师，将巴舍全部财产交出。律师查核无误，遂将该项财产交给，中国驻意公使乃将二万金币，以及银行存款册子等等运去，并到巴舍死所临吊一次。最后更持花圈，前往坟园之中吊墓。但竟未寻得该墓，于是巴舍并此唯一花圈，亦无享受之福。

“此事系发生于去年九月。同时此项消息亦为巴妻所闻。其妻是时年方七十，寂居养老院中，乃将此事嘱余（其女戚自谓）办理。余因委托律师 Lachmuller 博士起诉。以该项遗嘱，系立于巴舍理智业已丧失之时，不足为凭。该律师并立即通知各银行，缓将款子交给华使，幸尚未晚。因此之故，华人方面，除两万金币之外，尚无所得。”

于是柏林某报访员，复问该女士曰：“女士以为此案能获最后胜利否？”

该女士答曰：“据我们律师所言，甚有希望。”

该访员复曰：“但是，如果巴舍对于欧洲各国，真正得有不良印象，以彼时常周游各国，所见甚广，殆不能全然谓其毫无根据。”

该女士复含笑言曰：“巴舍行箧之中，尚有法国秘密侦探证书一纸，苏俄政府信件一封，伦敦外交部信函一件，德皇威廉第二最近像片一张。巴舍行踪，真令人莫明其妙，即我们的律师亦不能解此疑案。或者彼曾为秘密侦探，亦未可知，但同时却与各国政府均有关系。总而言之，实在莫明其妙！我们所知者，只是巴舍曾做股票投机生意而已。其余一切，皆如难谜，正与彼之生平为人相同。”

记者按：此案结局如何，现在尚不可知。如果中国方面胜诉，则此项财产，似不宜全部皆拨作驻意使馆经费，或竟用之于内战，有负巴氏盛意。记者以为：至少须将其一部分建一“巴舍纪念图书馆”，收藏中西“国防书籍”，以为中华民族将来发扬国光之备。

中国虽弱，但在欧人眼中，终以其土广民众，而且有悠久历史，将来终有发扬光大之一日。从前拿破仑曾有言曰：“如果中国人一动，则全世界皆将随之而动。”数年前，英国方面曾出一种小说，描写中俄两国将来瓜分世界之情形，一时甚为流行。此次巴舍之发此奇想，恐亦受有上述英法各种见解之影响，但彼何尝料及中国频年只知内争，以致现在饱受外人铁蹄蹂躏，至今犹无自拔之道，奈何奈何！

民国二十一年五月六日寄自柏林。

防空组织

王光祈

从前国际战争，系以陆海军队为主要武力；故其防御之事，全在守土军人。现在空中战争则不然。对于防御之责，军队与人民，实各负其半。盖敌人飞机之来攻，其目的不仅在消灭对方军事之根据；尤在破坏对方工商之基础，以及居民生活之要素。（如自来水厂，电灯厂，煤气厂之类。）倘战事到了紧要关头之时，更将不惜破坏国际公约，施用毒气与病菌，以为歼灭敌国种族之计。因此之故，“居民防空组织”十分重要，殆已成为近时欧洲一种普遍运动。所有国内各大城市，尤其是工业区域，每年均有数次之“防空练习”。

“防空”种类，可分两种：一为军防，一为民防。所谓“军防”者，防空职责系由军人担任。或用“驱逐机”，与敌人空中作战；或用“高射炮”（用于敌机距地尚远之时）与“机关枪”（用于敌机距地甚近之时），由陆上以射击敌机；或用“汽球电网封锁”之法（即用无数电线，竖立地上；线之上端，各悬汽球，冲霄直上，有如竹竿一样），以阻敌机袭入防地；或用“探空灯”及“听空机”，以侦察敌机行踪；或用“散布浓雾”之法，以使防地掩迹，避去敌人视线。所谓“民防”者，防空之责，系由居民自任。其最重要者，为“全市灭灯”，“逃避地窖”，“置备面具”，“救护伤亡”，“扑灭火灾”诸事。关于“军防”一层，系属于“空军”范围，所需专门知识及训练极多。请参看拙译《空防要览》（见中华书局行将出版之“国防丛书”中），便可窥知一二，兹不再赘。今所言者，只限于“民防”一事。

全国之中，应分为若干“防空区域”。每区设置“区长”一人，区内遍设“情报公所”。一旦探得敌机来攻之事，即由“区长”命令全区居民，各往预定之“逃避所”中而去。如在夜间来袭，并须全市灯光，一齐灭熄；如遇毒气攻击，更须速将面具戴于头上。

关于“逃避所”建筑一事，需费极为浩繁。据德国达摸斯特（Darmstadt）城工业大学教授鲁提（Ruth）所计算：则一百万居民之大城，所需之防空建筑费用，约如下表。

（甲）两千“公共逃避所”，每所容五百人，每所建筑费十二万马克，总计约需二万万四千万马克。

（乙）联络各处“公共逃避所”之地下交通要道，其建筑费约需八千万马克。

（丙）保护各种公共机关，以及工厂，学校，病院，所需之建筑费，约为一万万六千万马克。

（丁）保护普通居所，以免敌机投掷“焚烧炸弹”之危，其建筑费约需一万万四千四百万马克。

（戊）保护工厂烟筒之特别建筑，约需二千万马克。

以上五种，共需六万万四千四百万马克。

照现在汇价而论，华币一圆，尚不能汇得一个马克。换言之，平均每个居民所担负之“防空建筑费”，约在七百圆左右，可谓骇人听闻！不但我们经济落后之中国人，无此能力担负；即在西洋经济发达之各国，亦复愧不敢当。因此，不得已而思其次，乃有改造各家原有地窖，以为临时逃避之所。对于各家地窖之中，如何加厚抵抗炸击之材料，以及窖内如何设备，各窖如何联络，均有详细讨论。可以参看吾友沈君怡所编之《近代战术与建筑制度》一书（亦见中华书局“国防丛书”中），便知其详。至于吾国民房，虽无地窖之说，不能逃避敌人炸弹凶焰，但吾国房屋建筑制度，除少数例外，类皆只有一层；敌人每次炸弹效力所及，只限于一二家庭；非若西洋之数十人家集居一屋者然。不过此后吾国街房建筑不宜互相紧连；各房之间，必须留一隙地，以便一房被焚之时，邻房不致殃及。此外自来水厂，电灯厂，煤气厂等等，更不宜集于一处，以免同时被敌毁坏。全国工商文化企业不宜集中一二商埠，以免为敌人一网打尽。

至于重要工厂，火车总站，以及“动力厂”之类，均应划入“空军防地”范围之内。好在近来“高射炮”之制造，大有进步。在欧战之中，射落一架飞机，平均须发七千炮弹者，现在只需十二炮弹，便可将其射落。此外，重要桥梁，以及“铁路接轨机”等等，敌机如欲炸击，必须低飞，始能命中。（因此项建筑，非若工厂等等之烟筒高耸，敌机不易掷中炸弹。）因此，吾人又可利用“机关枪”之类，以为防守。如已探得敌机将至，并可临时发放浓雾，以便该地重要工厂，一时完全遁形。譬如德国最近在东普鲁士，举行“防空练习”一事。该处计有“动力厂”一所，供给全省所需之“动力”，关系至为重要。因此，特于厂之附近，设立五百雾筒（系永久的设立）；只须“防空司令”命令一下，数秒钟之内，全境皆雾，工厂顿然失迹。

保护重要工厂，虽属于“空军”分内之事；但厂中工人自身安全问题，却须工人自己解决。因此，各厂工人平时必须自行组织“救火队”，“救护队”，“消毒队”，并宜各备“防毒面具”一套，以防毒气。

民国二十一年八月一日寄自柏林。

经济战争与战争经济

王光祈

（甲）经济战争　近世国际战争之胜负关键，已不专在军事，而在经济。德国之败，即其例也。当时德国陆军之强，称为世界第一。血战四年，除战事初开，俄国八十万大军，曾乘虚一度侵入东普鲁士，旋为德将兴登堡悉数歼灭之外，敌军实未尝得入德境一步。至于德国海军之实力，虽不足以夺取英国海上霸权，但保护德国自己海岸，则亦绰然有余。尤以一九一六年五月三十一日，斯喀基尔那克（Skagerrak，在那威丹麦之间）海上一战之后，英国海军从此不敢正视德国海岸。因此，专就当时德国“陆防”“海防”两事而论，可谓毫无遗憾。然而终不免于一败者，无他，“经济战争”为之也。

所谓“经济战争”者，即当时协约国方面，尤其是英国方面，利用各种经济封锁方法，以断绝德国工业原料与民食饲料之来源。其在德国方面，则又对于此项经济封锁，曾用种种方法以为抵制，是也。当时德国海军实力，保护自国海岸则有余，直捣英国海军根据之地则不足。其结果，德国舰队从此被困于东海北海之内，不能有所发展。所幸者，与德为邻之中立各国，如荷兰，丹麦，瑞典，那威，瑞士（在一九一六年八月二十七日以前，罗马尼亚亦为中立国之一）之类，可以源源接济德国各种原料与粮食。

英国知其然也，乃宣布北海亦为战争区域。从此以后，与德为邻之中立各国，亦复一并划入封锁范围之内。所有上述中立各国船只，由海外运货回欧之时，当须先向英国海军当局呈报，否则即被没收。各船所运之货，只以供给该中立国自用者为限；数量亦有一定。但英国政府犹不放心，恐有漏网入德之虞；乃勾结各该中立国之商人，组织一种“海运公司”，所有海外购来之货，均须经过该公司之手。该公司，一方面须向英国担保：所运之货，确系专供本国之用，决不丝毫转输德国；他方面，该公司批发各货之时，又须直向买货之人，要求提出证据，确系专供自己之用。此外，英国政府更将《国际公法》上“战时禁运物品”之名单，大加扩充；不但一切军用物品包含在内，甚至于其他一切人生日用物品，亦复全体列入“禁运物品”之中。当时中立各国，明知上述英国各种举动，违背《国际公法》；但以自己实力不足，不敢起而抵抗，只好默然忍受。其中只有美国一国（指美国尚未参战以前而言），能与英国力争，彼此交换通牒无算。但其后英国复利用美国需要英国殖民地产品之弱点，遂与美国方面订立条约；此后，英国殖民地所产羊毛，卖与美国商人之时，只能卖与“美国羊毛公司”一家。该公司复向英国担保：绝对不将羊毛或羊毛制品，输入德国。同样，橡皮工业亦然。由“美国橡皮公司”向英担保：决不将货输入德国。

德国经此严密封锁之后，海外原料来源遂绝，一部分工业为之停顿。同时，国内粮食恐慌之状，尤为不可终日。因此，德国政府，一方面竭力奖励发明“代替品”，以补外来原料之缺乏；他方面，复利用中立各邻邦需要德货（如煤，铁，药材，化学用品之类）之弱点，暗与各该邻邦接洽：先用“以物交易”之法。换言之，即德国输与中立邻邦某种货物若干，而以该邻邦输入某种货物若干与德，为交换条件。其后，因嫌此法过于呆滞狭隘之故，又兼用“通商互惠条约”之法。换言之，即两国贸易，宜以顾全双方利益为原则；对于输入输出两事，尽量通融。同时，并组织“采购总局”，专司国外采购之事，以统一进行。其结果，德国此项抵制封锁之法，大获胜利。所有荷兰丹麦等国输入德国粮食之数，远较战前为增。反之，该中立国等输入英国粮食之数，却远较战前减少。

英国既察出此中秘密，遂设法限制该中立国等之饲料输入，使彼等畜牧事业，日益下降，以至于毫无余力再行输入粮食与德。自此以后，德国虽用极端限制消费之法，亦复不能免于饥荒，而归于一败。关于当时“经济战争”之经过，请参阅拙译《经济战争与战争经济》一书（见中华书局行将出版之“国防丛书”），便可察见彼时交战国双方如何互斗法宝之详情，以及德国如何致败之原因也。

观此，则知一国与他国相战之时，除军事一项外，对于国内生活必需之品，事前应当如何注意，以免敌人封锁之危。同时，更须利用国内重要出产，以为挟制他国贸易之道。吾国号称“农业立国”，而现在每年粮食“入超”，竟达二万万余圆之巨！同时纱厂事业，亦复不能抵抗外货，更加以连年内战，国内重要出产，如煤铁之类，无不货弃于地。甚至于制造枪弹所需之原料，均须一一购自外国！如此情形，而欲与人作“经济战争”，真不知从何说起！

至于日本经济，虽较吾国发达，但就实力而言，亦复不能与人一作“经济战争”。我们知道，战前德国系采“农工并进政策”，远较当时英国畸形的“工业发展政策”为善。记者曾于数年前，在北平《晨报》上，发表《欧洲农业革命潮流》通信三篇，详论此事。然而德国终以举国出征，农业停顿之故，不能免于一败。查日本本国，现有人口六千四百万，与德国现在人口数目相仿佛，但日本土地却较今日德国土地约少九万平方基罗米达；更加以德国可耕之地，约占全国土地总额百分之六十三左右，而日本可耕之地，只占全国土地百分之十八左右。因此，若一旦日本与人相战之时，则粮食之足以制其死命，殆较当时德国为尤甚！而况日本煤铁等等产额极少，又无挟制他国贸易之具，一如德国当时所用者。此外，德国尚有中立邻邦，暗中接济，而日本则除了满洲接济之外，实系一种孤立无援之孤岛。至于日本海军实力，至多只能保护自国海岸，断无余力往毁英美海军根据之地，其情形亦正与从前德国海军相同。则将来英美两国与日争雄海上之时，初不必实行“海军封锁”，只用昔日那套“限制中立各国与敌通商”之旧把戏，（其实现在中立各国对日感情，远非当时对德情形可比，可于国际联盟大会时，各小国直斥日本一事见之。）则日本立将陷于饥荒之危！而中日两国邦交，现既如此紧张，日本政府势难获得中国方面大宗粮食之助。而且现在中国粮食产额大减，不敷本国之用；即欲援助日本，亦无从援助。当欧战之时，德军曾占领比利时及法国北方广大土地，获得工业原料不少。但比利时及法国北方，人烟异常稠密，本地粮食向来不敷，颇使当时德军难于处置。盖德国既不能将自己有限粮食，用以代养比国居民；又不能听任比国数百万饥民，留于德军后方为患故也。其结果，德国政府乃与美利坚比利时两国订立条约：所有比利时及法国北方民食问题，全由美西两国接济；但德军方面必须明白担保：不但对于此项接济粮食，不得夺为己用，而且对于比国本地所产粮食，亦不得丝毫染指。当时德军为免防后方大患计，对于此项苛刻条件，亦不能不加以容纳。由此观之，日本将来纵欲夺取中国有限粮食，亦将为情势所不许。因此之故，中国生产若不进步，或者虽已进步，而中日邦交不睦，则日本皆无擅与任何世界两大强国同时开战之资格，一如德国当时之所为者。然而日本军阀却不自量力，欲与全世界列强为敌矣！

（乙）战争经济　所谓“战争经济”者，即国境既被敌人封锁之后，海外原料来源断绝，国内一部分工业不能不受影响；同时，国内最能工作之人，皆须脱离生产事业，开往前方作战。更加以军事用品之需要，与日俱增，须将其他普通工业改组，以应此项急需。此外，本国农工生产既受战事影响，日益减少，对于国内居民消费，尤不能不大加限制。其结果，国内经济组织顿成一种特殊状态，须用一种适当特殊方法以处理之；学者因称之为“战争经济”。

当欧战时，德国被敌封锁之后，工业原料一时顿感缺乏。德国政府乃竭力奖励本国学者发明“创制原料”之法。譬如“淡素”缺乏（按：“淡素”为造制火药及肥料必需之物），则设置大规模之工厂，从空气中取出“淡素”，以为补偿。又如德国战前纺织原料，约有百分之九十系来自外国；开战之后，乃发明木料制丝之法，以为代替。又如战时橡皮来源断绝，则发明“人造橡皮”之术以代之。当时发明种类之多，殆不可胜数。因此，国内一般有关“军事制造”或“人生必需”之重要工业，均得继续维持下去。

至于其他一切“不能发明替代”之国内有限原料，则厉行“限制消费”之法，以减少无益消耗。先由国家将此项原料，全体没收，然后再行发与一般“生产能力最大”之工厂，从事制造。其余“生产能力较小”之工厂，则一律听其停闭，以免多耗人工煤炭。但为顾全“小工厂生存”起见，则又想出折衷办法，以为救济。譬如战前德国，计有肥皂工厂二千余家，类多规模狭小。开战之后，政府乃只挑出一小部分“制造能力较大”者，给以相当原料。其余小厂，则任其停闭。唯该小厂等，得向上述大厂订购熟货并打若干折扣，然后再由各小厂，用自己“商标封皮”包好，发售于市，以维持其生存。

此外，凡职工之可用女子代之者，悉用女工以代之。并施“工役”之法，以限制“工人进退自由”。换言之，即工人如欲出厂，非先领得厂主“准其离厂”之证书一张不可。倘厂主无故拒发证书，则可由该工人控之于“劳资双方合组之委员会”。如该会承认工人所持理由正当，则由该会代给一张“准其离厂”之证书，以了结之。同时，政府方面更设“全国职工介绍总局”，以调剂国内职工供求情形。

在德国“战争经济”中，最关重要最有成绩者，实为粮食管理问题。德国战前本国麦类产额，约有二千五百万吨。其由外国输入之麦类总额，则有五百万吨左右。此外，其他各种粮食输入，约有三百五十万吨；畜类输入，约有一千万头。自开战以后，国内壮丁既赴疆场（当时德国所出之兵，约在一千三百万人左右）；肥料来源，又形缺乏，其结果，农产数目大为减少。同时，前方将士每日所需之粮食，又极浩繁。其间虽由中立各邻国输入粮食不少，以资补助；然对于德国粮食之缺乏问题，仍旧不能根本解决。因此，德国政府对于国内居民粮食，遂不能不大加限制，其法系先行组织“全国麦面总局”一所，内分“行政”，“商业”两部。“行政部”具有官厅权力，主持没收民间存麦各种事宜。“商业部”则按照商业原则，经营麦面定价，存放各种事宜。至于没收手续，则系先由各地“市区公会”直接没收本地存麦，然后再行造册缴呈“全国麦面总局”。其后，又由总局方面，将面交与各地“市区公会”，依法分给该地各家面包铺子，以制面包。同时，又由“市区公会”制成一种“面包券”，分给本地居民，自往就近之面包铺子，按券购买。每人每日所需面包数目，皆有一定限制。唯从事劳动工作之工人，可以另得一种“补助券”，能够比较常人多购一点。迨“麦面管理制度”施行确有成效之后，于是再将此制渐渐推及其他各种粮食；如“全国鸡蛋总局”，“全国肉品总局”之类，无不次第成立。大约每位成年之人，每星期中，可以获得四磅面包，五磅至七磅之马铃薯，五十格兰姆之食油，二百格兰姆之肉品。但购买肉品等项粮食之时，往往必须自晨至夜鱼贯鹄候，始能获得一二。

兹将德国当时“战争经济”之组织系统，绘图表示如下：

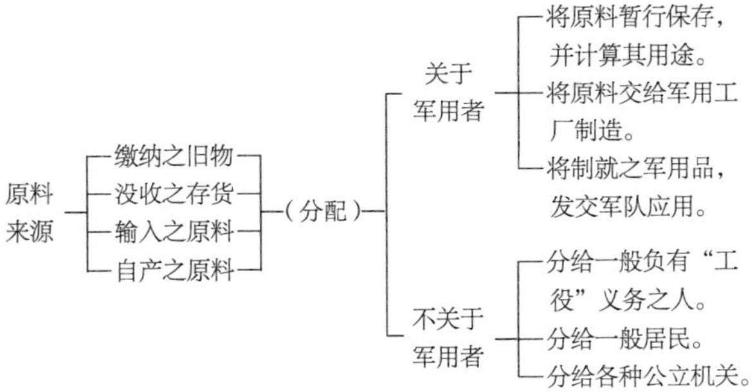

德游印象

征 言

（一）从巴黎到柏林

从巴黎到柏林，约有一千多基罗米达远近，其间经过法，比，德三国边境，特别快车要走十六个钟头，普通快车须用二十点钟。由巴黎一直到法国边境，所经各地，多是农田，颇富村野风味。进了比国而后，人民的一切风俗习惯以及建筑，都和法国大同小异，但是见不到很多空闲着的地皮，笔直的烟囱林立，黑突突的浓烟到处飞扬，大气都像被笼罩着，足证比利时以蕞尔小邦，全国都已开发，而人口之密，竟占了世界第一位置。到了德境，同是一个车上，不过因为侍者都换了德国人，车上的洒扫似乎也多了几次，厕所里也换了整齐雪白清洁的布巾，供乘客使用。就从这些小地方，便看出来法，比，德人不同的性格。建筑的式样也不相同，沿途的马路，都要宽整清洁一些，还有不断触进我们眼帘的，便是随处所见的工厂，使我们相信了德国是第一个工业化的国家。沿途所经，率多如此，一直到达柏林。

柏林在世界大城市中，占着第三位，她有四百三十万的人口，一千多平方基罗米达的面积，做了德意志的首都以及普鲁士邦的省会，她是日耳曼民族文化，政治，经济的中心。从外表看去，柏林的全城，都建在整齐清洁之中，虽然她的装璜不如巴黎的华丽，不若伦敦的古老，但是因为它街道的宽敞，楼房的一律，使我们走上去，顿时觉得非常闲散舒适。柏林城里，有不少的名胜，古迹，公园以及戏院，影戏院等娱乐场所。我们知道音乐在德国最为盛行，所以著名音乐家的演奏，时有举行。柏林四周，有很多大树林，和很多的湖水，人们可以在那里游泳，摇船，运动，散步，野餐，的确是使人们的身体精神康健愉快的所在。特别是星期日，差不多满城皆空，都暂时的移到那边去，过个整天。

德国人吃饭，中等人家每天差不多都是四次，早晨用牛奶，咖啡，面包；午饭有汤，吃热菜；午后四点左右，再吃一点咖啡面包；晚饭多是冷吃，食品大都是火腿，香肠以及酸菜等品，衬着面包来吃，吃完喝一点咖啡或是茶。德国饭馆卖饭的时间颇长，每天自上午十二时一直不停的卖到晚十二时，因为一般做事的人，工做完了的时间不一致，所以吃饭时间也不同，饭馆为顾客方便起见，不得不如此。常见有很多人三点多才在吃午饭，而晚九十点才吃晚饭，这都不足为奇，而且吃饭的时间，非常之久，吃之前，要看看报，或是写写信，吃过后，要来一杯啤酒，慢慢的喝着，或是和朋友谈着，起码就要用去两个钟头。德国人爱喝啤酒这是世界闻名的，因为啤酒颇能发胖，所以普通四十岁过后的德国男女，十个倒有九个是大腹便便，走起路来，肚子挺挺的，鼻息哼哼的，真好笑人。柏林共有三个中国饭馆，全在一条“康德街”上，规模设备，以及菜的口味，则以“京津饭店”为最优，其余“津汉饭店”和“中国饭店”两处稍差。因为德国政府的限制，中国人做的买卖，也须雇用德人，因此中国饭馆的侍者也全是德人，听说厨司务原来都有更换德人的意思，经中国商人力争，结果仍旧，不然只是中国人的资本，全给德人做了买卖了。柏林中国饭店的创始也颇有趣，十几年前，德国驻天津的某领事，回国时将其佣人温某带来柏林，大战后德国经济破产，全部无以为生，所以德领事特给资令温回国，温君未回，仍逗留柏林，给柏林中国学生会里几位中国同学做伙食，后来就食者日众，决起意另设饭馆，便是现在规模最宏大的“京津饭店”。

德国人住房，普通多是合住一所大房，分做五层，每层再分做两家。房间又有向外向里之分，向外便是临大街，各家都有一个平台，外边摆满了鲜艳秀丽的花草来做点缀，使得住房除清洁而外，更要美术化；向里便是临天井，光线空气都较差，价钱稍贱。每家之内，都有寝室一间或两间，客厅，餐间，厨房，澡房，厕所等。里边布置的井井有条，玻璃，地板，都擦得明亮光滑，无论做什么用的一块布，也总叫它常常保持清洁的状态。普通德国女子出嫁后，很少出外做事的，多是在家管理杂务，所以一个家庭里布置的有条不紊，都是这些女主妇的成绩。因为法律的规定，每家不准多留空房，所以有空房便出租，以致招租的广告，满街尽是。柏林西部是住宅区域，除去很多整整齐齐的高楼大厦而外，假若再往郊外走走，我们可以在一片郁绿的森林里，发现着一所一所清静幽雅的小住宅，她的建筑华丽，四周风景秀美，听不到车声的嘈杂，见不到烟气的熏熏，所见的只是大自然的美，住在里边的人，真如置身世外桃源，人间仙境。不过这种享受不是普遍的，只是一些资产阶级，或是皇族的后裔。在柏林合住一起房子的总门，晚八点一定要下锁，只许住在里边的，才能进来，因为只有他们每人有一把钥匙。

（二）到了柏林

因为德国人一切都好清洁，所以穿的衣服虽不尚华丽，不过也都整齐素净。男子的衣服无多大的变换，一年四季，都可以穿较深的颜色，一些时髦女子的衣襟，都仿照巴黎的新式，不过就大体说来，都很朴实无华。到了夏季，有些男子，特别是青年学生，不穿上衣，只穿一件衬衫，领结也不用，就在大街上走来走去，比比皆是，不足为奇。女子们穿着薄薄一层衣服，除去袒胸赤臂而外，大半都光着足穿上鞋而走。有时故意把皮肤晒得黑黑的，好表示着康健颜色。所以普通德国女子一年要有两副皮色，冬天要白，夏天要黑，这也是德国现在风行的一种时尚。还有一些男人的帽子后边，插了一束飞禽的羽毛，表示着他会打猎的意思。当欧战方殷的时候，德国经济穷困，但是一般人民，为爱国心所驱使，也不管战争到底为了什么，全都解囊相助，金钱不足，甚至把自用的金属物品，也都变卖，以致现在常见有很多人身上戴着极笨重的铁表链，便是表示他曾戴过金表链，但是因了为国输将，所以才换了铁的链，无论那种人都引为一种荣耀。

柏林的交通，除了和外城交通的长途火车不算外，共有下列四种车辆：一是城厢火车，从前烧煤，自从一九二九年，全改为电气，因此颇受法国报纸的恶评，以为既在战后经济穷困的时候，德国口口声声说没钱还债，却有钱来从事这样大规模的改造事业，真是“痴人说梦”，不过由此也可以见着德人努力建设之一斑。这种车的车票卖价，三等（只有二三等之分）卖价二十分尼（每百分尼合一马克，每马克约值华币一圆二角），可以任意坐到最终方向的任何站。二是电车和公共汽车，票价二十五分尼，不论道路远近。可以在同一的方向，换车一次。三是地道车，票价也是二十五分尼，可以更换任何车一次。此外还有一种零叫的公共汽车（taxi），取价颇昂，只要一坐上，起码要一个马克，所以除了遇到紧急的事项而外，普通很少有人乘坐。

柏林关于各种科学的博物馆，种类很多，收藏也富，星期日不收费，平时取价较昂。公园遍地都是，布置得整洁幽雅。除此以外还有一个固定的展览会场，一年之中，总是继续不断的开着各样展览会。记者在柏林时，正是在举行着“德国建筑博览会”，里边计分七大部，主要的都是关于建筑的新设计，以及所用的材料等，无论什么建筑，总期其合于经济，卫生，美观的几个条件。为使观众明了并有兴趣起见，除去陈列的实物及统计图表而外，并有各种表演和电影幻灯等来做说明，假使任何人对各种专门问题有疑难，也可以向那些在场内照料的人们来发问，总是使你满意而去。我们所见欧美时常举行的各种展览会，陈列品的丰富有趣，真使我们觉得看一次展览会，胜读几十册书。

在柏林留学的中国学生，据估计约有三百人左右，以学科而论，就中以学理，工，医者为多。他们大部都住在柏林西部的 Charlottenburg，因为在那里，食宿和就学都较方便。他们也有为了清静以及就学便利起见，住在距城市中心较远的地方，因为交通方便，并不感觉什么时间的困难。他们的房租每月自四十马克到六十马克，普通都连早餐在内。至于吃饭，中国饭店和外国饭店去吃的都有，晚饭有很多人在家吃用。就生活费而论，每月用两百马克是普通的生活。柏林的中国学生，有同学会的组织，因为每月得到驻德公使馆四百马克津贴的关系，所以能够租到一个很宽敞的房子做会所，在里边可以有中西各种报纸杂志阅看，可以有乒乓球等游戏，有会话室和客厅，可以在里边举行各种演讲会，像这样整齐的会所，在留欧的各中国学生团体中，恐怕要算独一无二的了。

（三）柏林的郊外

在柏林城市未发展以前，现在的城址，尽是一片一片的丛林，直到发展而后，它的四郊，依然有些丛林的存在，它可以调节城里的空气，不致过分的干燥，并且做了城里居民赏玩遨游的所在。这些丛林，都整理得很清洁秀美。里边有人行的小路和车行的大道，平坦光滑，在自然之美外而又加了些人工。有几个大湖，彼此都互相连贯，人们在那里，可以摇船，或是游泳。

柏林人一到了星期日，似乎一切都忘却，除去几处日用必需供给的场所而外，全体商店都关了门，工厂都停了工，阖家大小，无论男女老幼，一齐往四郊发动，他们都穿了很简单的衣履，背了行囊，里边装着食物，贵族一点的，自然有汽车可乘，平民一点的，有火车电车可坐，最经济的也可以步行。所以在星期这天，城里冷清清地，路上行人无几，寥寥可数，而去郊外任何方向的路上，总是人山人海的有如山阴道上，人们在那里，可以举行野餐，可以做球类游戏，最普遍的便是水上运动。德人近来对于游水，兴趣颇浓，各湖的岸边，都有人工做的沙滩，可以在上晒太阳，俨然置身海滨。每逢夏季的星期日，每个湖边总是成千成万的在拥挤着，他们不分男女老幼，都具饱满的精神，绝对的兴趣，从事他们的运动。会游泳的人们，自然能在水里游来游去，转动自如；就是那些正在学习的，也都十分努力；还有些上了年岁的男女，身体因为渐形衰颓，有的骨瘦如柴，有的肥胖臃肿，尤其是当把衣服都脱掉，全身显露出来的时候，叫人看了更是好笑，但是他们不顾一切，并不因为他人的轻笑而打断自己的勇气，吃水不在意，做出笨像也不管，依然在努力学习，他们真是“老当益壮”了。

在水面上摇船，既可以赏玩四周风景，并且可以得到身体的运动，真是一举两得。在各种游船之中，有一种最轻便的，船做尖艇形，用一根桨左右摆动，速度非常之快，上边可以乘坐两人。另有一种用橡皮做的小艇，形式和木做的相差无几，不过这种橡皮船，架上可在水里驶来驶去，落下又可带着走，无论到多远去，假若当地有水，马上放下来就可以摇动，真是轻便之极。有些摇船的青年，身上穿了极简单的衣服，甚至上身半裸着，来接受大自然的薰陶，并表示着康健之美。他们有时两个同伴，摇着小艇，走很远的路程，食息都在船上，就在这活泼愉快中，把一天的日子过去了。

距离柏林有半小时火车远近的一个地方，名叫“波斯达姆”（Posidam），在那里有一片花园，穿插着几处皇宫，最出名的是举世闻名的“无忧宫”（Sanssouci），她是德皇佛德瑞西（Friedrich）大帝，因为爱好法兰西文化，所以特仿法国“凡尔赛”宫建造的，里边一切陈设都是法国式，甚至图书馆里边所陈列的书籍，也都是法文，可谓洋化之至。进入皇宫参观，不过十分钟，取价一马克，有人在旁讲解，为了保存皇宫的清洁和损伤起见，进内参观者，须要另外穿上一双毡鞋，极为宽大，再加地上又滑，走起来真有点“寸步维艰”。据说北平的圆明园，当初也是有意仿着法国“凡尔赛”宫建造的。不过人家的依然好好存在，而我们的却被毁掉，所以当着看到德国的无忧宫，便想起了我们的圆明园，其中有无限的感慨！在皇宫不远，有一座磨坊，当初佛德瑞西大帝想扩充花园，以磨坊有碍，想收买过来，主人不肯。后来又许给他另建，仍不肯，德皇大怒，声言如再不肯，将要把它拆去，磨坊主也大怒说，假若你要动我的磨坊，将要和你法律从事。德皇见他的国法为人民所服从，遂又转怒为喜，直到现在磨坊依然存留着，而这一段遗事，也做了游“无忧宫”见闻录中的一段佳话。

（四）从柏林到南德

记者在一月中的短旅，在柏林住得较久，于归途中便游了南部几个城。从柏林南行到佛郎克府（Frankfurt），要走八个多钟头，佛城是德国商业的中心，并且是十七世纪德意志联邦的京城，居民五十万。有大学一所，以经济学著名，佛城的规模虽然没有柏林之大，但是清洁整齐，并无逊色，有大城市种种的方便，而无大城市的喧杂，这便是佛城的好处。佛城是哥德的故乡，他曾住过的房子，现在已经改为博物馆，便是来佛城的游客所必去的，他的名著《少年维特之烦恼》和《浮士德》前卷，就是在这里完成的。

佛城有一所"中国学院"，院长是已故的威廉（Wilhelm）君，威君居华曾有廿余年，前清时曾在青岛办德文学校，翻译了中国的《老子》，《庄子》等书，后来在德国驻华公使馆当参赞。记者曾和他会过面，他为人和睦善交际，归国后曾由某贵族捐资，请他担任佛城大学的中国讲座，经他努力的结果有现在"中国学院"的产生。前者中国政府也曾经允许每年津贴四千圆，但是据说始终没有给过。中国学院是威氏一手创立，所以自从去年他死去以后，该院也就奄奄无生气了。佛城出版的《佛郎克府新闻》（*Frankfurt Zeitung*），有悠久的历史和广大的规模，现在仍不失为德国的第一家报纸，每日共出晨，午，晚三版，里边常有论及中国的文章，大都对中国的现状表示同情。当记者在佛城时，该报曾有一短文论及中国近事，略谓："中国以五千年文化之古邦，近年来时在混乱之中，民不聊生，达于极点，近更以兵祸起于前，水灾继于后，其困苦情状，必较前更甚。最近德国也以经济恐慌，民生凋零，随处可见。故顾彼思己，吾人当对中国现状具有深厚之同情。"这不啻是一篇哀鸿共鸣，同病相怜的文章了。

佛城是商业中心，所以过往的商家很多，同时便起了一个解决息游和性欲的问题，为了这一项需要，于是便有了一般女子在业余之后或是专以卖淫为业。入夜之后，在佛城的热闹的大街上，时时看到擦白涂红的青年女子，用眼去看或是用手去拉过往的游人。这种情形，在巴黎，柏林等处，都是常有的现象，而女子秘密卖淫，也为欧美各国明知不妥而无法解决的问题。因为战后许多女子都出去做工，经济方面，渐渐的独立，不过女子工资向例是很少，而且女子衣饰所费多于男子，因为物质时时在引诱，为了满足私欲起见，所以不得不找一个男人津贴，或以秘密卖淫来达到此种目的。更有很多国家的人口，是女多男少，很多女子，不得出嫁。贞操观念在现今的欧美，已不成为问题，于是这种女子半公开的卖淫，虽然认为不妥，不过也没有方法来解决，因为这样在她们经济和性欲两方面，都可以暂时的解决。

卫斯巴登（Wiesbaden）是德国南部名城之一，该处以风景优秀，且有温泉著名，距离佛城有四十几分的火车。全城周围都是树林和小山，假若由空中望去，正如老年人的头，四周有头发，中间空了顶。因为气候的温和，风景的秀美，以及温泉的方便，一些人都认做是天然疗养病院，因此以十三万居民的城市，每年倒有二十万旅客过往。城里有特设的养病所在，有设备完善的建筑一所，在那里可以喝泉水，听音乐，以及写信，阅报，谈天。休息的所在，都可以随便出进，房间的布置，都非常之华贵清雅。有的好似阔绰的旅馆，有的像着富丽的皇宫，使人们在房里任何部分，都感觉充分的舒适。

莱茵河一带的风景遗迹，举世闻名，它是日耳曼民族文化的发祥地，也是德意志文人才子的出产所，最为著名的如音乐天才贝多芬和戏剧天才哥德，他们都是因为受了自然环境的薰陶，才有这名垂不朽杰作的构成，固非偶然。在这一带有极雄伟的风景，很多宫堡的遗迹，人文景物都荟萃一起，因此产出不少的遗事佳话，德人讴歌和描写莱茵的景物，也全根据于此。莱茵的名，深深刻在德人的心上，假若不能见到莱茵真面目，终身引为遗憾。从梅茵兹（Mainz）到可布仑兹（Koblenz）一带，沿路风景最佳，有游船可坐，两岸都是高山，沿山都是一片郁绿的树，间或看见蔓延很广的葡萄园，一些宫堡都据于高崖之上，巍然卓立，不过率皆苍凉古色，只供游人凭吊。有时船所经处，但见悬崖壁立，高可千尺，水流虽无巫峡的急迫，但是我们很领略点“巫山巫峡气萧森”的景色。莱茵河上，天时无定，虽在天气晴朗的时候，假若来了一片浓云，马上就会落起雨来，这时远望一片苍茫，俨成雾海，两岸景物，尽在烟云雾雨之中，不复辨其真面目，但是不到片刻，雨散云收，又重见晴明。在这瞬息变化中，莱茵河造出许多不同的景致。过可布仑兹，有“德意志角”（Deutsches Eck）可看，这个地方，正当莫愁河及莱茵河汇流之处，上有威廉第一纪念碑在，威廉骑马铜像面水而立，极为雄伟。

（五）印象中的几点感想

记者在游德近月的短旅中，觉得德人给我们第一个好印象，便是清洁，无论大街上或是人家里，对于清洁和卫生，都充分注意，并且有完善的设备。路政和住房，这是研究城市问题极注意的，在德国都办理得很好，政府也肯在这上边花钱。马路上除了平坦之外，很少看见废物的散置或堆积在一处。人家的住房，都非常宽敞，光线空气也很合度。像伦敦，巴黎等大城市，依然存在着的“贫民窟”，在柏林几乎不再看见。人家里无论穷富，浴房总会有一间，不像法国人那样也许一两星期不洗澡。据说德勒斯登（Dresden）是德国最清洁卫生的城市，每年举行一次卫生博览会，记者没有去，是否如此不得而知，不过就我们走过的城市看来，德国清洁的程度，可见一斑，无怪德人以此自豪。

清洁卫生和身体康健有莫大关系，大半的疾病，都是由于不清洁不卫生得来。日耳曼民族，身体夙强，而德人自战后以来，对于国民的体健尤为注意，无论政府或私人团体，都提倡不遗余力，他们不单是做宣传工作，并且实地做起。除去原有的运动而外，近年又盛行一种“返自然”运动，尽力想法和大自然接近，把原有的一种衰颓加上一种兴奋，例如日光浴和野外裸体运动。更有一种“早晨会操”，聚集成千成万的民众在一起，做短时间的徒手体操。德国自战后在军备上被协约国限制得很厉害，德人时时在想报复中，只好用消极的方法预备起，这种举动，虽然不能就认做是备战的表示，但是至少我们应该认为此中蓄有深意。最近又有一种“青年运动”，为了鼓励青年徒步旅行起见，特在各市中，建筑简单的宿舍，取费极廉，专为这些过路的旅客暂住，凡在二十岁以下的青年，有住宿的优先权。不独青年如此，稍长一点的，也多有这样旅行的，所以在路上时时遇到衣服很简单，背着行囊，拿着木杖，便一步一步的，走遍天下。凡此种种，都是真正强国强种的途径，据最近统计中各国国民平均的体健，德人占了第一位。他们的身体夙健，尚且如此努力，即是我们现在就急起直追，还恐怕落后，不然的话，我们民族就单从体质上说，简直是没了希望。当我们谈到中国问题没办法的时候，根本连中国人种都发生了怀疑，甚至想到要想改造中国，非从人种改造起不可。

日耳曼民族的民性，可以用坚忍直朴四字来代表，不似拉丁民族的轻浮易动，也不像萨克逊民族的骄傲虚伪，平时态度很严肃，治事很勤奋，遇到意外的遭遇，不动声色，暗做准备，这些地方，我们都可以从德人身上证实。普通看起来，德人的衣冠都很整齐，待人接物，都很有礼貌。普通德国人，无论男女，都是一天到晚的工作着，男人多出外工作，女人出嫁而后，很多是在家里，从早晨起，一天要预备三次饭，除此而外，要收拾房间，洗衣，烫衣，缝衣以及其他杂事，全都出于一人之手，很少雇用仆妇的，这种情形，并不是我国现代的摩登女子所梦想洋太太的那样舒适。至于德人对待中国人，因为人数少的关系，所以说不上好坏，普通衣帽齐整一点的，都被认做日本人，因为中国小贩人品的不整齐，极招德人的厌恶，因此也给一部分德人对中国人的坏印象。

（六）经济恐慌中的迈进

德国最近的经济恐慌，已成为国际间的大问题，当然现在的结果，不是一天种下的原因，最主要的还是战时亏损过大，再加上巨额的赔款，于是德人不能不以“挖肉补疮”的办法，借债补空。经济处于这种现状之下，当然时在不稳中。正在美国想办法，使德国缓付战债的期中，德国国家“达那银行”（Danat Bank）于七月十三日因挤兑而停业，紧接又有其他银行关闭，于是德国金融界，更陷于恐慌之中。政府为了临时救济起见，特别下令，把德人出国签护照费加到一百马克，以免德人任意出国，致使现金流出。同时并通知各银行除去职员薪金而外，所有存款，只准提取十之一。在这紧急情况之下，除去政党中稍有争端斗殴的举动而外，普通德人依然信任政府，静听政府的办法，遵照而行。直到八月五日各银行又都复业，准许提取存款的全部，不过并没有挤兑的现象，并且提款的更少于平常，据报告国家银行当天共支出一千万马克，共收入三千万马克，由此足证德人之信赖政府，把个人的一切，都托付给国家，为了国家前途的安危，情愿暂时牺牲个人的利益。因为有了这样的国民，政府才不敢放弃责任，努力的去干，也正因为有了这样肯负责的政府，才有这样听命的人民，这是相对的而不是绝对的。归根一句话，还是全民知识健全与否的问题，假使同样的事件，发生在我国，是不是也能这样安稳的过去？

德国现在执政的党派是属于中派，在野的两大势力，一是属右的国家社会党，一是属左的共产党，在国家危急的时候，都有一跃而上，掌握政权的可能，不过不能即时成功的原因，却另有所在。因为政局求其维持永久，必须以大多数民众的利益为前提，得民众欢心而来，失民众信心而去，特别在民治国家，更是如此。同时一般执政者，对于世界的大势，国家组成的分子，以及当时国民的心理，都要有相当的体察和认识，然后才能决定施政方针。就以德国而论，社会的基础，依然建筑在多数中产阶级身上，所以他们愿意维持现状而不愿骤然实行左右两个极端主张，因为他们想，假使任何极端的主张实现了，无论在国际或国家间，或许更为混乱，想到将来的结果，不如还是拥护现政府，德国执政者是这样想，人民也是这样感觉。前者八月九日普鲁士邦议会右派提出举行国民投票表决解散议会问题，结果政府派胜利，这也是一点表示。

近来世界经济闹着恐慌，几个工业国家的出品，无法销售，因此便发生了失业工人问题，德国首当其冲，失业者竟有数百万人之多。西洋人的经济都是独立的，无所依靠，处此情况之下呼吁无门，不能不做乞讨的生涯。在柏林，时常见到衣服穿得很整齐的，向人讨钱，中国饭馆里，一顿饭的工夫，就有四五个讨钱的；至于到住户人家唱唱歌或是奏奏乐，希望旁人给些零钱的，更是随处都可看到。这的确也是一个极严重的社会问题，情形稍好一点的，便利用这些工夫，进入特设的失业工人的补习学校，虽然这时期，经济上没什么增进，但是在知识上又加了深造，以为将来图进展的阶梯，这也是德人坚忍迈进的特性。

二十，九，十日于柏林。

柏林大学

韫 辉

柏林大学创设于一八〇九年，迄今已一百二十三年，全校教授讲师共有七百余人，每学期所开课程大约总在一千三四百左右。全校共有八十余研究院，分布全城，有若干研究院竟在柏林郊外，故学生上课，有时选课选得不凑巧，终日东西奔驰。柏林大学基本部分并不甚大，大约历史，政治，经济，神学，哲学等文科功课，无须仪器及特别设备者，皆在本部上课，其他如物理，化学，生物，地质，医学等自然科学，皆有特别之研究院，分散全城，学生上课皆在各该研究院分别上课。校长一年一任，一年一选举，一年期满，则由全校正教授另行选举，校长资格以正教授为限，所谓正教授，即校中资望最高，学识最丰，掌教最久，普通皆为研究院之院长，不似我国大学校长不以学术为标准，只以活动为能事。犹记国内某大学校长在该校纪念刊内印一照片，后幅载校长履历："某年任某省政府委员，旋任教育厅长，某年任某部秘书长兼某部咨议，某年奉命出洋考察实业……"一个履历竟至洋洋数百言，此种万能人才，在外国是找不见的。校内教授对于政治素不问讯，政治舞台上党派消长亦不影响学校。

关于柏林大学行政组织等等记者不欲多讲，兹就关于学术方面及各研究院之组织略述如下：柏大共分四科，即（一）神学科，（二）法律科，（三）哲学科，（四）医科。哲学科包括自然科学，即合文科理科而总称为哲学科。德国学制组织亦与英美不同，譬如柏林关于物理学方面有物理研究院，理论物理研究院，皆由柏大特设，不仅大学本部学生之读物理学者在该院研究或上课，即他校之学生如工科大学，兽医学校，农业学校等之学生须读物理者，亦可在该院上课，与柏大本校学生同班听讲，故柏林大学不仅供给本校学生研究，且供给他校学生在知识上之需要。反之，如柏大学生需听他校之功课，如研究电化学者，欲在工科大学实习电气化学工程，研究经济地理者欲在农科大学听各国农产出品等课，亦可在他校借读。不仅学生对于各人所学互相关系之功课可以在各校互相上课，即各校教授往往视课程之性质而定其演讲地点。譬如农科大学教授演讲“农业政策”，以其性质偏于社会科学，故在柏大演讲；柏大气象学教授设一课程名“德国气候与农业”，以其性质近于农业，故在农科大学上课。不仅此也，即柏大本校之功课，亦视课程之性质而分派于各系，譬如天文学教授演讲数学地理或天文地理，以其偏在地理，故作为地理系功课。此外不与大学有直接关系之研究机关，如普鲁士气象学研究院，天文计算研究院，地磁测量台，珠宝研究院等，或非由大学设立，或由大学仅与一部之津贴者，然在研究方面亦与大学合作，与学生以同样之方便，或开设课程，或供给实习。总之，柏林各种学术机关，各种学校，以及各博物馆，皆联络贯通，学生可以随意研究，毫无阻碍，唯以柏林大学为中心耳。此种制度之优点，在避免重复，集中人才，节省经费。

二十一年五月二十五日，于柏林。

英　国

国防分区管见

俞柳忱

记者参考欧洲国防办法，尤偏于英国者居多，更参照本国情形，敢将所见提出谈谈。我国各省驻兵，原为对内而设。若一国军备，专为对外而设，以国防为原则——不是防卫个人位置——那么我国军备之分布，宜为下列之配置。

（甲）边防

（一）海边之防　我国之海岸线，合琼州岛计之，有一万四千九百里。我国巡洋舰之吨数，只有一万八千吨，海防最为可怜！防海之第一步，在于沿海七省，自辽宁，河北，山东，江苏，浙江，福建，以至广东，在一个总司令之下，划分渤海，黄海，东海，南海各区，以资防守。防海原不仅依赖战舰，况国库支绌，一时难以多造船只，不如注重于沿岸远射炮，潜水艇及海面飞船方面，专从防御上妥筹办法。

（二）陆边之防　我国陆界相联之国，有日，俄，英，法四国。自以中日国防，最为吃紧。按照可受侵略之可能性上推察，宜分三区：以辽宁，吉林，黑龙江为一区；以西康，云南，广西为一区；新疆，青海为一区。其中自以辽吉黑区为最重要。沿海各省之陆防，应与海防联合一气，借以灵通消息。至于空防，分配于海防陆防区域，此刻毋庸另分空区。民国二年，全国分划九军区之计划，仍袭各省驻防之窠臼，非以对外设防为前提。

（乙）腹防

边防一语，国人早闻其名，腹防之名，类似滑稽。按照实际情形而论，我国之国防，防腹之重要不逊于防边。以沿海论，我国沿海，外舰林立，早已无防。至于陆边，日军常驻南满地方一师，可以一旬之内，增为六师。平津一带,《辛丑条约》允许常驻外兵。此外旅大,威海卫,上海与广州湾,均驻外兵。我国陆地实亦早已失防。因此之故,最近日占辽吉,乃为一国军队侵犯他国领土之大罪案,而当时之军事长官,竟不明此项大义,可以采取不抵抗主义。我所以说,我国今日之国防,防腹之重要亦不逊于防边。防腹应分陆防与江防两者:陆防自以辽宁,吉林,黑龙江为一区,山东为一区,江苏为一区,广东为一区。江防应分长江江防与西江江防两者:长江江防,以江苏,安徽,湖北,四川为一区;西江江防,以广东广西为一区。

廿年,十一月十日,伦敦。

国防军备编制之原则

俞柳忱

我国军队，向以内防为原则，近年来由内防而至内战，全国并无整个儿之国军，只有甲军乙军各项个人军队，编制，训练，器械，设备，均不一致。若与外国作战，指挥极不便利。国防军备，以国家为一个单位，以对外为唯一原则，所以编制须全国统一。要实施全国统一编制之军备，首宜将军备与内政绝缘——即政府之进退，另由和平方法解决，不由军队与军队互相交战结果而解决。所以统一编制，和军备绝缘内政，为国防军备编制之二大原则。

既决定了国防军备之原则，然后要问采用何项兵役制度为善。以我的看法，我国幅员辽阔，交通梗塞，全国征兵制度，与全国普及教育制度，困难相同，一时不易实施，不如充实募兵制度，将全国国防军之军役，分为三项：

（一）常备军现役并补充役（reserve）。

（二）后备军现役并补充役。

（三）义勇军。

常备军为平时设置，即补充役之常备军，虽不在伍中服役，但一经召集，立刻入伍，为第一批接替军队。后备军现役与补充役，为战时立刻召集之军备，在平时则每年入伍二个月或三个月之训练，即为第二批的接替军队。常备军与后备军，均为国家正式军队，一经召集，即得入伍。至于义勇军，以常备军为蓝本，训练多数接替人员，当战事一启时，常备后备，已经动员集中，义勇军可以维持地方秩序；在战争期内，稍加训练，即可为第三批接替军队。

上述兵役制度之长处，在于效力与经济，兼容并顾。且军官之训练，亦不感困难。兹将各项兵役人员之数目，姑列一表，再加说明。

陆军	
常备军现役与补充役	八十万

后备军现役与补充役	一百六十万
义勇军	八十万
空军	
常备军现役与补充役	三万
后备军现役与补充役	九万
义勇军	三十万
海军	
常备军现役与补充役	五万
后备军现役与补充役	十万
义勇军	五十万

上列义勇军，仅受普通军事训练，可分在学校，城市与乡村，分头训练，训练人员，即为常备军补充役及后备军现役与补充役人员。常备军现役年限，兵士以五年为期，期满入常备军补充役或后备军。其详细办法，可以另订。总之，上列兵役制度，以常备军为核心，为蓝本。后备军与义勇军，参照常备各军编制，在战时可以扩大。陆海空军之详细编制，不在本篇讨论范围之内，然而陆海空军在我国国防上注重之点，可以说一说：

第一，我国之国防，纯为防御目的，远征异国，不在讨论范围之内。

第二，推算我国之可能交战国，只有某几国，专防某几国。

根据上述理由，无论防海防边，空军占重要地位。除了空军与他国空军作战外，空军与海军合作以防海，与陆军合作以防陆。因此我于陆军之后，即列空军。次之，防海除空军合作之外，可筑海岸远炮队，潜水艇等等，海军只为测候之用，不从事于海上战争，自可少造巡洋舰等等。三则日本已有十艘战舰，三十七艘巡洋舰，一百〇六艘驱逐舰，我国若要建造与日本舰队相当之海军，为一时财力所不许，不如注重于防守方面，趋重于空军陆军，较为切于实际。即空军义勇军之组织，亦较海军义勇军为易。综计上述理由，我国国防军备，陆军之外，即注重于空军。

廿年十一月十三日，伦敦。

英国的新闻事业

于炳然

英国的新闻事业很发达，专就伦敦而论，不但 *Daily Mail* 每日发行数在二百万以上，为世界各报纸所望尘莫及，而 *Daily Express* 每日发行数超出一百六十万，*Daily Herald* 每日发行数为一百五十二万，*The Times* 每日发行数亦驾乎一百五十万，以此四大报馆计，其总数已到了可惊的六百五十余万了。其他发行数较少的报馆，尚有六七家之多。至于英国报纸所以有此等畅销的成绩，当然由许多条件所构成，其受政治上及地理上之恩赐者：（一）英国为实行强迫教育的国家，人民均有读报的能力；（二）伦敦为世界第一大都，人口在八百万左右；（三）英国的交通极便，在伦敦出版的报纸，当日可以散布于全国的各城乡。至于在报馆本身方面，也有许多地方是值得注意的，谨就管见所及，走笔述之。（一）英国的报馆多为公司性质，其主张虽不免有政治色彩，（如 *Daily Mail* 之属于保守党，*Daily Herald* 之属于工党。）但其资本金乃由多数个人之投资，而非直接由政党（间接由人民）所供给，所以不能不特别注意营业之盈亏，既注意营业之盈亏，便不能不谋销路之扩充，便不能不呕心绞脑以期适应读者之需要，便不能不立言公允，所以在英国报纸上寻不出专为一党或个人作违反事实的宣传的文字。同时，也正因为报馆为公司性质，所以资本金充实，在报馆本身已深为社会所信任，自然不会有拆白式的诈欺行为。（二）我们拿起英国一份报纸来，便马上发生一种美感，一方面是他们对于印刷的讲究，另一方面是报纸的各栏中均有极精致的插图，有时在无图可插的地方，也要用几幅不相干的风景摄影作点缀，并且各报均有一页画报，其材料之去取至为审慎，总之，他们极力避免报纸之枯寂，以便引起读者之兴味。（曾记林白水在北京办《社会日报》时，有时用他自己所擅长的书法作点缀，其意虽与插图相近，但古香古色的字体，仅足为一部分人所珍视，而不如图画之雅俗共赏。)(三)英国报纸对于国外新闻，尤其是与政治有关系的事件，不惜篇幅的记载与评论，大概总是先述其发生之原因经过之情形及与世界之影响，然后再特别报告与其本国之关系，并且有首有尾一段故事，使素无印象的读者也可以充分的明了，因此一般人民对于世界大势渐渐有透彻的认识。尝见我国报纸，对于国外新闻，往往仅将通讯社之电报逐字发表，使一般对于国外情形不熟习的读者，渐与专载国外消息之一栏发生隔阂，此应确实矫正者。至于英国各大报馆的国外访员，已经布满了全世界，在报上也时时以其自家访员所报告的消息相夸耀，因于“灵通”，“详密”两种优点外，并可免受通讯社之操纵。(四)英国虽然还有皇帝，但人民的言论却极端的自由，许多报纸是特辟一栏登载读者的信，关于政治，法律，风俗，人情尽量的探讨与批评。更于报馆自己的社论而外，聘请有名望的学者写论文，例如伦敦大学著名的政治教授 Laski 每礼拜六为 *Daily Herald* 写论文一篇，运用他那尖刻而毒辣的笔，有时把一种制度攻击得体无完肤，有时把执政的人物指摘得无微不至，然而并未闻报馆因此关门或 Laski 受过什么警告。这虽由于政府或执政者之大量，但在报馆以平素主持正谊，久为普通民众所信仰，而所列论之事物，又为大多数人民所称快者，所以政府及执政者亦无可如何。（五）英国报馆为奖励注册读者起见，有一种免费的身体保险办法，凡是注册的读者，均由报馆发给一纸保险证，此保险证中所列之保险事项极详明，例如火车出险因而丧生者，报馆发给一千镑保险费，未丧生而仅失一足者，报馆发给三百镑保险费，如有注册读者果不幸而罹祸，则报馆便毫不迟疑的履行其义务。此专就受祸之一人论，报馆之损失似甚巨，但若就百数十万之注册读者论，报馆于无形中即等于收受保险费了。再以整个的社会论，报馆由多数读者身上所获得的利钱，周济一个不幸的受祸者，这是极有价值的措施。（六）英国报纸都有crosswords 或 words puzzle（“划字”或“字谜”）之类的玩艺。大概这还是维持销路的重要原素，因为用几分邮票便可以博得数千镑的大奖，用些须的脑筋便可致富于终身，无怪乎富有竞争心的英国男女趋之若鹜了。可是其中似有赌博的意味。*Daily Herald* 最近所举行之辅助医院竞赛，则比较旨趣正大，兹略言之。由报馆发表简短而有意味的二十八句标语，由读者选择十二句，填入报纸上所预备之表格，更附以应缴之费，迨截止期由报馆特请若干人为委员会，由委员会决定十二句为标准。此次 *Daily Herald* 辅助医院竞赛会其结果大致是这样：医院共被辅助四万余镑，胜者二人，其一获奖一万镑，其一获奖一万二千五百镑；其获一万二千五百镑者因系 *Daily Herald* 的注册者，故另得报馆二千五百镑。此变相之募捐，颇有效果，而医院得以维持，报纸之销数激增，得奖者可以一生享受不尽，虽然有些人不免小小的破钞，但好在捐助了医院，而况为数不多，所以就大体论之可谓“一举数得”。（七）英国报纸也注意宣传，印成五光十色的简明标语，呼卖之报贩，用两块木板夹于身之前后，而宣传品便贴于木板上。至于报纸代卖处的窗前，不消说自然是琳琅满目了。

廿一年六月五日写于伦敦。

世界经济恐慌中的英帝国主义

炳　然

在这资本主义制度的社会里，物品之生产，其目的在追逐利润，而不是为着供给人类之需要。因此，整个社会的生产，便形成无政府的状态，更以资产阶级无限制的生产，无产阶级有限制的消费，不可避免的结果，自然是所谓“生产过剩”了。而这“生产过剩”就是“经济恐慌”的主要因素。由此我们可以得到一个结论，就是：只要是资本主义的国家，便决不能逃出经济恐慌的厄运。

英国是许多资本主义国家中的头角峥嵘的一个，那么，当然不会例外的。所以，从一九二九年以来，渐渐现出捉襟见肘的情形来，于是资产阶级的政治家，经济家，以及自欺欺人的学者们，便想于万难中开辟一条出路。不消说，这是在隔靴搔痒，因为这是整个的社会制度问题，断不是什么“会议”什么“计划”所能奏功的。

在一九三一年九月，英国感受金融危机之胁迫，不得不放弃金本位。同时，又因为有垄断国内市场之必要，只得自动的将其素所奉行的自由贸易政策废除，而实行保护贸易政策。这两件事是说明什么？这是说明英国自一九二九年到一九三一年，国内的经济恐慌日益深刻与尖锐。

最近过去的两月中，英国失业工人在数目上又增加了二十万，其总数已远在三百万以上，政府对于救济问题，感到极端的困难，而失业工人因为生活的压迫，时常发出悲哀而怨恨的呼声。同时，英国的资产阶级不知道或者不愿意知道经济恐慌的真正原因，却在不间断的“节流”与“开源”。所谓节流，就是无情的减低工资；所谓开源，就是对于殖民地及次殖民地加紧剥削。结果呢？是这样：

因为减低工资，工人阶级由体验的结果，而得到彻底的觉悟，对于资产阶级实行有组织有计划的反抗。最明显的例子就是郎卞邑（Lancashire）纺织工人的罢工运动。这次参加罢工的工人，有二十五万之众，罢工之目的是反对裁减工资与添设织机。在资产阶级方面，以为不减低工资，无以增加利润，所以未便轻自让步；在工人阶级方面，以为这次风潮含有特别严重的意义，假使不能贯彻主张，不但不易维持个人的生活，而且正在酝酿中的铁路工人电车工人的减低工资，也一定立刻成为事实，被剥削阶级将益受惨酷的剥削。由此，我们可以很清楚的看见，英国资产阶级的“节流”政策，结果是现在已有的与将来会有的大罢工，还有，就是无产阶级革命情绪的高涨。

因为对于殖民地及次殖民地的加紧剥削，使殖民地及次殖民地的劳苦群众，到了忍受的最后限度，不能不起而抵抗，由是，英帝国更不免有动摇的趋势。兹略述之。（A）英国的殖民地，不管以数量或以质量而论，当然以印度为首屈一指，这就是说，英国在其广大的剥削对象中，以在印度剥削的成绩为最。可是，惟其如此，所以印度的独立运动也来得越凶。姑无论印度这次革命运动的性质如何，也不必问其领袖人物所代表的什么阶级，只就“不合作主义”说，已经给英帝国主义一个大大的打击了。所谓“不合作主义”的内容，约有三端：（一）普遍的彻底的抵制英货；（二）在城市的工人，拒绝与任何英国个人或团体作工，并且继续不断的举行大规模的示威运动；（三）在乡村的农民，拒绝缴纳一切的租税。现在，这个斗争虽尚在演进中，但我们可以武断的下一个肯定，最后的胜利，一定属于被压迫已久的印度民众。（B）英国与爱尔兰的关系，正如大地主与佃农的关系；佃农整年的操劳，所得的农产品大部分都必须献给大地主，爱尔兰正复如是。到了一九一六年，爱尔兰民众不能再继续忍受这种虐待，便与英国开始公然敌对的行为，在爱尔兰区域内实行驱逐英人，于是，演成了许多片段的流血惨剧。最后英国不得不表示相当的让步，于一九二一年十二月，用一种会议的形式，重新决定英爱的关系。就是：爱尔兰成为自由国（Free State），但必须服从英皇之统治。而爱尔兰的土地，仍属英皇之私产，但规定以每年三百万镑租金，租给爱尔兰的人民。最近，爱尔兰民众又提出新的请求：（一）爱尔兰建立真正的独立的共和国；（二）实行土地革命；（三）提高关税以抵制英国的货物。因此，英爱关系益形恶化了，于是爱尔兰对于英国一切货物增加百分之二十的关税，英国也赶快采取报复手段，对于爱尔兰的一切货物也增加了关税百分之二十。实际上英爱已在经济的交战中，谁敢保险不会发生进一步的冲突？（C）英国所召集的哇太华会议（Ottawa Conference），就是想要使他们的殖民地排斥其他国家的货物，而专门的作英国的市场，谁晓得各殖民地早已互相联合，尤其是加拿大（Canada），新锡兰（New ZeaLand），澳大利亚（Australia）完全站在同一战线上，对英国拿出老实不客气的面孔，大有分庭抗礼的气概。除了对于共同抵制美国和苏俄的货物，彼此意见一致外，其他问题，无不几经争执，最后英国不但未得到丝毫的便宜，甚且还有相当的损失，属于自由党的阁员们，竟以此为口实而声请辞职。可见英国所渴望的向殖民地畅销货物，以救国内的经济恐慌，所得到的答案，又是“此路不通”。由此，我们又可以很清楚的看见，英国资产阶级的“开源”政策，结果是现在已有的与将来会有的殖民地的独立运动。

是的，英国是许多资本主义国家中的头角峥嵘的一个，但此刻它已经在“既老且病”的状态中了。

二十一，十，六。

自　侮

冰　岩

有人说，在海外的华侨，时常会遭受“白眼”的待遇，这是无可讳言的。但是如果以客观的态度加以观察，便可以断定外国人瞧不起华侨的原因，一方面因为他们的资产阶级挟持着种族的偏见，同时他们又以为所有的中国人都是极端怯懦的不抵抗主义者，所以久而久之对华侨养成了十足的轻侮的心理；另一方面，也不能不归咎于一部分华侨的“自侮”行为之增加“人侮”。我要报告的两件事实，就犯了“自侮”的毛病。

（一）此间传闻东三省的义勇军掳了一个英国妇人（她的名字是 Mrs.Pollen），于是轰动了全英国，他们的资产阶级便乘机作违反事实的宣传，说中国是土匪世界，列强应采取必要的有效的手段以纠正之。为了引起他们民众对于中国的恶感，在伦敦一个繁华的街上（Tottenham Court Road）的一个娱乐所中，表演中国土匪如何凶恶和残忍的丑剧。更为逼真起见，竟雇用了三个华侨，其中两人参加表演，如何用绳子捆缚英国的女人，如何对于英国女人的污辱；另外一个人，身着紫衣紫裤，头戴瓜皮小帽，手中舞弄着约三尺长的木棒，在门外吆吆喝喝，以广招徕，门前还贴有宣传品，大书特书“真正的中国人”（Real Chinese）。后来被中国留英学会得到了这个消息，乃派人详为调查，调查结果是这样：“为英国雇用而扮充中国之土匪者，共二人，一名罗翰，一名林金泰，都自称是国民党党员。其在门外招揽顾客者，名谢松，绰号黑鬼，人多以黑鬼松呼之，他自称是在国民党直接领导之下的互助工团团员。”于是留英学会以全民族的体面攸关，向总领事馆严重交涉，演了三昼夜总算不再继续了。我们对于这件事，实在觉得气愤，因为平常英国人诘问我们关于“发辫”和“缠足”问题，这虽然含有侮辱性，没法否认，但我们说这是过去的事实。他们又曾讥讽中国人大多数是鸦片鬼，这虽然不免张大其辞，因为截至现在为止，中国人实尚未到“大多数”都在吸食鸦片，但这也使我们不敢振振有辞的强辩，因为中国的统治者正在以鸦片税为岁入的大宗。如今又有本国人出演“真正的中国人”，又何以自解呢？

（二）中英庚款委员会，议决以庚款发展中英两国的文化，并拟在伦敦买一栋房屋，作为关于中英学术的团体之汇合所，而名之曰“中国院”（China House），主其事者，是前驻英公使施肇基的儿子，China House 的名，也是他想出来的。据说他所以想出这个名字，还不是偶然的，是参考过许多事实，看到“印度院”（India House），“加拿大院”（Canada House），“新锡兰院”（New Zealnd House），“澳大利亚院”（Australia House）……因为英国的所有殖民地在英国都有一个“院”（House），所以他也想到了“中国院”（China House）！这还算不了稀奇，听说现任驻英公使郭君，对于 China House 之名也表示同意。

二十二年一月。

比　国

小巴黎的普鲁塞尔

征　言

比利时自一八三一年脱离了荷兰的统治而独立，迄今将及百年，以蕞尔小邦，全国面积不过三万方里，人口也只七百七十万，但是因为内政的修明，工商的发达，人民都得安居乐业，竟能在国际间列为第二等强国。不幸，欧战初起，比利时以中立国而受德侵，比王亚鲁贝尔第一（Albert Premier）以毅勇刚果的精神，誓死抵抗，几乎全国尽没，但是就在这个当中，却为法国缓冲了德国的攻击，同时更有充分战事的预备。欧战停止，比王受尊为一世之雄，比利时也被称为最有奋斗精神的国家。

法和比差不多是姊妹国，所以法人去比，或是比人来法，非常方便，只须在入境时略为看看“居留证”，即算了事，其他各国，也多不要护照，只有中国和其他几个弱小国家，是先要去比国领事馆签字的。最近有时比国领事馆故意为难，除了很详尽的察问之外，还要先得比方许可，才能签字，因为比国生活，比较的便宜，恐怕有些中国贫穷学生趁着机会到比国去。还有在法国被捕的中国共产党，也多遣派到比国，因有此限制。不过在我们看，无论如何总是一种不平等的待遇。

初到巴黎的旅客，恐怕第一触进他们眼帘的，要算满街尽是的咖啡馆，特别是在夏季，有时竟至毗连到两旁的边道。在比国京城普鲁塞尔，也能同样的找到很多咖啡馆。除此而外，可以使我们特别注意的还有两件事。第一是烟店多。比国的香烟并不由国家专卖，纳税较轻，所以烟质好而价钱便宜，因此烟店林立，差不多比人普通都吸烟。第二是电车多。比国是很小的国家，但是它的交通最方便，普鲁塞尔城市的面积，没有巴黎一半大，人口连四郊算在一起也不过八十几万，不过电车路线，总有将近一百，街上所见，尽是四方纵横的铁道。

普鲁塞尔地处全比中心，是比利时的首都，议会，政府以及皇宫都在这里。关于建筑，都和巴黎相差不多。

它的市政厅还保存着中世纪的建筑，非常古老。大理院很伟壮，在世界上要首屈一指。其余的博物院，公园，大学，图书馆也都应有尽有，不过比巴黎的具体而微。

比国人的食，衣，住，行都和法人所差无几，住房和吃饭略较法国便宜，比国生活费在欧洲各国中是最低的。在街上店铺或是车站摊上，最流行的一种食品是面包夹肉（sandwick）。因为很多工人，每早出去做工，不能赶回吃午饭，为节省方便起见，就以这种食品暂时充饥。在普鲁塞尔，时常看见许多大狗套着小车，满载牛奶或是面包，由卖者挨户分送。

比国人普通都会讲法文，看外表，似乎比法人稍壮；他们没有法人那样灵巧机警，却很朴实诚恳。譬如在街上问路，总是随着走了很远，把你带到要去的方向。女子方面，没有巴黎好修饰，但是勤俭工作，并不落人之后，无论在什么店铺的女子，很多是在执事余暇，手持针线，不停的工作。比国政体是君主立宪，人民之中，还免不了忠君封建的思想，所以见了生人，都好问是不是贵族，和有没有头衔。同时，假若是自己有了这些名目，往往也以此自豪。

中国留比学生总数，据说将近三百，在普鲁塞尔的约有一小半，就中不乏研究工业的。比国工业，夙称发达，但是规模小，切实用，这是它的特点。我国学生，如果能学得其法，对于我国工业，将有莫大裨益，因为所学所见，与其理论深奥规模宏大而不切实用，还不如小规模重实用的容易见效。

普鲁塞尔城的四郊，也和其他大城一样，有不少可以赏观游玩的所在。普城的南郊，约有一小时电车的路程，可以找到历史上著名的战场“滑铁卢”（Waterloo），这是英国大将威灵顿战败法皇拿破仑的所在。拿翁盖世英名，经此一战，尽为扫地。在这里可以找到当年的遗迹。荷兰政府为得纪念起见，曾于一八二三年起在该地建筑一个大铜狮，计高四十五公尺，像建在一个土坡上，高有二百二十五级，便是我们读西洋历史所熟见的滑铁卢铜狮。在山坡脚下，另建有油画馆一处，成圆形，周围悬有描写滑铁卢战事的油画一大张，间或点缀些武装兵士的模型，由上而观，俨然置身战场。此外另有博物馆一处，满置滑铁卢战场检得来的铜片铁屑，都做了游人观览凭眺的所在。

普城北部，有一片丛林，名叫拉肯（Laeken）。那里有皇帝的别墅和一个公园，是城市人们星期日聚集的地方，在茂林修竹之间，夹杂一所颜色鲜艳极富东方色彩的“中国宫”（Pavillion Chinois），这是比王利欧保第二，游历远东归来建筑的。外表完全是中国式，雕梁画栋，粉青朱红，极为庄严华丽，不过里边的布置，类多西式。现在作为商业机关，平常入内参观，收价二比国法郎。和“中国宫”遥相对照的还有一座“日本塔”（Tour Japonaise），这是在一九〇二年起建的，完全是宝塔式样，最低层陈列日本装饰品，现在也是改为商业机关，开放时间和价目，和“中国宫”相同。在这自然环境之中，安置了两所极整齐的建筑，颜色形式，完全相异，所以越发显得别致。

环游比利时一周

征　言

因为比利时面积狭小，再加交通的便利，所以在两三天之内环游比国一周，并不是困难的事。纵横全国，都不出四五小时的火车，没有不可朝发夕返的地方。比国全境，很显然的分成两大部分，语言，风俗，建筑，美术，完全不同。南部是受有拉丁民族的影响，称为“瓦伦”（Wallonne）族，语言是法文，“列日”城（Liege）是南部的中心。北部受有荷兰民族的影响，称为“夫拉茫”（Flamande）族，语言是夫拉茫文，音调和德文颇有相似处，“安卫尔斯”城（Anvers）是北部的中心。比国现在任何官方的告示，都是法文和夫拉茫文并行，而语言之争，常常因此牵引政局的不安。

时常旅行，既可以增知识开眼界，同时并能明悉国内各地人民生活的情况，而且各地时有旅客来往，在商业上，也顿形活跃，于经济的进展裨益实多。比国政府深悉此点，于是为鼓励人民在假期中旅行起见，特设有周游全国通票的办法，计有五天十五天两种，取费极廉。

如果以普鲁塞尔做中心，周游比利时全国，朝发夕返，每天去二三个城，购买通票，十五天之内，大概都可游完，因为火车像电车一样的方便，只须手里拿着一册火车时间表，一切问题都可以解决。南部名城之中有斯巴（Spa），地有温泉，周围有小山树林，风景秀美，视做避暑胜地。欧战时候，驻有将近一万的德国兵士，德皇威廉第二于战事将终的时候，在该地设有总部，直到革命成功，就假斯巴宣告退位而逃往荷兰。沿着“莫愁河”两岸，从“那密”（Namur）到“地昂”（Dinant）这一段，景致幽雅，两岸尽是伟丽的建筑，并有很多皇宫，游船往来，很有点莱茵的气象。欧战时曾被德兵惨毁，所以该处的居民，至今提起德人还要切齿不置。南部最奇异游赏的所在是“汉石窟”（Grotte de Han），这是天然构成的妙迹。在一个山洞里，总有半里多的进深，下边有长流不息的溪水，内里有不同的高度，另有人工配置的凭栏，攀缘而上，如登平台，可以在那里吃点咖啡，听听音乐，置身其中，真所谓“别有洞天”。游者乘船进去，导者以火把相引，沿路配有彩色电灯，往返之间，需要三小时，船由里边开抵入口时，鸣炮一声，作为完毕的标帜，这时由内望去，但见一片鱼白天色，俨如另一世界。列日城是比国南部重镇，实业中心。当一九一四年欧战初起的时候，德人借口防制法军而占领列日，比兵据炮台坚守，虽然受创甚剧，但是因此使法国有充分时间来准备，比人所以得欧战最光荣的胜利，即因此故。列日城的工业，最称发达，而以煤铁尤多，规模宏大，出品精致的国家造械厂，也在此处。列日全城，差不多都在烟气笼罩之中。

恐怕比国可以看的几个城市，还是在北部。“鲁文”（Louvain）城的创立，早在第九世纪，十三世纪因花边贸易而发达，十五世纪建立大学一所，差不多是欧洲最著名的学校。欧战中鲁文城被毁最惨，最可惜的是大学图书馆也遭浩劫，停战后没有几年，马上又都恢复旧观，使我们不能不佩服比人努力建设的精神。著名的大学图书馆，仍仿夫拉茫原式，由美国各大学捐资兴造，我国在鲁文的留学生，也有数十人之多。鲁文是宗教气味最重的地方，所有跳舞场等可以使人们游惰的处所，都有禁止青年入内的招贴。冈城（Gand）是比国四个大学城之一，同时也是工业的要地，和园艺的中心，每年举行花节和花会，无论大街小巷，都插满花枝，最奇怪的是花神满街都有，架在墙壁的上边，受人礼敬。冈城的中部有不少的古迹，最可看的有几处大教堂，市政厅，和伯爵旧宫等等，差不多都是中古世纪的建筑，古香古色，颇为典雅。偏于东部，尽是些宽敞的马路，建筑也都是新式。安卫尔斯（Anvers）是北部的首都，比国文物的宝藏，也都在此。普鲁塞尔不过是比国政治的京城，但是安卫尔斯可以说是比国文化，经济，商业的中心。这里是比国第一口岸，为对外贸易的要道。装璜古老的教堂和收藏丰富的博物院特别多。动物院在欧陆首屈一指，欧战起后，因喂养困难，兽类大半杀掉，战后极力恢复的结果，仍成旧观，现在约有兽类四千五百。另外有印刷所一处，创立在一五七六年，现在改为博物院，即以首创者两人为名（Musee Plantin-Moretus），里边可以看到当初的排字，印刷，校对，装钉，交易以及职员饮食起居的处所，建筑和布置，都非常幽静。关于各种精印名著，也有不少的收藏。使我们在游览之后，除去可以了然印刷术演变的遗迹，并且可以被书香景色所引诱，而流连忘返。

浦玉聚（Bruges），如果拿中国城市比浦城，苏州顶像他了。全城环绕了很多小溪，街道狭隘。走十步的路，也许要过两个桥，有时小屋之旁，流水潺潺，陪衬着郁绿的鲜草，红晕的落日，轻妙幽雅，真是一幅天然图画，任你不是诗人画家，也要伫足而观，流连赏玩。因此有许多艺术家，不在浦城生长，却被浦城自然之美所引诱，而来此工作，于是有浦城画派的创立。浦城的发达，早在十四世纪，以花边工业著名于世，后来因为地中海几个大城市的发展，浦城失去他的重要，一变而为历史美术的城市。这里有很多宏大的教堂，存着不少名家的杰作，也是来游浦城所必看的地方。直到现在浦城的花边工业仍很发达，每次经过一条大街，还能看见几家妇女在做手工。比国北境临海，有两处沙滩，是夏天避暑的好地方，每年吸引许多外国人去消夏，特别是英法人。一处叫奥斯当（Ostende），一处叫普兰肯贝鲁根（Blankenberge），两地相距，约有半小时的火车。每当盛夏，沙滩上的小屋林立，海水边的游人拥挤，男女老幼，齐做水上游嬉，直到夕阳西下。晚餐之后，人们又改装盛服，步行岸上，海边观落日，也是难得的景致。这时各跳舞厅里，人山人海，乐声悠扬，灯火辉煌，又在起始跳舞，直到夜半方散。海边生活是康健的，舒适的，所以每年能够引去成万的旅客，同时本地的商业也因而繁荣。

比国百周纪念展览会

征　言

比利时为了庆祝她脱离荷兰独立百周的纪念，特于一九三〇年在安卫尔斯和列日两城，举行盛大的国际展览会。安卫尔斯会场计分殖民，航海，美术三大部，参加国别，共有数十，就中以英，法，比，意诸陈列馆为最佳。英国陈列馆里，对于航海一部搜罗最富，予观众不少的海上常识，内中并有专行中国长江的英轮“富顺”号的模型。我们的领土，俨然被人视为殖民地，不然，何以英国的轮船，而标明专为航行中国的长江，而且放在殖民地一部呢？在法国陈列馆里，设有安南一部，内里布置，完全中国式样，有如一座客厅，壁上悬有对联一副，系用中文，上联是：“东海三祈珠玉，文章有自”，款系：“上祝大法国万万岁”；下联是：“法恩四境富强，艺业争开”，款系：“东法安南坘𪇆郡敬颂”。这副对联，倘果出诸安南人，是如何的感激法恩，同时整个国族观念也消灭殆尽了。

日本原没有什么殖民地，但在展览会里，也有一所陈列馆，里边陈列，尽是中国南满一带，南满铁路的工作，南满一带的出产以及人民生活的情况，都有详尽的图表和模型，俨然把南满当做殖民地。最奇怪的馆内悬有中文对联两副。第一是：“利用交通以兴实业，扩张势力而谋新展”，下款署“愓九侯子龄”。第二是：“居士农工商于新室，萃东西南北之大观”，下款署“王占元”。日人夙以善作假闻名于世，以上二联想系假借中国人名义，为自己长威风，自是无耻。假若该二联果为中国人所写，真乃丧心病狂。

看比国各部陈列馆物品的丰富，再和比国土地人口的数量，做一比较，就可以知道比国人的勤奋，尤其对于经营比她本身大几十倍的刚果殖民地，不过却是帝国主义经营的一种。各项工业出品中，由大规模的机械以至日用零件，无不应有尽有。意大利陈列馆，建筑雄伟壮丽，确尽美术的能事，不愧是艺术发源地，意大利的建筑。其他如荷兰，加拿大，巴西，波斯，西班牙等国，也各有专馆。

除了正式展览会场之外，还有一所美术展览会，内中陈列都是夫拉茫一派画家的作品，临时从各地搜集来的，极为名贵。另有比利时旧城市一处，建筑皆在百余年前，里边一切布置装璜，都保存古样，内中有饭馆，有咖啡，侍女的服装，也仿古式，细其腰，蓬其裙，头戴白巾折帽，足着高跟皮鞋，行路姗姗，倍富丰姿。饭时另有音乐，歌声婉和。偶值掌灯时候，室内虽有灯光，也觉暗淡，外则一弯新月，正在东升，益觉光亮，吾人置身其中，所闻所见，无不古香古色，几疑此身仍在十八世纪。城里有小河一道，有船作意大利威尼斯小舟形，游人可以雇坐，水声中遥见岸上的小楼，古色般般，河畔青草，颇觉郁秀。水中白鸭三五，游来游去，至为安逸。入夜万家灯火，遥闻乐声，此时坐在船上，俨有威尼斯游船的风味。

列日的展览会场，又分南北两部，计有实业，科学，应用科学，美术数大部分。陈列馆最出色的当然还要推法，比等国。中国也加入陈列，年来国际间常有各种展览会的举行，每请我国加入，政府总是因循将事，到期无人前往，颇失国际间的体面。从前某次，荷兰举行国际展览会，因我国没人加入，于是把鸦片烟具和小脚鞋等物，陈列会场，来代表中国！

列日展览会，也和安卫尔斯展览会一样，各陈列馆除了备有很详尽的说明书和很精致的模型外，并且设有各样机器和幻灯，当场表演，务求参观者，对于陈列各物，无论是否专家，也可以晓得大概。此外还有各种专门学术的讲演以及技艺的竞赛，都能使展览会生色不少，每到夜间，各大建筑全用电光反射，更觉美观。

至于中国，虽然也称做陈列馆，事实上只是附在电气馆里，占一小部，围以中国式的建筑，外涂红蓝黄各色油漆，至于所陈物品，仅仅是些学校送来的农物标本，以及瓷器，木雕，建漆，景泰蓝等品而已。中国本无工业品可言，不过所有手工品中，倘若认真的收集起来，当不只此数，如果用他来做一个商家的陈列馆，我们或许加以“尚好”的批评，不过拿他代表一个国家，总觉有些简陋。这事已成过去，我们不必再论，不过希望以后凡有国际间的各种展览会，我们不加入则已，如果要加入，事先务要做长时间认真的筹备，不要再“临渴掘井”，至少明年将举行的芝加哥国际展览会，多注意些就好了。参加国际的展览会，实为自己宣传的好机会，由陈列品的丰简以及布置的美恶，可以观察一国的兴盛和衰颓，并且立刻就给游人一个好或坏的印象。

村镇式的卢森堡公国

征　言

普通中国人对于卢森堡公国的认识，恐怕只有一些邮票的收藏者，因为那里有一位美丽的女公爵，她的肖像就印在邮票上，容易为人注意，此外对于卢森堡，什么也不知道了。然他也列做一个独立国家，但是论面积和人口，不过只等我国的一县。事实上法，德，比任何一国，都可以把他归并，不过有了他，可以缓冲他们之间，于是卢森堡就在列强均势之下，而得生存。

卢森堡公国面积有258，745公亩，内中有80，000亩是丛林，人口25万，大部分是日耳曼种。法文是官方文字，另有一种土语，稍受教育的都能懂，钱币价值和比国相等。从普鲁塞尔到卢森堡的京城，要走218公里，沿途所经，类皆丛林，每当微雨初晴，只见一片郁绿，意态幽雅，但是车头喷出的白烟，卷入林中，又好像雪雾飞扬，因着天气晴晦的不同，而造出各样的景致。偶尔遇到隆起的小丘，也可以看见几只野兽，在那里奔来奔去，这些都给寂寞途中的旅客，添加不少的兴趣。出比境进入卢森堡，只要补一些票价，即可过去。

卢森堡公国的京城，也叫卢森堡，全城建筑在一块高原上，四周围着很低的山谷，中间有许多水桥，间做联络交通之用。如果我们费去三四小时，准可把全城游完。先看政府各机关，如议会，大理院和各部办公室，恐怕还不如巴黎伦敦的中等邮政局。一国元首的所住，也只像一个小旅馆，要不是外边有两个武装兵士把守，真和普通住宅没有分别。最可笑的要算“国家图书馆”，从外边望去，直如一个阅报室！最伟壮的所在，当推市政厅一带，它占据全市中心，有很大一块空场，还有一所博物院。

卢森堡京城的设置，虽然这样简单，但是周围都有很大的公园环绕，几条溪水通过，和一些旧式建筑相陪衬，使得全城非常美丽幽雅。主要的大路，全有电车通行。一些居民都住在山谷的中间，因为交通的不便，很少车辆，所以安静非常。他们大部分都以农商为业，生活朴实。公民训练的高低之分，要看教育设施的优良与否，由卢森堡人民的举动上看来固然直朴无华，是他们的好处；但是举止欠雅，譬如像有些人不打领结和衣冠不整，也未尝不是他们的缺点；乘火车，必要你争我夺的抢座位，甚至因此争打；这种地方，都是在西欧社会中少见的现象。

优胜劣败，弱肉强食，虽然不是绝对的真理，但这却是一种事实。大一点国家的人民，对于不如他的，时常怀有一种轻视态度。当着车行卢森堡的时候，恰巧车里坐有法国，比国，和卢森堡的人。当着比国人和法国人说话的时候，总是必恭必敬的表示自己曾到过巴黎的光荣。但是转头和卢森堡人说话的时候又显着得意洋洋，盛说比国展览会怎样宏伟，怎样热闹，就在这一刹那间和几个人中，就察觉出来这种潜伏着的心理。

几个特点

征 言

比利时以蕞尔小邦，全国都已开发，工商业极其发达，所以交通也很方便，全国铁道共长4665公里，约合一方里之内，有158公尺，铁道之密可称世界第一。全国各处，都布置了铁道网，四通八达，毫无阻碍，任何一个城，电车道，总可以找出几条来。因为交通的方便，固然可以使国民有机会多游历，熟习本国各地情形，不致隔膜；同时并可以吸引其他外国人来游历，商业亦因而兴隆。

在比国各城游历，最常见的，除了咖啡烟店之外，要算教堂了。比人笃信天主教，因此建了许多教堂，这些建筑，类多庄严宏伟，而且里边满贮名家的画像和雕刻。特别是在北部夫拉茫一带，类如鲁文，冈城，浦玉聚等城的教堂，可以找出许多吕班斯，万艾克等名家的作品，即使我们不怀丝毫宗教意识而进教堂，单在美术上讲，也可以得到充分的满足。因为宗教气味重，所以穿黑袍的男女教士，满处皆是。我国外交名人陆徵祥即在比国浦玉聚城修道，该处的教会出版的报纸，时载有关于他言动的新闻。

比国看起来好像是法国的附庸国，但她绝不自甘落后，自从一八三一年脱离荷兰而独立，内则修明政治，发展工商，外则扩充领域，增高国际地位。欧战当中，因为不愿忍受德人无礼的压迫而誓死抵抗，卒获胜利，得到世人的钦敬。

年来欧洲几个帝国主义的国家，都在闹着经济的“不景气”，同时为了国家的安全，以及防范被压迫者的反抗，于是不得不用去很多的军费。防战愈急，备战愈切，因此使得人们更为不安。唯独一些小国的人民反而天下太平，安居乐业，过他们舒适安逸的生活，比利时自然也算一个。他们对于国王，都有相当的尊敬，这并不是比王身挟淫威，使人民屈服，实因他在欧战时能代表比国精神，能和人民共甘苦所获得的结果，因此我们相信比王亚鲁贝尔在世一天，比国政体不会有什么变动。比国人虽然有一部分，也属拉丁民族，但是他们的身体性格，要比法国人强壮朴实的多，而好做的精神，更是他的特点。比人多具国族的观念，以为比国是世界再好没有的国家。每次遇到外国人总是喜欢问长问短，以“比国的风景幽雅，生活舒适”，向人自夸。

比国现在政体是君主立宪，政体操诸议会和内阁，议会中以宗教党，自由党，社会党三大政党，最有势力。比国顶大的隐忧，不在政局的不安，而却在民族的分散。因为比国很显然是两个民族所组成，语言，文字，习惯，艺术，全然不同，现在虽然是瓦伦一族得势，而得统治全比，但是夫拉茫一族也不甘心，屡次要求各自为治，单看语言问题，每为政治变动的原因，就可以知道这问题的重要性。前两年冈城大学实行了以夫拉茫语言教授，便是分化的表现。在比国北部夫拉茫族各城的公共处所，时常在墙壁上，看见许多标语式的文字，全是关于语言之争。现在比国政治社会上，不会发生什么严重的变动，假如要是有的话，大概必是语言问题。

二十一年七月十四日至巴黎记。

瑞 士

途中的中国代表团

公　振

韬奋吾兄：二次赴欧，决定于最短期间，出于意外，然国难当前，岂惮个人跋涉？故又冒暑远征，弟对于国事实抱无上悲观，但吾人既稍有知识，只有尽国民一分子责任，从自己奋斗起。

此次同行者有国联调查团之李顿爵士，马柯迪伯爵，及麦考益将军夫妇；有赴法就任之顾维钧氏；有出席国联大会之专门委员钱泰，颜德庆，王大桢三氏；故途中颇不寂寞。经济舱（economical class）中又有赴欧游学之大学教授二人及学生二十余人，此时金价甚高，游学太费，然其中大半攻科学，不无可取。予以为钱贵用得其当，虽多无害，故弟上次游欧，罄历年储蓄而尚不足，不吝也。予觉中国人通常有二病，一是无钱不会赚；一是有钱不会用。

过香港时，因写一文须在当地寄出，故只在码头上照了几张相，买了一份报，未能出游。过新加坡曾一观陈嘉庚工厂及柔佛王宫。此工厂专制橡皮各种用品，要以皮鞋车轮为大宗。现有工人四千，男女各半，皆系本国人。陈氏亲出招待，谓该厂系逐渐扩充，从建筑上可以看出与欧洲之先有计划而后有厂者不同。由此可见一事之成功，必须脚踏实地，由小而大。柔佛王宫本不在游程之列。先是旧友刘韵仙女士及林霭民氏邀予观马来戏，予以夜间须写稿却之，乃约翌晨参观柔佛王宫，谓机会难得，因王适于数日前赴欧迎其妻，其妻乃英孀也。予以借此可观马来文化，未始非计。次早林君以汽车迓予于船，钱泰，颜德庆二氏亦欣然偕往，车行可半小时始达，参观既毕，使予等大失所望！盖宫完全欧式，内外皆然，唯内有一厅完全东方式，悬匾对几满，盖华侨所赠也。又有二室储衣冠武器仪仗用物甚夥，内有前清赐予前王之朝服及李鸿章所赠之刀，唯宫滨海而建，风景绝佳，马来天然之美，不可一笔抹煞。

予等来游前，林氏已以电话通知柔佛华侨公所，故当地宽柔学校学生排队在礼堂欢迎，予虽为时间所限，但盛意可感，乃略致勉励之辞。归途至宽柔女校，予等只在门首略观，然是日与会之华侨已休业半日，且送予等至边界始返，爱国情殷，至今犹系于怀。予觉华侨希望祖国强盛之心太切，而祖国唯募款时方知有华侨耳！

此外又曾参观华侨男女两中学及华侨游泳总会，又以汽车遨游大马路及二马路。此二路皆华侨商店集中处也。新加坡华侨近四十万，以橡皮业为大宗，近年此业一落千丈，大非昔比，今岁始稍有起色。

中华总商会因《星洲日报》之建议，发起欢迎调查团，唯调查团不欲铺张，故仅开茶会。茶会在中华俱乐部举行，李顿爵士等一行均到，唯彼等以此行任务已了，不必再有表示，故主席只于谈话中略述华侨意见。

中华俱乐部为华厦之一部分，华厦为华侨华商二银行所合建，层楼高耸，壮丽罕见，近华侨华商及和丰三银行各开股东会，股东已大半签字议决合并，以厚势力，资本可达二千万，足征远识。

中华总商会当晚又设宴为顾维钧氏一行洗尘，席间华侨询问国内情形甚详，因当地潮州人居多，不谙官音，由李光前氏从中解释；口似悬河之顾氏，至此竟穷于应付。因彼等问张学良何以不抵抗，政府何以不援助十九路军，诸如此类，颇欲知责任之谁属。

锡兰古称狮子国，昔晋僧法显曾求经来此。中秋后一日，余辈因在船无事，乃相约作甘滴（Kandy）之游，甘滴号称为东方美境，有释迦遗迹在焉。由科伦坡至甘滴约二百里而遥，汽车行至速，穿过大小村落数十，沿途阡陌云连，皆种水稻，几与中国乡村无异，所不同者，即高大之椰子树多耳。中途在普塞卢（Pusalu）小驻，参观印人市集，此市集每逢星期二五有之，有古代日中为市意。所售以食品用具为多。余辈有口渴者，购椰子剖而饮之，其味清冽可口。十二时许抵植物园，奇花异卉，五色缤纷，由园丁一一说明，频添新知不少。有死树（death tree），据云，人以其汁蘸剪头，触人立死，树根夜则吐气，坐卧其下亦必窒息而死。园中央有椰子树一群，高逾寻丈，其下涂以粉，远望之几若罗马古宫列拉。出园则汽车蜿蜒上行，愈行愈高，未几即至甘滴，以游人终岁不绝，故市廛颇盛。予等以饭时已近，乃先至皇宫旅馆（Queen's Hotel）小憩，随进餐，以架厘饭及“拍拍耶”最可口。“拍拍耶”类似南瓜而甜，南洋一带多产之。饭后往游象牙庙，至门有石刻，入则有庙祝为导。先观壁画，后谒佛龛。佛龛前供象牙，信徒伏地而祷者有人。最后至一亭，中藏贝叶经及关于俄教之西文书籍极多。贝叶经可出售，但索价奇昂。立亭上俯视，则甘滴湖全收眼下，环湖皆山景，至清幽，出庙乃环湖一周，遂匆匆下山。行至半途因长途颠簸，乃至一休息处（rest house）略进茶点，抵船埠时已万家灯火。科伦坡产宝石，同人多购之以为纪念。此行本为集股远足性质，但结果由顾氏一人为东道焉。科伦坡有华人商店数家，以业山东茧绸与麻包为大宗，但皆小贩性质，人数亦不多，故华人事业由新加坡以西，大衰弱矣。

孟买（Bombay）为西印度大埠。意邮船向以此为东行终点，今始扩展至上海，故此行得多游此一地。余等雇汽车先至邮局发电，因电文甚长，又须付以印币，故历时颇久，适有弄蛇者至，嬲余等观松鼠与蛇互斗之戏，予以半罗比始去。乃绕行各重要街道，参观公园及印度庙，购买若干银器，时已过午，乃至广东楼进食，多日不用中国餐，至是乃觉味美逾恒。闻当地有华人八百余，商店多家，亦以贩卖山东茧绸为业，盖印度终年如夏，茧绸色白耐穿，故土人爱之也。华人大率聚居苏开禄志街（Sukloji St.）一带，以闽广及鄂人为多。此段日人商店尤夥，意邮船公司以顾氏为中国名人，特赠以汽车供游览，顾氏等亦曾至一中国菜馆，而招待者为日人，始知为日人所设，遂枵腹而返舟焉。

有孟买登舟之印人，谈及印人日用所需，几全由英国来，或英人所制造，印人不能自制，制亦不能与之竞争。吾人在孟买市上所见印人苦况，回想祖国，亦五十步与百步耳！

旧历中秋月色甚丽，予有友人所赠之月饼四，颜德庆氏等又在新加坡购得数盒，至是乃分赠友人，以度此良宵。

“九·一八”周年，吾人亦有一纪念，先二日顾维钧氏往经济舱中与各教授及学生谈话，旋各教授及学生又请王大桢氏演说“‘九·一八事变’后日本之外交方策”，钱泰氏演说“‘九·一八事变’后吾人救国之方”。钱氏谈及当“九·一八事变”发生时，彼适在莫斯科，加拉罕次日阅此警报，手为之颤，谓此事甚严重，日俄何曾合作，但愿中国好自为之，勿以俄为念，又晤德大使，谓此事夜长梦多，中国应以德为鉴，有直截了当之办法，所谓毒蛇螫手，壮士断腕。由今思之，此一年中政府彷徨歧路，徒思倚赖国联，坐视“满洲国”由伪造而至于承认，僵不可言，痛哉！

舟离孟买，晚膳与 count russo 相值，两船同属一公司，故互放花炮，相与招呼，入地中海忽闻意皇乘舰巡游至，临时汽笛大鸣，船员均排列甲板行礼，意皇亦出而答礼。欧洲国多而小，种族与言语各异，一出国境，即遭歧视，故国家观念弥重，此其一斑耳。

上次来欧过苏彝士，本约程演生氏便道作埃京之游，乃夜间风沙大作，遂不果行。九月廿六日再过苏彝士，以为机不可失，乃约定颜德庆，钱泰，王大桢，邹恩元四氏，同伴往游。十时许埃及官吏验护照讫，即舍舟登陆，乘预定之汽车直赴开罗，出苏彝士市，经兵警盘查数四，颇病其琐，旋入沙漠，风强刮面，忽寒忽热，车亦颠簸特甚，体弱者殊不能堪。行三小时许，始抵开罗，无不呼疲乏者。途中只见荒山衰草，人烟毫无，诵古人“浩浩乎平沙无垠，敻不见人……”之句，以为描写入微。有时偶见远处有烟树迷离，碧水一泓，若村落者，车夫谓此乃沙漠中幻影，即海市蜃楼是也。入大陆旅馆（Continental Saroy）盥洗毕，即进午餐，餐后仍乘原车沿尼罗河行，不半小时而金字塔已在望。至则下车改乘橐驼登山，塔凡六，大小各三，均由巨大之石块垒成，工程之伟，可与万里长城相比。有土人能于五分钟内登其岭，又四分钟而下。颜德庆氏给以二先令半，渠攀登如飞，观者无不击掌。旋又观人首兽身像，下山后游回教庙各一，及由沙漠中掘出之古开罗城，乃入开市，各购纪念品，即赴火车站，遄往波赛。

开罗街道宽广，花木扶疏，商业繁盛，与吾人冥想沙漠中荒凉之一境，迥乎不同。最奇者，一出街市，即为荒漠，此六千年来之古城，成为现代都市，法人缔造之，英人光大之，由此可见有时人力亦可胜天。尼罗河两岸植物繁茂，风帆点点，映以暮霭，景色佳绝。

车抵波赛，距开船之时尚遥，乃至东方旅馆（Eastern Exchange Hotel）小坐，观埃及女子之舞，听埃及女子之歌，直至夜阑始归船就寝。

二十九日行抵意国之 Brindisi，停只半小时，无可游览。翌日上午十时抵万利市（又译名威尼斯 Venice），李顿夫人来迓，李顿首问中国曾寄来明角灯否？答已到，唯候君到再打开耳。李顿途中亦常以此为念，盖此次调查团在中国各方所赠礼物不少，丝也，茶也，玉器也，瓷器也，绣货也，可谓满载而归。李顿当返英国，马柯迪则归故里，唯麦考益因接美国政府电报，嘱其留欧参与国联特别大会，故先往瑞士游览。予等一行则暂寓于 Danieli 旅馆，午刻同至 Olimpia 菜馆吃 Bouillabaisse 汤，及意大利鸡饭，极为可口，可谓名不虚传。十月一日顾氏等赴巴黎，所余赴日内瓦者，因缺少行李四件，报查至再。幸在车站寻获，遂多留一日，得畅游故宫，教堂，市政厅，博物院及 Lido 游艺场等名胜，并购买纪念品。万利市本有名水城，以舟代步，无车马之喧嚣，加以气候温和，St. Marco 广场游人杂遝，争以玉蜀黍饲鸽，鸽有飞至掌上啄食者，充满升平景象。心境恶劣如予，至此亦为之一宽，车窗遥望，犹流连不欲遽去云。

十月二日寄自日内瓦。

苏 联

苏俄的工人生活近况

都　佩

一九三二年的十一月七日，是苏俄十月革命的十五周年纪念日。同时也是苏俄的第一个“五年计划”四年完成的纪念日，各国的工人都热烈的选派代表到莫斯科来参加庆祝典礼。他们为民生而积极建筑的成绩，已惊动了世界。而且，在目前全世界资本主义各国的经济恐慌日益加深，工人状况日益恶化的时候，我们对于苏俄工人状况的检讨，并不是毫无意义的。

苏俄的统治者是工人阶级，这是大家所知道的，因此，它的一切生产，都不是为增加资本家的利润，而是为增进劳苦工农的物质的与精神的福利的。记者到俄国已有了三四年，亲看他们在建设方面的实际情形，现在不用多说，只拿客观的事实来略作报告。

（甲）失业问题，工资及工时

（一）苏俄的经济建设的加速发展，于一九三〇年八月后，便完全消除了现代资本主义社会的特种“文化”——失业。现将苏俄三四年来积极建设而消减了失业，统计列表如下：

年　代	失业人数
1924 － 1925	848,000
1926 － 1927	1,353,000
1930（8月）	500,000
1931	无
1932	无

（二）苏俄的生产，既不是为着资本家的利润，工人的工资便自然随着生产力的发展而增高。

看下表，可见每个工人每月的平均工资，随着建设事业的逐年进步而俱增，这是有数目字表示的铁一般的事实。下表还不过把一九二八年和一九三二年作比较，中间数年的逐渐进步，因避繁，不多赘。其实在“五年计划”的第三年中，每个工人每月的平均工资，便已超过了“五年计划”给最后一年（一九三三年）所规定的数字了。

工业部门	每人每月的平均工资		增加百分率
	1928	1932	
一般的工业	70.25（卢布）	106.12（卢布）	51.0%
铁路运输	74.50（卢布）	120.52（卢布）	61.7%
水路运输	74.90（卢布）	112.50（卢布）	50.2%
国家农场	每日 0.89（卢布）	每日 2.60（卢布）	192.1%

（三）苏俄工人生活的改善，不但表现于个人的工资的增加，而且从旁的事件中也可以看到。如（1）社会保险，（2）娱乐场，（3）疗养院，（4）病中工资照付，（5）医药费，（6）俱乐部，以及（7）"工人生活改良基金"等。所有这些费用，全由国家或公共机关的收入项下支出。今将国家每年为每个工人支出的上述费用，列表如下：

事　项	年　代		增加百分率
	1927 － 1928	1931	
社会保险及工会费	35.01（卢布）	40.90（卢布）	—
教育（奖学金等）	17.33（卢布）	51.85（卢布）	—
文化机关	6.50（卢布）	9.53（卢布）	—
工人生活改善基金	22.00（卢布）	28.49（卢布）	—
医药费	21.14（卢布）	32.54（卢布）	—
总　计	102.98（卢布）	163.31（卢布）	58%

看了上面的表，四年间国家为改善工人生活的支出

增加至百分之五十八，也是公开的事实，也用不着记者再加上什么解释了。

这里，我还须声明二点。第一，属于突击队（shock brigade）的工人及其他居于领导地位的工人，其工资较普通工人的工资更多；第二，失业问题的解决。使工人家庭中之每一员都有工可作，因而减轻了工人的家庭负担，改善了他们的物质地位。

（四）关于工作的时间：（1）一九三〇年采用了五日礼拜制（四日作工，第五日休息。现以各种关系，此制尚未普遍采用）；（2）截止一九三二年四月，全俄的工人，百分之八十以上，都采用了七小时工作制；（3）那些工作较重而于健康特别有害的工作（如矿工），已经采用了六小时工作制。余暇既多，工人自可致力于各种体育的及文化的娱乐及社会活动。

（乙）社会保险

苏俄的国民经济的伟大发展与全国加速工业化的结果，使社会保险一项，成为改善工人的物质及文化的生活条件中之重要质素，今分二段说明如下。

（一）基本原则：

（1）全国所有被雇工人〔产业工人，短工，教员，店员，女仆，报差，伶人，国家农场及曳引机（tractor）站上之农业劳动者，政府办事员，工程师，经理……〕，不论男女，不论工作能力，都须一律保险，其费由雇佣工人之工厂，机关，团体，及私人（主人）支出。按照各该工厂，机关，团体，及私人每年应出之工资总数之13.2%向社会保险局交纳，作为国家保险基金。

（2）集体农场及私人农场中之劳动者，不在国家保险制度之内。但他们自动的组有互助社。

（3）国家社会保险，适用于所有失掉工作能力的工人，如年老，偶然灾难，生育前后，孤儿，及失业等。

（4）受国家保险的工人及其妻子，周期的施行体格检验并供给药物，不另取资。

（5）工人在病中时，工资照付。

（6）工人因工作过重而得病时（如矿工之得肺病），病愈后另教以较轻之工作技能，在新技能未熟练以前，工资照旧制发给。

（7）保险事业，由被保险之工人自己选任经理。

（二）具体事实：

（1）保险人数，表列如下：

年　代	人　数	增加百分率
1924－1925	49，000	
1931	17，150，000	}250%
1932	22，500，000	}31%

（2）保险基金，表列如下：

年　代	保险金	增加百分率
1925－1926	720（百万卢布）	
1928－1929	1425（百万卢布）	}98%
1931	2573（百万卢布）	}80%
1932	3534（百万卢布）	}38%

（3）失掉工作能力时之恤金。

若果一个工人，在工作过程中，不幸而失掉一部或全部工作能力时，国家便须对他抚恤。其年限为终身。而其恤金的多少，按照下边三个条件决定：（A）工作能力失掉到怎样的程度；（B）被雇时间之长短；（C）他的家庭状况如何（妻子有无职业等）。为明了计，列表说明如下：

组别	事实	恤金
甲	完全失掉工作能力者	原工资之 71% - 100%
乙	失掉大部工作能力者	原工资之 56% - 85%
丙	失掉小部工作能力者	原工资之 39% - 68%

组别	事实	恤金
甲	完全失掉工作能力者	原工资之 69% - 90%
乙	失掉大部工作能力者	原工资之 54% - 75%
丙	失掉小部工作能力者	原工资之 37% - 58%

组别	事实	恤金
甲	完全失掉工作能力者	原工资之 67% - 80%
乙	失掉大部工作能力者	原工资之 52% - 65%
丙	失掉小部工作能力者	原工资之 35% - 48%

第一类——适用于危险性大或地下工作的重工业部门，如矿工。

第二类——适用于其他重工业部门，如铁道工人。

第三类——适用于所有轻工业部门，如纺织工人。

（丙）卫生设备

苏俄国家为着保持工人的健康，设立了许多的疗养病院及防疫所。因此，这一项的支出，也逐渐增加。

在一九二八至二九年度，支出了703,800,000卢布。

在一九二九至三〇年度，支出了1，226，000，000卢布。

在一九三一年度，支出了1，301，300，000卢布。

在一九三二年度，支出了1,957,900,000卢布（预计）。

他们对于工业区域及工厂中的卫生设备，更加注意，到处设有诊疗所，工人一旦有病，医生立刻便到，而且可以时常检查工人的健康程度，治疾病于未发之时。下边的表，表示了历年以来苏俄在工业区域的卫生设备之一部。

年代 事项	1929	1930	1931	1932
工厂诊疗所数	2，216	2，570	4，009	5，714
出诊医生数	2，326	2，877	4，485	5，715
城市中医院的床位数	139，882	160，008	182，775	216，466
托儿所数	55，959	71，605	171，489	385，000
门诊医生数	1，404	1，934	2，558	3，801

为着防止工人的疾病，单是上边那些设备，还是不

够。因此，苏俄又设立了许多娱乐消遣的场所及天然疗养院，在资本主义的国家里，这些地方都是资产阶级及地主的独占品，贫苦的工农是无法问津的！但是，苏俄呢？

在一九三〇年，有265，000工人在疗养院（sanatorium）中休养。

在一九三一年，有328，000工人在疗养院中休养。

在一九三二年，有500,000工人在疗养院中休养（预计）。

在一九三〇年，有417，000工人在休养所（health resort）中休养。

在一九三一年，有569，000工人在休养所中休养。

在一九三二年，有729,000工人在休养所中休养（预计）。

总计，在一九二八年，休养于休息所（rest home），疗养院（sanatorium）及休养所（health resort）的工人，共为340，000。一九三一年的共为1，600，000，预计在一九三二年可达2，300，000人。

因为上边各项设备的次第完成，苏俄的人口死亡率遂渐低落。一九三一年全俄的人口死亡率较之一九三〇年降低36%，儿童死亡率降低42.5%。

（丁）工人住宅及城市设备

工人住宅及城市设备二项，在苏俄的经济建设中，占着非常重要的地位。为着经常的供给各重要工业部门（如矿业，钢铁工业及机器制造业）以必要的人才，为着很有效的保持工人的健康，便必然的要在工业中心地域建设广大而适合卫生原理的新式房屋，便必然的需要积极发展城市中的设备（如自来水，电灯，煤气火，交通，公共食堂，洗衣铺，浴堂等）。所有这些建设，现在都采取着一种"新的社会主义的城市"的形式。要把一个几千年来落后的国家变成一个伟大的工业化的国家，这当然是必要的步骤。向来的沙漠及卑湿地带与荒野的森林地域，现在都渐次变成社会主义的城市。它供给农村以曳引机（tractor），农业机器，化学肥料，载重汽车，收音器，书籍，高等学校，科学研究院等，使城市与乡村的分化及矛盾，很快的归于消灭！

（1）五年计划，对于建造新房屋的预定如下表：

年　代	投　资 （百万卢布为单位）	占地面积 （百万方米为单位）
1929	511	3.8
1930	522	4.7
1931	720	7.0
1932	1,900	16.0

但是，事实上呢，除过了一九二九年外，其余各年，均超过了预计。

过去三年中，这种新造的住宅，供给了三百万人，预计今年（指一九三二）一年的新造房屋其数量可等于过去三年的成就。这些住户的百分之九十以上，都是工厂工人。房屋的所有权既属国家，不以利润为目标，因而房租的多少，便须看住户的工资怎么样。在一九二八年，平均每一方米月租 32 戈比。一九三〇年底，因为工资的增高，房租涨至每方米 38-40 戈比之间。但是，事实上，这种房租的增高，却没有增加了工人的负担，因为房租一项，在工人的工资中，已经从 14%（一九二九）降到 10.4%（一九三一）了。两个工资不同的工人，住着同样的房子，其房租便有差别。这在资本主义的国家里是绝对不会有的现象。

（2）同上边的房屋建筑相并而行的，还有城市的设备：

在一九二八至二九年度，为此事而支出了288百万卢布。

在一九三一年度，为此事而支出了425百万卢布。

在一九三二年度，为此事而支出了900万卢布（预计）。

最后我们可用下边的简表来表示苏俄城市设备之大概情形。

年　代	浴　堂	洗衣所	托儿所
1930	29（百万卢布）	8（百万卢布）	12（百万卢布）
1932	50（百万卢布）	27（百万卢布）	51（百万卢布）

预计在今年（一九三二）的城市建设中，托儿所可容百分之七十以上的工人的幼儿。学生寄宿舍可容24，700，000学生。

上边这些，都是客观的事实，我不参加任何意见，谨贡献给我国留心社会事业的人，以资参考。

都佩于莫斯科一九三二，十，廿六。

游欧通讯

起　程

庄泽宣

欧洲自世界大战以来，一切制度及组织均经激烈的变迁，我本来很想去看看，刚巧今年的国际新教育会议决定在法国与意大利交界地方 Nice 开会，而万国心理学会则在丹麦首都开会，都来邀我出席，同时本刊编者亦怂恿我行，于是即设法筹集旅费。承各方面的帮助，总算可以成行，决定在赴会前先乘意邮船至该国一行。

从中国到欧洲有三条路可走：（一）从东北经西伯利亚；（二）从上海东行经美国；（三）从香港经印度洋红海等处。第一条路最快，十天之内可以到柏林，但自东北失陷以后，中国人经日人保护下的“满洲国”必多方留难，而且马占山和义勇军正在中东路一带与日军及伪军作战，时有不通之虞，大有行不得也哥哥之叹。第二条路最慢，须绕大半个地球，而且旅费昂贵，须换车再换船，未免费事。所以我决定走第三条路。不过走第三条路的船很多，其中以法国船为大，但须经安南，沿途停留较久，从香港到马赛须五个星期。德国船则经菲律宾，也要走一个多月，而且船多万吨以下。英国船须在印度停两个码头，在路上也要一个多月。只有意大利船沿途停留最少，每次停留的时间也短，因此从香港起程只要三星期便可到意大利，如直接换车次日便可到巴黎，伦敦，或柏林，我这次出去时期既不能久，而且想看看意大利，所以决定坐意大利的船去。

我此次由广州到沪，由沪出发到香港。香港为自沪西航赴欧必经之地，我往来沪粤间已停留多次，此次在港居三日，略述一二事以告后游者。

香港为英人所割据的仅一小岛，至对海的九龙则为九十九年租借地，但时人多并为一，以为皆英人殖民地。英人亦以九龙为己有，锐意经营。九龙系半岛，与大陆相连，故可任意扩张。地多平坦，道路也较香港为广阔。广九铁路以九龙为终点，而各外洋航线又皆以九龙为起点，将来九龙地位必在香港之上。乘邮船过港的游客似以下榻九龙为便。九龙旅馆最大的是半岛酒店，为英人所经营，正对火车站，占地甚广，楼凡十层，据说是远东第一大建筑，取价甚昂。离码头略远的有弥敦酒店，也颇广大，为华人所经营，即最近黎妹妹与其情人冯佐治寄居处。此外在半岛酒店后有一小旅店名九龙酒店，地点幽静，取价极廉，单房港币六圆连三顿西餐在内，旅客多乐就之，闻为宁波人所设。

粤人称旅馆为“酒店”，饭馆为“酒家”，而酒店则为“酒肆”，初到旅客每不能辨。

九龙方面交通以公共汽车为便，路线颇多，皆以尖沙咀为起点。尖沙咀者渡海过港之码头所在，其两旁即火车站与邮船码头，为九龙半岛之顶点。自此过海有按时开行之小火轮，忙时每五分钟一次，闲时每十分或十五分钟一次，除海面有大风外至为安全。香港各行之大班买办等多寄家九龙，每早乘轮渡海工作。香港方面之交通除公共汽车外有电车及轿。电车有沿海而行的，有上山顶的。香港为一山形之岛，除沿海二三条马路外，皆盘旋而上，各屋亦前低后高，往往第一层由下面马路出入而第二三层则由上面马路出入。上山电车仅有一线，系用铁线挽吊而上下，每张票由保险公司收费一仙（即一分），平时不断视察，以防危险，如出事则全车乘客受赔偿，然十数年来未尝出事。上山除乘此车外，或雇汽车盘旋而上，或步行，或乘轿。轿为藤椅式，轻而捷，一般小姐太太们多乐乘之，生意颇好。

香港自沙基惨案，省港罢工事件发生后，生意大差。后来好容易略见恢复，而世界失业潮起。英人本定香港为无税口岸，极力提倡商务，但近年来一落千丈，政府极力裁人减政，犹有不能支持之势。生意自以出口入口为大宗，如爪哇糖及西贡米皆必经香港。南洋及中国沿海一带之海味亦以香港为交易市场，若燕窝，海参等批发多自香港，而鱼翅之定价完全操自港商，唯近年来主顾减少，亦均不振。舶来品因香港无税，较内地为廉，但较上海有时或昂，因商店开销大，且市面不及沪地之旺。

香港虽有三个“华人代表”，但均由英人指派。立法机关称“定例局”，实则只能议小事，重要法律皆由英殖民部颁行。此外各局，权限更小，华人厕足其间，更无发言权威。香港总督俨然一小皇帝也。一般华商开口闭口称英政府为“皇家”，盖已忘其为中国人！英人对此辈好行小惠，如华人来港不需护照，政客往来且派探保护。为“皇家”出力者更赐以勋章爵位。如华人代表中首领周寿臣本与唐绍仪等为中国派赴美留学最早之一人，满清时代曾任津海关道。二十年来在港经商，今且称爵士矣。又如大商家何东亦爵士之一，近且充南京政府顾问，赴英接洽商务。

但港商之中未始无爱国者。如已故商人冯平山曾斥赀百万在新会建中小学及图书馆，在广州建中山大学附小校舍，未死以前计划在香港建图书馆，在新会建科学馆，今皆委托人赓续办理，遗资将在他处建图书馆，可称为中国之加纳奇。此次十九路军在沪作战，港商对于救伤及援助难民出力亦多。

香港大学成立十余年，内容以医科为著，工科次之，待遇则中西不平等。教授中自王亮畴氏的介弟宠益逝世后，已无华人，评议会中现仅一华人。学生以华人为主体，西人，印度及南洋群岛人与混合种间亦有之。中学以英皇中学规模最大，建筑费去二百万，此到港考察教育时英人首向外来者表示自豪之一事。小学不为港政府所重视，多为私塾。官立师范亦以读经为主课！港地足记者约如此而已。

六月十五日在香港。

海上杂感

庄泽宣

自香港开行以来，沿途一望无际，今日始稍见西方有一片大陆，询之舟子则安南也。安南本我国属土，至今仍用汉文，姓字亦多同中国，自被法并吞后，屡起革命未成。安南以南如马来半岛，如苏门答腊……本均由华人开辟，到现在虽则许多贸易仍由华侨为中人，地位早已一落千丈，许多事业，大者为西人所夺，小者为日人所侵。向使中国强盛，自安南以至南洋群岛必皆为中国之屏障，今则变为白人在亚洲的根据地，为帝国主义侵略东方的兵站！

大英帝国在世界上无日落之处，此英人自豪之语。自香港西行途中所停码头无一非英属地。英国本蕞尔三岛，乃能统治大于本国十倍的加拿大，澳洲与印度，而全世界重要港岛亦均在其掌握中，因此海军及商业均占世界第一位，而英文遂为航业上通行语言。近年来美国在世界上海军及商业仅亚于英，而靠金钱与嗜好旅行全球者最众，于是英语的流行更广。但若以实数计之，恐仍不及说中国话的人多，四万万人中至少有三万万人懂中国普通话，可惜完全聚在亚洲大陆的一面，在交通及商业上未占重要地位。在法国及德国邮船上因自我心重，要他人讲法语或德语，英语尚不通行。但在此次所乘的意国邮船上，英语极通行，舟人且有了解德法语，因自知不能强人习意大利语也。船上一切通告均为意英两国文字，唯关于救生衣的说明则德法文皆有，恐用者连英文也不懂，紧急时性命交关！

向者我坐英美德法各邮船，大都以该国本国乘客为多。各国邮船虽各有利弊，但绝少他国人——除去中国人无本国船可坐。此次所乘意邮船则各国人皆有，因意人在东方者本不多，而船行较快，各国人皆乐乘之。舟中有赴伦敦巴黎柏林者，船公司且可为备联票及代运大件行李。航业之竞争于此可以想见。唯舟中绝无日本人，其爱国可称胜人一筹，绝不令利权外溢！

中国船航行外洋者，向仅有南京号及中国号航中美间。所购之船既旧，每次修理极费，而所聘船主大副等又均系美人，且化钱在美国注册挂美国旗，不到两年损失过巨，乃告破产。各国邮船公司因竞争剧烈，皆由政府津贴，保股东至少官利六厘，故能维持。此不独在运输本国货发达商业上大有关系，且与国体有关。中国自己的领海内犹且几全为外国船专利航权，遑论外洋！昔者我自粤赴沪舟次，曾遇有粤人赵甫臣君者为航业界前辈，与谈及我国航业的衰败及航权的外落，深为浩叹。据云单以自吴淞口外领船入口的领港而论，每年每人收入数万圆皆西人专利，华人无与焉。彼三十年来办理船业公司颇多，努力与外人竞争，独惜股东多短视，政府不徒不援助，且摧残，遇有军事则任意封船运兵，船价向记账不与，焉得而不失败？所可告慰者彼尽力养成人才，所辖各船皆收学生不取费，唯必自最下级水手做起，今达船主地位者已二十余人，多在沿海及江船上服务。有一人已在航行海参崴之货船上任船主。唯年少愤事者亦有数人，彼每诰诫求精不求速，务祈勿出毛病为外人所讪笑，借争国权。闻沪上新航政局长亦彼学生，此航业界中有心人也。

此次所乘船上之意大利人，据我观察，可分为两种典型：一种纯意大利种，极清秀，可称白人之正宗。一种则含犹太血，殊不美观。意大利为罗马文化发源地，意大利人的清秀，固不仅由于山高水长，实为西洋文明精神所寄。船上的音乐队为一钢琴手，二大提琴手，二小提琴手，除开船时外，每日在头等舱演奏二次，在二等舱演奏一次，曲多古雅，迥非美邮之爵士乐队可比，且不在餐时奏之，俾旅客真能领略。

船中舟子绝少有色人，不似美邮侍者全为华人，法邮则杂有安南人。侍者彬彬有礼，殆亦受了罗马文化的薰陶。头二等休息室中均悬有意皇及墨索里尼像。墨索里尼两目炯然，令人望之生畏，诚二十世纪的一个怪杰！

六月十七日舟中记。

海上见闻

庄泽宣

今日为阴历十五，傍晚六时许东方月出，其色鲜红。舟中欧西女孩见之，大呼“妈妈看日出”。傍晚观日出，诚奇，然若吾人无时间观念，必指此月为日，月出之景如此，可称海上奇观，其故殆由于夕阳之返照，唯日为云蔽，反不见之。未半小时，月高出云端，依然洁白，照入大海，影数百里如镜，令人思念祖国不已。

所乘之舟，每小时行十八海里，可谓迅速。闻此舟本航意美间，近始改航中意间。已下水二十年，不久有废置之说。叩其故，则以每小时（？）费油须百六十吨，新式邮船则百吨已足，速率且过之。近年邮船弃煤烧油已属新式，乃以用油太多，此舟将遭废弃，意邮船公司已在建造新船取而代之，大约归时即可试航。甚矣科学进步与航业竞争之可畏也！

迩者招商局有向大来邮船公司借资千万重振航业之说，不知确否，实则千万仅足置此类新式邮船一艘，否则必系买人废弃不用之船。欧战以来，别国废弃不用之枪炮，已为我国自相残杀之利器。若买别国废弃不用之船只，亦徒消耗国帑耳，振兴航业云乎哉？

舟中有中国大魔术家郎德山君夫人，奥产也。夫人此行闻由于二子在沪无佳校可入，故携赴欧求学。此子皆在十岁下，他日学成，必十足西洋人，不复知有祖国。闻向在上海德国学校读书，以混合种为同学所诟辱，乃有此行！

同舟赴欧者有广西大学校长马君武君，中法工商银行董事刘符诚君，军政部特派员杨继曾君。同舟自港赴新加坡者则有中国银行总经理张公权君及其令妹张幼仪女士，该行港行经理郑铁如君，厦行经理黄伯权君。马君武君为留欧前辈，归国已十六年，近主广西大学及硫酸厂，此行系赴欧考察教育与实业，为期三月。杨继曾君亦留德研究工程者，尤注重军器制造，回国后历任各兵工厂重要职务，此去考察各国军器制造，大约亦为期三月。马杨二君与余大有同舟回国之可能。刘符诚君为留法前辈，近长驻巴黎，时返祖国，半年来已第二次，一老旅行家也。张公权君自主中国银行以来，对于业务整理不遗余力，近来该行钞票信用极佳，虽外人多乐用，已取外国银行在华所发纸币而代之。迩复发展国外汇兑事业，前年曾赴伦敦设分行，今来南洋，将自新加坡而暹逻安南，必与发展行务大有关系，观其与港厦两行经理同来可以知之。张幼仪女士曾在德研究幼稚教育。伊何人？诗哲徐志摩君之夫人也。志摩识小曼后，虽已提出离婚，但徐张两家有通好之谊，未之许，今张女士固仍为“蜜雪丝徐”。

新加坡实为马来半岛之尖端一岛，近英政府建一铁桥通大陆，今自新加坡可乘火车直通暹逻。马来半岛已辟之埠二百余处，皆有华人，闻占人口总数百分之六十。暹逻安南本皆华人殖民地，此凭中国海西岸之马来半岛固亦为华人殖民地，然而近年以来，日人南侵政策着着实现，且有入回教习马来语以期与马来人发生密切关系者，而华侨后辈多欧化，绝不屑习马来语，五十年后数百年惨淡经营毫无政府援助之华侨，恐将不能立足于南洋矣！

新加坡距赤道只有一度多，气候甚热，总在九十到一百度，但每日晴雨可几次，雨后便凉，所以有“四季皆夏雨即秋”之语，我等到时，适在雨后，并无烈日当空，温度仅在八十度，颇为舒畅。

南洋一带除水果外，以橡皮为大宗出产，价高时每斤可售数圆，今则只值几个铜子。从前拥橡皮园一二百亩即可成巨富，现在即养工人都养不起，因此经济状况一落千丈。新加坡之米较中国米为大，但并不好吃。

六月十八日。

新加坡一瞥

庄泽宣

一到新加坡码头，我们望一望，除了少数的印度阿三和黑炭头的马来人外，几乎全是中国的同胞。新加坡全市人口四十多万中，有百分之九十五是中国人，漪欤盛哉！近来英国政府虽尽力设法限制中国人入口，而新加坡经济状况也不容许中国人来，但是每月从四等大舱来的中国人还在千人左右！（新定入口律月以千人为限。）

新加坡的交通有无轨电车，有公共汽车，有大号的人力车。无轨电车与上海的一样，据说还是一家公司所有的。公共汽车有两种：一种如上海的；一种则较小，后面可坐六人，与车夫可并坐一人，共七人。人力车一律可坐二人，连小孩可坐四人，拉车的都是孔武有力的福建兴化人。

侨商中以厦门一带人最多，潮州一带的次之，广州一带又次之，其他各省的甚少。从前各帮侨商言语不通，近则国语渐为通行，不似以前演说时须两个翻译。

马来人多信回教，回教教寺甚为伟大。中国人多信佛教，规模也不小。天主教在新加坡一带亦具相当势力。

中国侨商设立的学校约二百余所，但多系小规模的，儿童入学的仅四分之一。规模较大，校舍最新的有工商补习学校，日间收小学生及半日生，半日生者大部分时间在英人设立之学校上课，而以小部分时间在此校习汉文。夜间设中英文补习班，为职业界侨胞有志求学者补习之所，近年来甚发达。校舍本学期甫落成，依山而建，募捐十万，颇为美观。经费靠学费，月不敷五六百圆，有董事按月分担。此外复参观南洋女子学校，校舍系购一富侨旧居改建，连园地仅万余圆，购得后押于银行，得资为之修理，亦颇美观。校内有小学及初中程度之师范，近始设高中。

华侨中学为华侨教育最高学府，Raffles College 为英人设立最高学府，以船到日为星期，且均已放暑假，未去参观。

新加坡总督金文法，前香港总督也，对于中国情形颇称熟悉，到新后第一件事为封闭党部，禁止“三民主义”入口。

侨商中最热心公益者推陈嘉庚，胡文虎两氏，陈氏创厦门大学，国内多知之。胡氏对于体育提倡最力，前年全国运动会得助颇多，近在新海滨筑游泳池，费十五万。门首大书 Admission Chinese Only（只许中国人进来），大有西人及狗不得入内之意，亦快人快事也。入门券二角，长票月一圆。新加坡天气终年如夏，游泳者极多，有在内终日者，内有炒面等可以充饥也。游泳池凡二，一用抽水机抽水入池，终日一般高；一则随潮而涨。更衣浴室等都有完全的设备。

六月廿号。

锡兰与印度

庄泽宣

自新加坡行海程四日即抵科伦坡。科伦坡为锡兰岛西南端的大商埠，为欧亚非澳交通要道，也是锡兰岛英国殖民地的首都。人口约二十五万。

锡兰岛虽是印度半岛南端之一岛，但在政治上宗教上早与印度脱离关系。一八一五年以前锡兰岛在政治上自成一王国，在宗教上为佛教国，非如印度之属于婆罗门教。一八一五年锡兰为英所有，锡兰王终其身享年俸至六十年前始去世。

锡兰现分九省，同隶于总督之下。立法机关中有土人选举之代表，有总督委派之代表，但权限均有规定。当余等过锡时适议会为争财政权，土人代表作剧烈之辩论，犹未终结，盖依现制，财政权在总督手，一切关于财政之议案非总督认可不生效力。

锡兰虽为佛教国，但佛教亦已极形衰落。许多大庙仅存旧基，偶建新殿，规模极小，大殿在募化之中，土人既贫，更少乐善好施者，观成可称无日。庙中和尚颇少，但衣黄衣，称贵族，为人尊敬。善男信女来庙烧香祝拜者，几未之见，庙宇已成为一种游览之所，佛像亦任意置之，如装饰品！

康地为锡兰王国旧都，距科伦坡七十四英里，高出海面一千六百尺，汽车火车均可直达，余等四人费两英镑半包一汽车去，沿途风景极佳，经过六七所小学校，见学龄儿童方挟书包归家。曾停留略参观，校舍极简单，有窗洞而无窗，地仅土面，置若干长桌椅，唯挂图尚不少，教授概用土语。

康地大庙对面有大菩萨树，树下有卧佛，系水泥与砖合制，非古物。庙旁有人工开成之湖，颇曲折，风景尚佳。康地附近有大植物园，收罗植物种类颇富，有专家在内研究分类及形态，较之新加坡及香港之植物园均过之无不及。

锡兰交通除汽车火车外有人力车及牛车。牛车大者挽以双牛，可载四五人或运货，小者如马车。另有大象亦可载人运货。象甚驯服，为富人家畜之一。

锡兰植物以椰棕为最多，均野生。种植者有稻及茶。稻尚不足供岛人之消耗，每年须运入口。茶则已普销全世界，夺取华茶之市场。橡皮本亦为出口大宗，惜因价值低落，亦如南洋一带一蹶不振，影响于经济上颇大。乡间偶见警察皆土人，未见英国军队驻扎，可知锡兰人已不知亡国之痛。

自科伦坡航三日即达印度西岸之孟买。孟买本葡属，一六六一年葡国王女嫁英王，以孟买为嫁妆之一，遂归英。孟买为印度西岸之最大商埠，自欧东航来印者为第一埠头，故英人称之为印度的大门（The Gateway of India）。孟买人口凡一百十余万，在全印度实为第二大城市。第一大城市为印度东岸之加尔各答，为印度之旧都，人口达一百三十余万。一九一一年后，英皇令迁都于德里（Delhi），于旧德里城外建新德里市，为今印度总督驻所。盖孟买偏于西，加尔各答则偏于东，英人为便于统治起见，故迁都于中北部之德里，且有北窥西藏之势。

英人治印，遣来本国军队不多，乃勾结尼帕尔。尼帕尔者，藏印交界间之一小国，其民善骑好斗，为天赋之军人国。英人利用尼帕尔军队监视印度，而尼帕尔亦利用英人成印藏间独立国。我国不久且派有专使张铭赴尼帕尔修好，封其王为上将军。介乎两大国之小国，往往如此延其命运。暹逻亦以介乎英领缅甸与法领安南间而委蛇成为独立国，然亦视外交手段能否使两大强国折服。

舟中一印度英军官告我，英兵驻印者仅六千人，尼帕尔兵经英人训练驻印者五千人，另印度兵一万五千人。尼帕尔兵善用一种鱼形的刀，能飞刀杀人，一刀两断，极为准确。欧战时曾加入前线，战时匍匐而进，近敌人时飞掷其刀，敌应声而倒，乃再趋前取刀而归。尼人甚矮小，长不过五尺，但骁勇善战，为印人欧人所不敌。

余尝以为世界上将来之四大强国，殆为中英美俄。此四国皆疆地广大，人口众多。中国在东亚，英国在西亚南欧及非澳，美国在南北美洲，俄国在欧亚北部，必将皆为盟主。印度实中英国势接触之点，其关系必占重要，惜国人犹漠视之，南洋一带至今犹在中国势力范围内，国势若振，不难保持，一至印度锡兰，则华侨一无所见，印度旧文化与西洋新文化皆抵抗华人来侵，真出中国势力范围外矣。

英人治其属地，方法颇不一。加拿大澳洲在行政立法上几完全独立，南非洲亦近于此。印度争自治颇力，已有土人代表，将来再经努力，或英人许以与加拿大澳洲处同等地位，非经世界大革命，英人必不放弃印度。马来人文化较低，组织力较薄弱，虽亦不乏革命志士，独立恐不易有望，所望者中国国势有转机，为中国之保护邦耳。

舟泊科伦坡时，有一欧化之锡兰人登舟赴伦敦。据云一九二二至一九二六年间曾留学英伦，专习工程，返锡后服务于政府机关多年，今得休假八月，乃重赴英伦。彼对于甘地下狱颇为愤慨，在独立运动方面锡兰与印度系一致，但其目标亦只在 dominion status，即余上所云求与加拿大澳洲处同等地位耳。旋又云希望大亚细亚主义成功，对于中国内争颇为不满，对于日本之侵略满洲，指与英人行为相同，一若望中国速自强，俾抵抗日本之帝国主义，而成为亚洲之领袖者。据彼意见，泰戈尔与甘地同受印度及锡兰人之尊敬，唯甘地主极端民族主义而泰戈尔则主国际主义。又以为立国根据在教育，近年来印锡立法机关颇努力于提倡教育，且以土语与英文并列为必修，学校日见增加云。姑录之以示印锡人舆论之一斑。

六月二十五日于印度洋中。

亚非欧三洲交点

庄泽宣

从地势来看，欧非两洲本都不过是亚洲大陆的两个附属大半岛。因以面积而论，亚洲比欧洲大四倍，比非洲大三倍，欧亚以乌拉山为界，本是人定的，相连而不能划分的。至于非亚两洲本也相连，直至一八六九年苏彝士运河开通后始一刀两断。

苏彝士运河开凿者。

我们从印度洋经亚丁而入红海。在印度洋中，季风颇烈，舱窗紧闭，极为热闷。红海本以热著，不料过亚丁后清风徐自西北来，反甚凉爽。红海之北为阿拉伯沙漠，其南就是非洲大沙漠，但海水碧绿，不符其名。直到晚霞自沙漠反映，方见天空海阔间红云如带，始知名称之所由来。

红海计长一千一百英里，但最阔处仅二百英里，狭处只十六英里，行程两日半乃至苏彝士湾。湾长一百八十英里，但阔仅八至十英里，两岸都是沙山，既无人烟，也没有树木。但因系欧亚交通要道，英人占两岸已近百年。走完了苏彝士湾，即达运河口。河长八十七英里半，其中有数处本有湖，但大半系工人开凿，且仅容一舟。舟航时

亚历山大城埃及王别宫。

甚慢，闻以一小时六海里为限，故需十余小时方可渡完。

出苏彝士运河，便到了地中海。地中海四岸皆大陆，北为欧洲，东为亚洲，南为非洲，实一大湖，只一面有两小口通红海及黑海，一面有一小口通大西洋。

苏彝士运河之开凿实始于耶稣纪元前六世纪。其时埃及国王开一运河自苏彝士通奈尔河（非洲北部最大河流），但未久即淤塞，至纪元后五世纪又开通之，唯均不直通地中海。今日之运河初由法国经营，地中海运河口之铜像，即开凿此运河之法工程师 De Lesseps。惜预算错误，投资不敷，且当时蚊多，致工人多患疟，公司宣告破产，英人乃购此运河公司而完成其工程，计费去一千八百万英镑，至今法国股份仍占不少，法国在波赛（运河北口一城）之势力亦不小。运河既成，欧亚交通为之大便，英法在远东之经营亦日增月盛。

自波赛航九小时，即达埃及之亚历山大城（Alexandria），此为古代希腊罗马文化东侵所及之地，亦亚历山大东入亚洲之门，在历史上颇占重要地位。希腊末年尝在此城建图书馆，收集手写图书，为学术中心，罗马时代且就此基础设大学，一时称盛。

今日之亚历山大城，人口达五十七万，内中欧人几占五分之一，土耳其，阿拉伯及苏尔丹人均不少，为欧非交通重要口岸。埃及既为英保护国，英人势力颇大，法人亦有相当势力，但近年以来埃及极努力于独立运动，屡拟与英人修改条约，撤废顾问，反英空气极为浓厚，英人颇为不安。我等上岸时检查护照颇严，三四等客不准上岸，头等客之俄人及一部印度人亦不许登岸。其登岸者护照，概由守岸警察保存，俟返舟时发回，恐潜行登岸不回船也。

亚历山大新城面积广阔，且有一部分尚在建筑之中，沿海岸线数十里新建马路，作弧形，颇为美观，埃及各城唯此为濒海最大者，且与欧洲仅一水之隔。埃京开罗天气炎热，夏间尤甚，故埃及富人及欧人多在此城建有别墅，而跳舞场咖啡馆多笙歌达旦，因夜间临海大为凉爽，日间则海滨游泳者极为拥挤，咖啡馆亦有伸入海中者。城中大街多植棕树，高耸云霄，为他城所不见。

自亚城行二日，即抵意大利南端之 Brindisi。此仅一人口四万之海口，但意人努力经营，不久必成一大商埠。

七月七日发自 Brindisi。

自百灵底细到罗马

庄泽宣

我们的船因临时加湾亚力山大城，以致到意大利海口百灵底细（Brindisi）已在半夜。Brindisi 地方虽小，历史却长。罗马帝国时代，他已成“市”；中古时代罗马帝国为野蛮人所侵略，才渐荒凉；直到弗烈德烈二世来此建别宫，方告恢复。他是意大利南端通希腊与东方的重要海口。罗马帝国的军舰与商船尝由此出发，十字军亦经向耶路撒冷前进。现为意大利海空军驻扎地，印度到英国的航空邮线亦经此，意大利希腊邮船均湾泊，在交通上亦称要道。

翌早我和一位自印度同船来的英国人同搭早车赴罗马。此地每日有通车一次，但因我们的船迟到已开去了。所搭的车途中须换两次，但借此机会多增见识也算幸事。上午火车所走的路是沿东海岸线，过午则横断半

百灵底细的中古时代城堡。

岛，因穿山洞多，换用电气机头，傍晚经东海岸线，车路高于海岸，风景颇佳，计行十四小时，方到罗马（通车十一二小时即可）。沿途所经市镇，多在改造扩张之中，田野中多见桑树，颇似沪杭线上。

上车不久，即有一意大利军人来占邻座。查票员来时，察其系用三等票坐二等位，他于是拿出一角公文，示查票员，竟未加钱。但不久过一大站，又来一查票员，必须补票，这位丘八先生也就补了。沿途所见兵士颇多，装束也不一，各车站且有民团司令部，帮助铁路警察维持秩序，尚无骚扰情形。

我们自早至傍晚未换车以前，因系慢车，未挂饭车，但各车站均有餐室，并有冷餐，盛以纸袋，价廉的只七个里拉（约华币一圆半），内有甜酒一瓶，面包一个，肉片少许，水果少许，蔬菜若干。牙签及盐入一小纸袋，注明“无微生物”，纸杯一只，备饮甜酒。将达西海岸，始换入自奈坡里至罗马通车，附有饭车，由万国睡车公司经理（此通车直达柏林），晚餐一次收价二十个里拉。

车中因言语不通，仅能与英国朋友交谈。这位英国朋友是扶助印度独立运动，与甘地来往颇密切的。据云正式加入甘地旗帜之下的已有五十万人，因鼓吹独立运动被英人缧入狱中的先后达十万人，最近甘地入狱后，独立运动更加紧工作，但均采不合作主义，无暴动行为。孟买商人几全加入此运动，为表现不合作起见，每一星期六日中罢市三日。英国纱织业鸦片烟等大宗买卖均大受打击。印度各省及联合议会中对于教育提案屡为指派之英国议员所打消，近以英国在印度商务不振，有政府专卖之提案，万一通过，则不合作不易进行。甘地尝提议凡印度人在英国机关服务者全体辞职，可惜因经济关系未能办到，否则英国的印度政府必须崩溃，独立早成事实。这位朋友颇为英国印度政府注视，住所曾被检查两次，回国护照也颇费周折才领到，能否再到印度尚不可必（已在印度五年）。

到了罗马便与这位朋友分手，我一人下车，幸在动身前已电通济隆派人来迎，到后接洽下榻于公寓，每日连吃费四十里拉，尚不算贵。意大利各车站均可发电，十字内仅二里拉，颇称价廉而便捷。欧洲公寓称Pension，小而清静，但均连吃计算，长住还可减价。

七月十二日自罗马发。

独游罗马

庄泽宣

墨索里尼近影。

到了罗马的次日，便买了一张地图跑到中国公使馆，找到蒋代办和朱秘书，相谈甚洽。朱秘书在罗马已十三年，可称“老罗马”。据云墨索里尼登台已十年，十年前意大利政府非常腐败，人民狡猾懒惰，交通机关概不守时，即电车亦不依时，街道龌龊，沿街晒衣，稍僻静处且有盗贼，乡间治安更差。墨索里尼执政后，一方面以身作则，认真办事，廉洁勤劳，一方面以党的力量协助人民组织，使各尽其责。十年以来，意大利顿改旧观。欧战以来各国经济均受打击，唯意大利蒸蒸日上，各国失业问题均极严重，而意则以工代赈，开荒植林造桥修路，各城镇均设有地方改进协会，受党之监督，为改进之设计。农林及交通机关，由党军协助警察维持秩序。不良分子驱逐出境，多流入波赛一带。该党精神身体之训练并重，体育方面异常奖励，各城镇均设运动场，并组织青年团，以旅行及露营为教育良规。长途旅行取价概廉，仅十分之一，且到处皆由党招待。党以服务为出发点，故受全国信仰，再过数年，党的精神可贯全国，党的名称即可取消。朱君之言如此，姑志之以告国人。

下午到教育部持驻我国意公使函谒教育总长Giuliano，即蒙亲自延见，谈一小时。彼英文不甚佳，未能达意，允另以文字告意大利教育概况。彼正读老子《道德经》（英译本），深佩中国哲学之深奥，甚感东西洋精神文明沟通之必要。关于意大利教育之改造，亦精神与身体并重。中小学中对于艺术，文学，哲学，科学等均极注意，不求高深学术，但须了解其精神，俾锻炼思想，体育则以青年团为中心，提倡户外运动。部中专为体育设一次长。（青年团称Ballila，系一少年名。此少

圣保罗教堂内部。

年在欧战时，因奥军占 Genoa 城，久驻不去，愤以石子击炮手，全城人民见少年如此勇敢，乃群向奥兵抛掷物件，以致奥兵不得不退。此勇敢少年之名，遂流芳百世。）

谈毕介绍往见体育专任次长（部中仅两次长，此其一），适公务甚忙，候许久，见许多青年团长官来谒，因夏间举行全国大露营十余处，正在接洽中，终由其秘书出谈，约定星期一往观国立体育学院，乃兴辞。（体育次长似比总长为忙，且似极受总长尊敬，时称 His Excellency，是否因党的关系，待考。）

意大利教育之改造，实由前总长 Gentile 负责（法

圣彼得前广场堂后为教皇驻跸所。

西斯蒂内阁第一任教育总长，今回任罗马大学教育学教授）。余在国内已熟闻之，故见教育总长时，即恳其介绍，并电话约期晤谈。内容容再报告。

罗马城，实受几重文化的铺叠。最早罗马帝国建都的遗迹均妥为保存。原有城垣除因交通关系拆去小部分外依然存在，其形式除城楼系堡垒式外，与中国都无甚差别。罗马时代的大建筑尚存者以Colosseo为最宏壮。此为可容三万人之大会场，运动会及各种庆祝典礼均可举行，大约是罗马时代群众运动中心，今大部分尚完整。至其他建筑物，在城内东一断垣西一残壁不可胜数，完整者多为坟墓。Colosseo附近有不少石柱及牌坊均尚完整。至最新之罗马建筑当推墨索里尼华表与运动场及国立体育学院，均在建筑中。

墨索里尼华表未设计以前，曾将罗马历代已竖立之华表一一测算（计凡十四），其高度自九点七米达至四〇点八米达不等，乃定新华表高度为四二点五，故高于罗马已有一切华表。其竖立地在罗马城外新区域，背山面河，风景绝佳。余往观时正准备奠基，巨大之大理石皆用专车专船运自阿尔卑斯山。华表之后将建一极广大之运动场。一九三六年世界大运动会将在此开幕。运动场后为一大森林，去年曾举行五万人之大露营。华表之左为将近完成之国立体育学院，院后有小运动场，均大理石制。四周及院中各处均置大理石像，意大利各城，每城赠一座，象征该城体育特色。此项新建筑可代新罗马精神，亦墨索里尼与法西斯蒂党之结晶品。

罗马城中中古及近古时代建筑物亦极多，尤以教堂铜像喷水池等为众，每数条街即有一座，不暇枚举。天主教堂达三百二十座，尤以圣保罗及圣彼得为最伟大，其中壁画均极精致。圣彼得在教皇禁地前，有一广场成

新罗马街市。

圆形，中立华表，极为壮观。近代建筑以欧战后之纪念坊为最宏伟，位置在城中心，前为依曼尼尔二世像，后为无名英雄墓，建筑概用洁白大理石，而各柱及像均涂金色，光辉灿烂，令人注目。

罗马交通以电车及公共汽车为主。电车有里圆路，外圆路及其他路线三十余，里圆路所取之道大约环绕旧城，城内概走穿城公共汽车凡十余线，不走电车，城外则电车四射，亦有公共汽车数线，另有长途电车及公共汽车若干线。主要路线一经认识，搭坐极易，电车及城外公共汽车车资概为三十生丁（合华币一角弱），穿城汽车如至城中心则五十生丁，如对穿则七十生丁。以上车资在星期日概加五生丁。此外有按米达付价之被雇汽车，在大街上均可雇到。

新罗马街市均颇宽大，但城中心之旧街有曲折窄小者，余往觅久不开会之国会及罗马大学，大学其无锡人团团转才找到。国会亦颇壮丽，惜有“室在人亡”之叹。大学建筑极旧，远不如我国中央大学，并北京大学而不如之，唯医科在城外，均新建筑，最新者为牙科学院，在建造中，系由柯达公司主人伊思门氏自杀前所捐。医科附有大医院，分部颇多。

城外新街市多有 apartment（公寓），亦有简单之工人宿舍，沿街多草地，电车道汽车道及人行道多分列。罗马市人口约百万，尚在扩张中，将来必成世界大都会之一。

意大利中国学生颇少，多学航空及军事，成绩均好，但均私费，近有一学美术者，在奈坡里开个展览会，极得意人赞美。又天主教大学，中国各省天主教会均派有学生来，共二十余，有中文教习余君系吉林人，未遇着。

七月十二日发自罗马。

意大利与罗马教皇

庄泽宣

读过西洋史的人都知道中古时代罗马教皇在欧洲的势力。凡是要夺到罗马帝国皇位的人必须经教皇的加冕才可以正式称帝，登了罗马帝国的皇位，便可以统一欧洲唯我独尊的了。

罗马是罗马帝国的首都，也就是罗马教皇的驻跸地。在第八世纪中叶，有一位皇帝因争皇位起见，便把罗马附近的地方送给教皇，到了十二世纪，又有一位皇帝拍教皇的马屁，把他的领土扩张到一万六千方英里，其中有人口三百万，于是教皇不独是罗马教的首领，且在政治上俨然成了一个太上政府。

自罗马帝国衰落以后，教皇在政治上的势力表面上似稍低降，实际上却依然存在，因为全世界的罗马教民

（大约有三百万）都听他的命令，各国国王，尤其是罗马教民多的国，不能不敷衍他，甚而至于仰仗他。罗马帝国亡后意大利便四分五裂，法国的势力日见南伸。法国国王看见可以利用教皇去扩充他的势力，就派了一万兵驻在罗马，名义上是保护教皇。

意大利复兴的三杰，马志尼，加富尔，和加里波的，很想统一全国重建意大利帝国，竟没有法子收回教皇的领土。幸而不久普法之战发生，法国把兵调回，才算收回了这块地。但是意大利不敢不维持教皇的尊严，仍旧允许教皇在他的皇宫和几个大的教堂有自主权，不受意大利的法律制裁，而且每年送他六十五万金圆的赡养费，准他接受各国大使的参拜。在意大利方面可谓仁至义尽，不料教皇大怒，拒绝这种办法，不理意大利。从一八七一年直到一九二九年，教皇与意大利处于对敌地位，虽则因为教皇没有兵力并没有惹起干戈，但教皇始终持“闭关”主义，自认为“皇宫里的囚犯”（prisoners of the Vatican）。每个教皇死后是由天主教中挑选的，五十年中换了五个教皇，都坚持这个态度。教皇并且命令意大利的教民不得参加选举或做官，各国国王去觐见教皇的不得去拜意王。在欧战告终举行和会的时候，教皇曾经设法叫威尔逊，路易乔治，克勒孟梭等压迫意大利解决这个问题，无奈意大利是战胜国之一，而罗马教皇问题与其他民族自决情形不同，以致无效。不过欧洲大战是与教皇大有利益的，因为欧战前俄国皇帝同时是希腊教的领袖，德国皇帝同时是路得教的领袖，土耳其王同时是回教领袖，都被欧战推翻了，罗马教皇还能巍然独存，因此连与教皇决裂的法国和自有国教的英国都派大使常驻教皇宫庭。

一九二二年今教皇即位，刚好不久墨索里尼当政。说来也奇怪，墨索里尼未当政以前是反对罗马教及教权扩张的，当政以后看见教皇势力可以利用来增加他个人专政的势力和意大利在世界上的地位，便一反初衷。他曾先发表罗马教是罗马帝国和罗马文化的保护人，饮水思源，意大利应尊崇罗马教义，继而恢复十字架的供奉，各学校均须增加罗马教义一科，并且停止一切反罗马教的活动，甚而至于禁止批评罗马教义的言论与刊物。

一九二六年墨索里尼开始派人与教皇代表议和，到一九二九年居然签订了三个条约。在政治方面，不独意大利承认了教皇的独立行政权，恢复了领土治理权（虽则不过皇宫附近四分之一方英里的地方，和加多几个教堂），意大利还须派大使常驻教皇宫庭，而教皇也派大使到意大利宫庭，且为各国大使的领袖。在经济方面，意大利给予教皇八千七百五十万金圆，教皇及各主教年俸从优，同时主教就职时宣誓忠于意大利。在宗教方面，罗马教成为意大利国教，一切学校概须有罗马教义，一切课本必须经教士审查。于是教皇恢复中古时代的地位，世界各强国除苏俄及美国外，均派大使常驻教皇宫庭，散在各国的罗马教势力自欧战后也一天一天的扩大。凡是罗马教民与某国主权发生冲突的时候，教皇每出面干涉。说者谓中世纪宗教与政治不分的现象，或将重见于今日。

七月十二日自罗马发。

弗罗伦司
——世界艺术之都

庄泽宣

自罗马车行六小时即达弗罗伦司（意名 Firenze）。此城虽创立于罗马帝国时代以前，但自帝国崩溃蛮人南侵后，史绩已湮没无遗。直到查理大帝方为之建设，成一公国，但政权之争夺扰攘不已，于是一度入教皇之掌握。十四世纪始渐独立，称 republic，后有富商 Cosimo de Medici 推翻政府，攫得政权，此城遂成其家天下，数传至一七三七年，因无后嗣，乃由 Ausrto-Lorraine 朝代之。Medici 朝已开始奖励艺术，此朝更为之发扬光大，艺术家群集此名都，为不朽之创作。十九世纪中叶，意大利统一运动澎湃一时，弗罗伦司遂于一八六〇年成为意大利之一部，而一八六四至一八七四年且为意首都，一切艺术作品皆妥为保存，均甚完整，且继续提倡，后起作家踵接而来。意大利文始于但丁，但丁为弗人，故弗城之意语为全国之标准语，欧洲文艺复兴运动始于意，而此运动实以弗城为中心，今日城中许多建筑皆文艺复兴时代之遗留物。

弗罗伦司 Uffizi 世界艺术宝库。

在罗马可以看见耶稣纪元初年时代及耶稣前罗马帝国之遗迹，在弗城则充满文艺复兴前后之作品。当时之建筑雕刻油画名家，群集于此，Medici朝既富于资又善养客，艺术家钩心斗角，各显其能，虽一技之长者亦尽竭心力一显身手。今日弗城之博物院艺术展览所达三十余，任何一所几均可当他城之博物院所藏者，一一参观，匝月不已。其中最著名者当推Uffizi及Pitti两展览所及Medici王宫。

Uffizi所藏者分油画，雕刻两大部分，均十六七世纪艺术最盛时代名家的手笔，可称无价之宝，惜余系门

弗罗伦司Arno河风景（屋为记者寓所及文化促进会会所）。

外汉，不能描写其万一。内容多宗教故事。Pitti 所藏者分近代画，古代画及用器三大部分，近代画及雕刻系最近二百年者，凡作品有收藏之价值者皆搜入，有近至一九二八年者。古代画及雕刻亦十六七八世纪作品，内有一室藏炭画及刻画。Pitti 展览所本为富商 Luca Pitti 之住宅，于一四四〇年建造，彼意欲与富商 Medici 争胜，故装饰及用具，穷极奢侈。大理石之大浴池，色碧绿，水晶，玛瑙，宝石之装饰品不计其数。大理石上之色画，尤其精致。一藏首饰之大箱四面玲珑，各有机关。钟表亦甚多，今犹有在走者。宫后有大花园，有石像甚多，

弗罗伦司城中著名大石像会集处 Loggia dei Lanzi。

布置曲折。Medici 王宫更为壮丽。此二宫比之北京宫殿所藏尤富，而建筑更适于起居，中国的皇帝远不及弗城富商生活之舒服，宜乎资本家与专制魔王并在打倒之列，应一切供大众享受。

弗城教堂及 piazza（即街中方地）亦富艺术性。教堂最大者为 Santa Maria del Fiore，在城之中心（各路电车多始于此），四周均有色大理石，大门雕刻极为精致。其旁有高塔，亦有色大理石制，上有许多石像。正对此教堂为圣约翰洗礼处，亦全身大理石，最名贵者为八扇铜门，雕刻之精细，几出于天手，尤以正对教堂之两扇上圣经故事为无价之宝，称“天堂之门”。此外名寺甚多，著者凡十三所。余曾赴 Santa Croce 瞻仰，为名人葬地，艺术家多藏身于此。其中各祈祷处之壁画多为葬者生前手笔，均宗教故事。寺旁有宗教博物院藏寺内历代用品。S.Miniato ai Monte 教堂在一小山上，登之可眺览全城，风景颇好，piazza 以 Signoria 为最著，其旁为 Loggia dei Lanzi，四周有大石像多座，皆名家巨制，为他处所不可得。

弗城至今为艺术中心，艺术展览场中时见作者临摹。沿街出售大理石像亦有多家。各伟大作品之摹本摄影及印本到处可购。此外如各种台布，手巾，草帽，织物，料器，及皮革用品皆颇精致，价亦不昂。皮革制之各种手袋，花纹甚美，而皮制书面（可插书之封皮于内）尤为别致。道上一草一木皆具艺术风味，行一二条街即见石像或芳吞（喷水池名称太俗），尤以一处一铜人踏一兽，兽喷水至铜人腹际，而铜人则自口喷水还之，最可爱。每年弗城必举行各种艺术比赛，最近曾有花木布置比赛，大小奖牌百余，各商店住宅之隙地墙角及露台上，到处皆见美丽之花。余等至乡间小学，校舍四周亦遍植花木，山上黄花遍野，令人注目。

Arno 河穿城而过，有长桥十余，其中一座为古代遗物，在十四世纪以前已经存在，桥上两旁多首饰店，颇为别致。河之两旁皆有大道。沿河皆有电灯，夜间风景最佳。余之逆旅即在河旁，适遇近望，月色灯光，几疑人间天上。唯廿五年前在西湖公园旁朱氏家祠中消寒时差堪比拟。

七月十七日自弗城发。

从意大利到瑞士

庄泽宣

上次通讯发出以后，我就准备离开意大利到瑞士来，临行的前一日又去参观了一处博物院一个教堂一所职业学校。

这一处博物院也是旧王宫称 Palazzo Vecchio，是十四世纪王朝开国会的地方，除各种石像雕刻壁画装修等富丽堂皇以外，可注意者为开会时的大厅，可容千人，四面装饰及壁画甚为精致，宫顶有一高塔，据云当时作瞭望及防守的用处，到上面可以看见全城风景。

所参观的教堂是 Medici 王家教堂，计分前后两个：前面的较大，装饰也极考究，尤以两个铜棺上雕刻最细致，出自艺术大家 Verrocchio 手笔。后面的较小，但王子的祈祷处布置极雅，而里面的两个王墓前四个铜像为Michelangiolo不朽之作。其中两个在Lorenzo王前的表示“朝”与“暮”，两个在Guiliano（大约是Lorenzo的后妃）前的表示“日”与“夜”，寓深刻的象征，Michelangiolo可称空前的艺术家。在弗城Arno河

Medici教堂内王墓前石像表示“朝”与“暮”。

旁土丘半山上有他的石像，甚为伟大，他像的下面也有“朝”“暮”“日”“夜”四像，大约是后人仿作的。由此可见这四个像是他最精心的作品。

职业学校系弗城市立的，但中央及省均有补助，计一九二九至三〇年度，全校经费六十五万余里拉，市的负担达五十五万，中央补助六千，省补助一千，省建设改进会补助四万，其余团体补助近六万，该校成立已三十年，近市政府拨四百万里拉在郊外建一新校舍，已将完成，不日迁去。校内课程分初级高级特别班及补习班。初级四年收小学毕业生，高级三年收初级毕业生，特别班有关于航空之机械驾驶与无线电专班，有为青年团准备电机机械教师的专班。补习班收学徒，多在夜间上课。初级部学生二百三十九人，高级部五百八十九人，其他三百〇六人（均一九三〇至三一年度）。闻全国此类学校在百所以上，高于此的尚有高级职业学校及专科大学。

自弗城行七小时达米兰，为意大利工业中心，沿途穿山过岭，风景非常之好，尤以 Tuscany 省（即弗城所在）为最佳，小溪流下甚急，有数处成瀑，河面亦有颇宽处，急处多利用水力发电，各城多尖塔的教堂及古式建筑物。即乡村农家也多五百年前旧居，果树颇多，闻稻田亦不少，近来意政府颇提倡吃米。在米兰停一小时换车入瑞士。自意至瑞士有两条火车路，均穿阿尔卑斯

Medici 教堂内王墓前石像表示“日”与“夜”。

山脉，一向西北称 Simplon 道，一向正北称 St. Gothard 道，前者达法境，后者即穿瑞士至德国。我所走的是前者。

意大利实在是阿尔卑斯山脉以南的一个半岛，深伸入地中海，成一靴形。海岸线虽长，但是没有一个大洋的海口。地中海四面都是英法两国的势力，这是意大利最焦虑的一件事。法国以欧洲大陆盟主自居，对于其他大陆国均极妒忌，德国既倒，只有意俄可与抗争，因此意德俄近颇有联合的趋势，而意对于其他小国也时时暗送秋波。英国向来滑头，总不愿欧洲任何国强过他，德国强时便帮法，法强了又帮其他各国，但又不愿其他各国强起来，左拉右扯，无非想维持他在全世界称霸的地位。

瑞士全国非山即湖，风景之佳冠于全球，这是人人都知道的。可是我看起来，瑞士像一个城里的摩登女子，而意大利北部却有乡村姑娘的丰姿，天真烂漫，秀丽可爱，瑞士对于游客的招待旅馆的布置闻名天下，但非钱不行，接待客人虽极周到，未免有点假殷勤。意大利小旅舍中则有家庭风味，待人似乎真诚一点（尤其是我在弗城的经验），而取价也不昂。意大利北部山海相望，空气最清洁，因此天色是纯蓝色，恍如一幅图画，宜乎艺术之所以发达。

瑞士虽是一小国，但行共和政体最早，人民最富于民主精神，各地人民均有创制复决等权。以宗教而论，有天主教，有基督教，有其他各教。以语言而论，有说德语的（百分之七十一），有说法语的（百分之二十一），有说意语的（百分之六），有说其他语言的。一切布告都用德法意三种文字，以不同的人种合组而成，但均相安无事，可见民主精神的弥漫。第四世纪以前，瑞士是罗马帝国的一省，第四世纪后日耳曼人南侵，瑞士首当其冲，罗马帝国渐失其统治力，而日耳曼人又无组织，瑞士便一处一处自治起来。到日耳曼替了罗马帝国称号以后，便来压迫瑞士。瑞士不胜其扰，三省首先联合起来宣告独立，成为共和邦，时在十三世纪。到十六世纪，加入联邦的有十三省。自十三世纪到十六世纪，极受四邻的侵扰与利用，于是在十六世纪的时候，宣告永久中立，人不来犯也不相侵。于是政治及经济，一天一天的进步，成为欧洲中心的一个重要国家。

瑞士现有二十二省，各有自治权，联邦政府执行委员有七人，以一人为主席为对外元首，但一年一任，瑞士教育素称发达，人民无不识字，小学教育极为普及，中学亦多，大学凡七所，另有工商专门学校各一所。除一所工业专门以外，均属省立，中小学程度及课程颇不一致，但各有其向前试验的精神。大学程度较为整齐，内容均好，惜我国学生极少，共计不过二十余人。

七月廿日自日内瓦发。

卢骚学院与国际教育局

庄泽宣

余在国内即久闻卢骚学院与国际教育局之名，中山大学教育学研究所曾与国际教育局通信多次，并代为访查中国儿童读物，列单备购，该局知余来欧，函嘱到后即去晤谈。余因于抵日内瓦时即往参观。

卢骚学院系二十年前二三教育学家私人所组织，以实验心理及新教育之提倡为其主旨。对于儿童幸福及世界教育思潮极为注意。研究生来自四十余国，毕业生散布各处，时与母校通消息，因于一九二六年成立国际教育局，谋各国教育学术之沟通。该院有图书室实验室及附属实验学校，该局则有藏各国教育法令及儿童读物之专室，两机关人员多通用，虽在名义上，该院自一九二九年后成为日内瓦大学之一部分，该局则为独立性质，而实验学校则属于日内瓦省。该院工作多系专门性质，兹不赘述。余承该院之招，于翌日参加该院暑校聚餐会，员生三十余人，来自十余国，多以法文交谈，颇尽一夕之欢。

在日内瓦的卢骚学院。

该院藏书及设备实不及中山大学教育学研究所，然其工作成绩昭著，实以二十年来人员及方针一贯不变，且不受政潮影响。中山大学教育学研究所成立四年余，今幸已引起国际教育学者之注意，但望能继续工作，在国际学术界中取得一地位，则同人之愿也。（编者按，作者为中山大学教育学研究所的创办人。）

该院实瑞士新教育运动中心，亦欧洲新教育运动中心。而该局在国际上联络亦极活动，爰为之记。

七月二十日自日内瓦发。

国际联盟与知识合作委员会

庄泽宣

国际联盟的性质与工作，国内的人已经都知道了，不必我再讲。我这次到日内瓦对于国联本不十分注意，不过到的那天，刚巧开大会通过请土耳其加入联盟，承友人的好意，为我索得一张旁听券，因此也就去看了一下。

国联现在开会及秘书厅所在是租的一家大旅社，其他各部分则租附近一民房，只有劳工局是新建筑。联盟会所也在建筑之中，不久可以迁入。全体大会会场因原有旅馆没有这样大的地方，就在旅馆旁添造了一座。除会场外，有食堂邮局新闻记者室会客室及不少的打电话小房间与发电房。新闻记者室内有布告板，每次开会演说辞讲完后，如系公开的立即打出英法文的贴在布告板上，大家可以抄看，可以不去会场而得其全豹。会场中仍有新闻记者席，另有旁听席不少。每国出席代表可有二人至三人，专门委员二三，但表决时一国一票，但澳大利亚加拿大印度均有代表及投票权。

开会时间原定三时半，但至三时三刻始开。开时由大会主席（比利时外交总长）宣布今日议程为请土耳其加入及延迟常年大会期二案，旋即宣读与土耳其往来函电，继请大家讨论应否邀请，竟无一人发言，乃宣布表决，表决法系按国名字母唱名，由首席代表答“是”与“否”，计到会者四十三国均答“是”，于是宣布通过。旋即宣读土耳其所派代表为何人，并报告已经代表资格审查委员会审查，即请审查委员会委员长登台报告，并无异议。乃请土耳其代表入场，全体鼓掌欢迎。主席致欢迎词，历述土耳其对于世界和平运动的功绩及今后对于国际工作的希望。土耳其代表起至主席台前作答辞，就此闭幕。我们算看了一出戏。第二幕系将常年大会期由九月初改至九月底，这是因为现在举行各种减军会议经济会议等尚无结果，而中日问题报告亦未草成的缘故，也没有讨论便通过了。大抵大会以前一切都已接洽妥当。

我到的那天又值国际知识合作委员会开会的第一天，这次系常年大会，重要议案即为中国教育调查报告，即去冬国联派去中国的四个专家调查及建议。此案在第三天讨论，我也去旁听了一小时许，委员会主席系Murray教授（英国牛津大学名教授），委员中唯一女子系法国科学家居礼夫人，其余都是各国著名学者，如法国的班乐卫先生等。我国委员本是吴稚老，但每年开会均未出席，此次由前苏省教育厅厅长陈孟钊先生代表。讨论该案时先由调查团主席培克博士报告。首述调查行程，次言中国招待的周到，再讲中国近年的进步，深赞少数学校设备的优良与欧洲最佳学校不相上下，继言中国地方之大，教育问题之复杂，及方案推行之不易，末以中国教育受外国制度影响之不幸，及创造适于中国文化的制度之必要，颇为恳切。至详细报告，已印专书。后由调查团中法国委员郎极万教授及意国同去的沙提氏等相继发言，但无甚讨论。我们又好像看了一出戏。

联盟大会分会及各委员会开会时，发言者多用法文，均有人译英。用英文者则有人译法。幸国联初成立时德不在内，否则必须三国语言，更费时间。国联开会及办事等均不注重形式，各地方装饰也颇简单。会所之前有一“纪念威尔逊碑”，因国联是他发起的，但美国至今未加入！

七月二十日。

瑞士教育一瞥

庄泽宣

瑞士教育颇为普及，但二十二省各有其学制，中小学年限课程颇不划一。日内瓦省小学六年，中学分两级，初级三年高级四年（女子中学少一年）。高级中学多分古典文，近世语，科学师范等组，唯义务教育期限由联邦政府规定自六岁至十四岁，小学不收费，而受联邦政府之津贴。男女同校虽为法律所不禁，但中小学同校者颇少，公立中小学大都只收通学生，私立者则多收寄宿生。公立中学有不收费者，即收费亦不多，私立者则收费颇大。唯私立者收寄宿生，除上课外予以生活上的训练，且有广大场地注重体育，故亦极为发达。课程中近世语颇为注重，各国来学者亦颇不少。

余来日内瓦，本拟参观各级学校，惜均已放假，唯为体弱儿童之露天学校尚有儿童上课，不放暑假，承卢骚学院之介绍，得教育局之允许，特往参观。该校在日内瓦近郊，场地颇广，但房舍极为简单，仅木屋数间而已。学生五十余人，分六级，上午有法文数学手工（女生有家事）图画等课。中午由校供膳，膳后有睡椅可昼寝，睡醒后有各种游戏。男生有露上体者，女生亦四肢齐露。学校空气似不及意大利者之紧张，各生工作自由，不穿制服，亦无军队式之组织，此瑞士教育精神上与意制之异点。

卢骚学院附设之小学系半公立之性质，注重学生自由工作，虽未上课，但有成绩展览。初级小学称“小舍”，收三岁至八岁儿童，方法与蒙台梭利者大同小异，但教授用具有许多新发明者，对于儿童文学上艺术上及工作上创造性特加提倡。高级小学收八岁至十二岁儿童。成立仅二年，亦注重自由与创造。此二校已成为欧洲著名之“新学校”。

日内瓦有一特殊学校称“国际学校”，系由国际联盟，国际劳工局及其他日内瓦国际机关共同发起，经费纯靠捐款，教师及学生来自各国，成立于一九二四年，教授用英法两种语言。此校寄宿制，对于体育及人格训练极为注重，方法及内容亦采取新教育精神，教授方面颇受卢骚学院之指导。惟收费颇昂，年须四千瑞士法郎（约合华币四千圆），学费膳宿等均在内（其他费用在外）。通学生则收费自一百五十至三百二十五法郎不等，视年龄而异。内部分三级，初级六岁至十岁，中级十岁至十四岁，高级十五至十八岁，毕业后可直入瑞士各大学，其他欧洲大学入学资格之取得，亦在交涉中。校舍系旧住宅改建，由美人捐资购得，颇为壮丽。

瑞士小学校。

瑞士对于职业教育亦颇注意。瑞士钟表闻名全球，尤以日内瓦者为最著，故日内瓦有钟表业专门学校，余特往观，惜在假中，未见学生。该校内设有钟表博物院，内藏古今钟表数百种，大小精细形式各各不一。西洋最初计时法系用两个玻瓶漏沙，原理与中国铜壶滴漏相同（广州有铜壶滴漏此博物院无之）。最初之表在十四世纪，系表形日规，但已有一至十二钟头符号，十五世纪开始有钟，十六世纪始有表，但极笨大，直至十八世纪始渐精细，此余参观该院所得，不知可靠否？

七月廿四日，日内瓦。

从瑞士到法国

庄泽宣

瑞士西部实与法国无异，人种语言风俗人情无一不与法国相同，因为历史上本极相关而同一来源的。从日内瓦到法国边境不过数英里。如在日内瓦乘汽车到乡下去玩，所走的路随时可出境入境。境界的划分本没有天然的界限，所以在日内瓦出去玩不可不把护照带在身边，出境入境都会要看。如带行李，海关也须检查。

我这次自日内瓦到里昂，三等票只须七个瑞士法郎。在日内瓦买票到法国去，瑞士法郎法国法郎车站上都收，据友人告我，用法国法郎价或稍廉，因为铁路公司是法国人开的。我未出国以前，听人说法国火车最龌龊，三等车最坏，这次到车上一看，也还可以过得去，比之中国二等差不许多。长途火车上三等车也有房，额定八人一间，但六个人坐便算多了。同路一对夫妇，一位教士，还有一位太太带了一个“囝囝”。

火车走了半个钟头便出境了。到法国的第一站叫Belleguard，瑞士和法国的海关人员和检查护照的一一上车来查物。记得在意大利上岸的时候和从意大利到瑞士过境的时候，海关人员都只问带有香烟没有，并没有打开来看，这次法国人居然要看，但也只打开一只小箱子，大箱子未动。不过同车上的人带私货的，我相信一个没有，同胞们西来的切不可乱带，万一查到了，与国体上很不好看，罚款犹在其次。法国海关人员对于火车四角可带私货的地方倒很注意，但也没有查到什么。

同车的小姑娘，只有两岁多，但极活泼可爱。初看见我这个“洋鬼子”，有点怕，后来同我熟了，也来同我玩。我是向来喜欢小孩子的，可惜法文已经忘记干净，尤其对小孩子讲的话，一句也说不上来，只好在皮包里拿点有图画的书出来给她看。她看了很高兴，但老是问她的母亲，为什么我不同她说话？她岂知我这个“洋鬼子”有说不出话来之苦！

自日内瓦车行三个钟头便到了里昂。里昂共有三个站，第一站未停，第二站在城中，友人嘱我勿在此下车，须到第三站始下，因离大学较近。车入站后，便见中山大学两个同学来迎。中山大学在创办的时候，便与里昂中法大学发生关系，派了几十个人来留学，近年以经费困难，人数渐少，但也还有近二十人。

他们已经替我定好了一家很好的旅馆，我们便把行李拿到这家旅馆的接客汽车上，同到旅馆里去。这家旅馆叫 Royal Hotel，在城里广场上，是里昂一家有名的旅馆，有百余间房，最好的取价百五十个法郎，饭食不在内，但有浴室。近来欧洲经济状况极坏，游客不多，因此减收八折。我住一间三十法郎的房，实收二十五个，还不算贵。每间房均有电话，除洗面盆外还有洗脚盆，其作用不言而喻。

在旅馆休息片刻，便同两位同学上山到中法大学去拜访同胞，中法大学情形容另详。山上市面也还不小，不过道路多旧式，因为里昂旧城本在山上，还有不少罗马时代的遗迹。山下的市是新开辟的，道路整齐，但比瑞士的清洁似乎差些。法国和意大利间除阿尔卑斯山外，便是里昂附近的山，所以阿尔卑斯山是法国第一道防线，里昂附近是第二道防线；山上炮台颇多，在军事上甚为重要。中法大学便在一个旧炮台上，欧战时美国军队曾驻在该处颇久。

七月廿四日里昂。

法国教育的猛进

庄泽宣

法国教育素称保守，行政集中，方法守旧（参看拙著《各国教育比较论》——商务版），但近年以来亦渐醒悟旧日之非，余未抵里昂之先，即承同事崔载阳先生（里大哲学博士，对于教育学极有研究）函托里大教育学教授转向行政当局接洽，俾到各中小学参观。法国教育行政系行大学区制，大学校长兼任教育行政长官，但一切事务几全由大学区视学掌理，到后复承里昂中法大学秘书长刘厚先生直接函致区视学，当由区内派一小学视学员 Lebosse 先生招待。法国区视学之下设若干小学视学员，唯实际上小学视学员权颇大，实等于中国之教育局长，每一小学视学员管理五六百间小学，一切行政及计划几完全在彼手中，区视学实区办事处行政人员兼视察中等学校而已。

余抵法时，中学均已放假，小学亦大部分已放假，仅有少数小学尚有学生。Lebosse 先生引导我到郊外参观一男子寄宿式小学，一女子寄宿式小学，此二小学均称 Ecoles en Plein Air，有译为露天学校的，名称实不符，或可译为山林学校。校址均在山林间空气最清洁处。男校系新建，成立已二年，女校系由旧住宅 Chetean 改建，成立未满一年，两校办法均与在意大利所参观之露天学校大同小异，或亦受意教育新趋势之影响，或为全欧新趋向，要皆为打破旧日书本式教育，而作生活上整个训练，对于身体发展之注重尤甚于心智发展。两校均有空地极多，学生时在新鲜空气中工作及游戏。宿舍如医院，窗户虽严冬不闭。来学者多身体较弱之儿童，但家长愿送来者虽身体强的亦不拒绝。学生每人须纳膳宿费月二百四十法郎，实际上需费颇大，全由公家支出，而家贫者尚可减收。女校校舍建筑已五百年，内容颇为富丽，原主人系十五世纪以来旧家，但闻子孙多不务正业，犯案颇多，尤以诱奸妇女为著，由政府没收其产业，充作公用，亦社会集团化之一指数。

归途过一大规模之人造丝厂，厂旁附有工人子女学校，校舍颇大，由厂建造，唯教员薪水仍出自政府。此校男女兼收，但仍分班。法国通例中小学均男女分校，此校因附近无小学，为便利工人子女求学起见，特变通办理。校中有中国儿童二三人，大约系留法华工之子女，在厂内作工者，与谈华语，瞠目无以对。又经过一儿童乐园，亦富商捐建，成立不久，保幼稚生游戏之用，亦有风雨操场，墙上标语颇多，教儿童如何清洁身体，保护动植物等。

七月二十六日里昂。

尼司风物与新教育会议

庄泽宣

世界第六次新教育会议从七月二十九日晚上开始活动，我因在里昂吃同学姚君的喜酒，直到那天下午七时半才赶到尼司（Nice）。讲起尼司这个地方是很有趣的。它是法国东南角上的一个小城，人口约二十三万。再过去便到了世界有名的最小的小国 Monte Carlo，过了这个小赌国便是意大利。从前这个地方本是意大利的，在拿破仑三世的时候，意大利因为统一运动，需法国军队的帮助，就把这块地方做了交换条件送给法国。这块地方背山面海（地中海），气候在冬天不冷，是欧洲避寒胜地，百花终年盛开，所以附近有法国最有名的香水制造厂，夏天气候也不算热，比上海还凉爽，晚间可以盖夹被，夕阳西下的时候海滨游泳的极多，因此旅馆有三百多家，公寓还不在内，据说盛时冬季游客可达三万，近年不景气弥漫西欧，但夏季来游的也还不少，尤以太太小姐们为多。我们到海边一望，便可看见许多穿游泳衣浸在水里的，穿大脚裤子坐在海滩上的。甚至在马路上也时时看见穿大脚裤踏空头拖鞋，足指上还涂上鲜红的胭脂，真是资产阶级的消金窟！小赌国的赌场固近在咫尺，就是海边上也有赌场。

我们到的晚上，尼司市长便开茶会欢迎，市长住宅前的花园里用不见灯头嵌在树上的电光反映出各色光线，酒及汽水任客自便，园内乐队徐奏，一会儿木履高邻便拉了市长出来照镁光相。我们在园内走了半点钟，便不辞而别。第二天早上大会开幕，以地主关系推法国人主席（即国联中国教育团团员郎极万教授），照例拿了一大叠打好了的稿子宣读开会辞，次由副主席培克及布肥（Bovet）两先生演说。培克就是国联中国调查团团长，讲时不用稿子，先用德文讲，再自己译成法文，表示是一个精通语言的德国人。（他是柏林大学阿拉伯文教授，上次到广州时，记者亲闻他用阿拉伯文与回教领袖谈话，他的英文也很流利。）还有一位副主席本是伦敦大学纳恩教授，可惜开会前病了，于是请日内瓦卢骚学院布肥教授代替。这位先生不用稿子，用法文随便说了几句话，表示他是一个爱好自由的瑞士人，最后讲话的是新教育联会伦敦总会主干恩宅太太（Mrs. Ensor），用很漂亮的英国话宣传一番，虽没有拿住稿子讲，却印好了一份法文的，分给不懂英文的听众（要出钱买的），表示一个讲生意经而又目空一切的英国人。（读者注意：这一段望勿译成西文，以免引起误会。）

这次会议出席的有四十四国，计共一千二百人。每日日程大致相同。早晨九至十时举行分组演讲会，十至

尼司海滨风景（× 为大会会场）。

十二时同时举行分组讨论及研究会。下午天气较热，到五时至六时半有各国新学校生活影片或报告。晚八时至十时举行全体讲演大会，每晚约二人，多各国教育名家，在讲演前有音乐及会员合唱。分组讨论会有文化与职业教育组，家庭教育组，休闲教育组，师范教育组等。分组研究会则有法美德三国新教育三组，儿童心理及心理卫生组，个别教学组，德可乐利教育方法及其应用组，蒙台梭利方法及其应用组，儿童创造性表现组（音乐，舞蹈，艺术，图画等），科学与新教育组，文特的卡方法组。研究会由专家主持，每日不换，几等于上堂听讲，有时附以练习及实地观察。早晚演讲亦无甚讨论。此外在星期日有交谊会。

中国此次出席者有前江苏教育厅厅长陈和铣君，前北平研究院教授郑绍文君，里昂中法大学校长孙佩苍君，留法生物学家朱希君，青衣专家程艳秋君（均由李石曾先生邀来），前岭南大学教授何艾龄女士（何东的女公子）及记者共七人，前五人均已在欧洲数月至数年不等。日程中排定由陈和铣君作一早会演讲，嗣陈君改请程君讲。记者承会中邀作一晚间演讲。何女士也承会中邀作早会演讲一次。

演讲及讨论多用法文，英文次之，德文最多。研究会则看主持的是那一国人即用那一国文字。唯蒙台梭利夫人虽是意大利人，却用法文。第一日演讲用一种文字的即译成其他两种文字，后以费时太多，且到会者多懂两种或三种文字，于是就不译了。蕞尔欧洲，语言上的麻烦竟如此！

会中琐记

庄泽宣

这次国际新教育会议，除演讲讨论研究会外，有两次交谊会。一次本为大会会员互识的会，可惜会员有一千多，而且那天早上因为法国教育总长赶来到会，所以不得不请他演说，他所讲的当然是一番表面很中听而实际上并无意义的话，但因此占去大半时间，结果交谊目的全未达到。一天是尼司本地人的各种表演，有音乐，有跳舞，有对唱，有游艺，全用土语，虽懂法文的人也不解所云，但颇饶兴趣。此外奥国维也纳有一班青年“游鸟”（德奥青年运动的旅行团，读者可参看中山大学教育研究所丛书之十五《德国青年运动》一书——民智书局），在一个下午向会员作各种歌唱及表演，他们来的时候是步行的，计十个男青年五个女青年，由一位教授率领沿途表演，集资以供膳宿，借此可见欧洲大陆青年刻苦与冒险精神。

会中两次旅行，一次是到附近一海滨及参观著名香水厂，我因准备讲稿未去。第二次是到小赌国及意大利边境。上午九点半乘大汽车出发，沿 Grande Coniehe 大道盘山而过，此大道为欧洲南部 Riviera 著名的风景，美丽的汽车道，沿路可望地中海及海滨各城镇乡村，中途过一罗马古城，城堡及街道遗迹犹在，有一泉源自罗马时代发现，数千年水流未息，中午过赌国边境，达法国边境一镇，称 Mentone，稍息便向意大利边境出发。

小赌国的大赌窟外景。

因过境时须检查护照，我等在后，竟候到两小时，有人说意大利向不与新教育表同情，所以故意留难，不知确否？在意境 San-Remo 停一小时，向后转到小赌国去。

这个国可称世界上最小的国，周围只数方里，靠赌吃饭，不过近来因海滨浴场及风景，吸引游人也不少。国名 Moraco，内有三城，以 Monte-Carlo 为最大，内赌场颇多，以 Casino 为最大赌场，外面有大花园，内部富丽远胜皇宫，入场须购一十法郎券，下注则以四法郎起码，但多为数十或数百甚至数千为孤注之一掷。赌法亦很简单，一个盘上有一至三十六号码，一个皮球滚到那一号，那号下注的便得三倍，与在里昂附近的相同。我等到时在傍晚，赌者不多，闻夜间较盛，但夏季赌客终不及冬季的多。

会议期中除正式演讲讨论研究会外，尚有数次非正式的小组讨论会，我得参加的计有两个，一个是远东教会事业讨论会，由一曾在中国生长的美国人发起，到会的有英美印度及中国人。他们问我们对于教育事业的意见，我们虽未畅所欲言，但指出他们许多不对的地方，如派人不当，不研究远东固有文化，不了解我们的思想与生活，只知传教讲道而并无像耶稣那样的高尚人格与牺牲精神……等等令彼等汗颜不置。

另一次非正式讨论会系由会长召集各国领袖约三十人，远东各国仅我一人。所讨论的题目是这次大会的重要结果，经两次的详细讨论，将大会结果分成三类，即共同意见，未决问题，及个人贡献。共同意见在消极方面为对现状的不满，所谓现状不仅是学校制度，实指西洋整个文化而言；在积极方面为指出不仅学校，其他社会一切机关均负教育责任，对于受教者应将世界上的一切和盘托出，不可因偏见而隐藏，且须将不同的观点，甚或相反的主张一一举出，同时应告以相恕相敬的精神，对于儿童的人格及其全部的生长应予以自由的充分发展等等。

下午的演讲中有一次系苏俄教育现状。此次会前，曾多方设法邀俄国参加，乃俄国答复以经济状况不容许派人参加为辞，终无人来。此讲演系由一新从俄回的美国女教育家 Luey Wilson 担任。伊曾赴俄三次，对于俄国教育深表同情。据言近年以来，不独方法上新颖，即新建筑的校舍也不少，每年教育费达二十万万美金，最近的重要发展系实业界与学校的沟通与联络。其法系由各农场或工厂欢迎学生往作详细的参观，甚至允许参加实际的工作，而在农场和工厂的文化方面，则由学生为之担任，如各种广告及说明书，识字运动，图书的供给，通俗演讲等，均为农工阶级感到迫切需要者。因此关系非常密切，农工知识既因而提高，而学生对于社会实际状况亦借此而得到深刻的认识。

巴黎与伦敦

庄泽宣

巴黎与伦敦我们同胞到过的很多，见之于记载的也已不少，当然用不着我来多讲，只就我所见到的随便谈谈。

大家一般的观念都以为巴黎是世界上最繁华的地方，其实照我的经验，巴黎与其他名都比，如伦敦纽约，也不见得怎样热闹。也许在数十年一百年以前，巴黎胜于伦敦纽约，在现在看来，或者有所不及。以人口而论，伦敦纽约争称世界第一，都比巴黎多。以建筑而论，巴黎的房舍大都是四五层，伦敦的就有十层的，纽约的还有近百层的。以公园而论，巴黎四郊虽有大森林，城的中心并没有像伦敦的海特公园，纽约的中央公园那样大的公园。也许在冬天，到巴黎来化钱的人，比到伦敦纽约的多，各种玩艺儿多些。法国的香水，巴黎的时装，也许能撩人心乱些，但照我看来巴黎的极盛时代似乎已经过去了，即在战前柏林与维也纳已能与巴黎争呼游客，不幸的是欧战以后，德奥两国受重大打击，以致巴黎还可在大陆上保持首都地位，但靠兵力来维持，也就可怜了。

还有一层大家误解的，是以为法国女子最会化钱，其实在法国化钱的，多半来自国外，法国女子，尤其在战后，实在很节俭，绝对不肯乱化钱。法国人的经济，在我所经过的国家可称第一。以吃早饭而论，法国人大都只吃一杯咖啡一两块面包，连牛油都少用，决不像英美人非火腿鸡蛋不可（近来伦敦的人也有多用“大陆式”早饭的）。以电梯而论，多半由乘者自己开，而且只是上去的时候用，下来的时候总是走的多，法国人吃的面包又粗又硬，据说在战前面包是很好的。以街上灯火而论，远没有伦敦纽约的光耀，在大街上，店铺的灯已较少，街灯且因此而减少。在电车里，多半是站着的，只有老太婆坐下，因为有些电车上的坐位是要另外出钱的！巴黎的地道车极简单，路程无论远近，价钱一律七十生丁（约华币角半），在早晨九时前，为优待工人起见只需八十生丁便可买来回票。法国在战后是战胜国，然而如此经济，无怪今日在欧洲是最富的国。可是法国用在国防和军事上的钱也真不少，据说与德国交界的地方，暗筑战壕甚多，与意大利交界的地方也是如此。

巴黎的中国饭店几乎全是北方人开的，这些人大半是勤工俭学和参加欧战流落在法的华工，只有在留西外史中占重要地位的万花楼是广东人开的，其中有跳舞厅，中国政治舞台上许多名人在此消夜过。伦敦的饭店大半是广东人开的，照顾的多是南洋一带跨国籍的华侨。

巴黎的中国学生，据说盛时有一两千，近来因金价日高，每只船几乎都载有回国的，因为各人多有政治色彩，开会时总是打架，学生会是无从组织，伦敦的中国学生则分两派：一派是跨国籍的华侨，讲体育与交际，英文颇好，腰缠富有，但对于国事和国文不甚了了；一派是直接来自祖国的，关心国事，可惜多是穷措大！

伦敦的交通，虽也有地道车和公共汽车（闹市内不走电车），但因区域大而地道车特别快很少，且换线的站多相隔远，故费时颇多，以致许多大店和机关都非十点钟不开门。伦敦城中心的街道最难找，往往一条街的几段有几个名称，不见诸地图，曲折犹其余事。英国人向以保守著，最近泰晤士河上建一新桥，两月前由国王开幕，至今行者寥寥，多数人宁绕道，因为向来走惯如此！

英国的国王可称为世界上最写意的人，每天吃饭睡觉拿钱不做事。皇宫别墅很多，常住的在城里称Buckingham，比之法国总统府大数十倍，在乡下的称Windsor Castle也很大，内藏各种战利品，在此地我们看见锡兰康地国王上朝坐的宝座和从印度取来的象牙椅！

牛津剑桥两大学离伦敦都不远，约两点多钟火车，当日可来回。至于伦敦大学散布全城，几乎无从找起。大学办公处及数学院均在Russell Square附近，国立博物院及图书馆亦在此，可称为伦敦城中的文化区。由此南行便到政治区。各政府机关多在White Hall（可译为白宫街），在此附近便是著名内阁总理住宅（No.10 Downing Street），再南便是国会，东行便是皇宫。Russell Square一带有九个旅馆联成一起，称Imperial Hotels，从最贵到最廉的房间都有。

丹麦的印象

庄泽宣

丹麦真是一个可爱的国家，丹麦人可说是具有德国人的身体，美国人的精神。我们走遍欧洲，感到这是最近于理想的一个国家。以人口而论，丹麦只有三千六百万，以面积而论，只有一万七千二百方英里。整个国家只有一个大半岛一个大岛及无数小岛，然而因此海岸线有三千四百英里长，而人民个个努力且能合作，在历史上经过许多风浪，屹然独立，为世界各国钦仰！

从英国到丹麦有三条路可走：一条是经比利时德国，一条是经荷兰德国，一条是直过北海而达丹境。我们因为想看看比利时，本定走比利时这条路，后来觉得火车经过也看不到什么，而且火车也坐厌了，决定乘船走北海的那条路，自伦敦坐一小时半火车便到海边

Harwich。那里每晚（星期日除外）有丹麦邮船横渡北海，计在海上一昼夜，虽略有风浪，但三等舱亦甚舒适，连日奔波，二十四小时中几乎睡了二十小时！船上餐室的饭已是丹麦式的。鸡蛋比任何国的来得大，比中国的约大两倍，牛奶牛油的浓厚，肉类的丰美，也非他国所可及，毋怪丹麦人都是身长六尺，寿高六十了（丹麦人平均活六十岁，寿高为各国冠）。船抵丹境，再换火车，因为代表中国出席心理学会的关系，不得不坐二等，实则三等也有睡车很可坐得。半夜开车，经过两个海峡，火车上船，乘客安睡车中，可完全不知道而渡过（第二次渡海费两小时），次早便到丹京。

万国心理学会为尊重丹麦心理学前辈 Hoffding 教授（其著作曾由王静安先生译成中文）起见，上次在美开会时决定此次在丹京开会，并推他为会长，不幸于数月前他已逝世！乃改推现任丹京大学心理学教授 Rubin 为主席。开会时丹皇亲来出席，参与盛典，但并未致辞，只与各国正式代表握手言欢而已。丹皇与瑞典皇为亲兄弟，与英国皇为表兄弟，但丹麦早为立宪国，国皇无权，且极平民化，唯丹麦与瑞典及英国国交，或因此而更密。

记者除出席心理学会外，曾参观国际民众学院，丹京民众高等学校，不良儿童感化院，及实验小学。国际民众学院在Elsinore，离丹京汽车道或火车约一小时半路程，于一九二一年成立，已往学生代表二十余国，但有少数学生仅住院数星期，多数学生亦只住半年，该院宗旨及方法与其他民众高等学校大致相同，不过学生来自各国，因此语言及国际问题研究较为注重，丹麦民众高等学校计有六七十所，但在丹京仅一所。民众高等学校本以农民为对象，所以都在乡间，丹京者则为工人而设，上课多在夜间，学生多不寄宿，但宗旨及方法仍与其他民众高等学校相同。不良儿童感化院专收各校训育上有问题学生，完全寄宿，功课注重手工园艺及体育，务使儿童无空暇，自不作恶，学生人数不过二十，可见丹麦儿童之驯良。实验小学规模颇大，注重儿童自由工作，与其他各国实验小学大致相同，设备亦佳。

丹麦在文化及教育方面近百年中向一新方向走，其原因不一，概而言之，可说是一方面因为教育普及经济平均发展，一方面因为出了几个民众领袖的缘故。丹麦小学教育在百年以前，已经普及，近百年来则致力民众高等教育的普及。进过民众高等学校的已达农民百分之五十，经济发展以合作事业为基础，丹麦地瘠物少，但五十年来因合作运动的普及，全国农民加入合作社的达百分之九十以上，一切农产物非经合作机关的科学试验达到某种标准的不准发卖，竟使丹麦的特产如牛油鸡蛋火腿等垄断全欧市场，以致英国人非丹麦的鸡蛋火腿吃不饱早饭！丹麦的富是普及的，全国大富翁绝少，而人人几乎都有中产之资！本来一个国家的中心是在中产阶级，而丹麦的中产阶级便是一般农民，这一般农民复能利用农暇去为学问而求学问，到民众学校去共同生活交换意见，真是太平理想国的景象。

丹麦近代文化的代表人物很多，最著名的便是格龙维（N.F.S. Grundt Vig 1816 － 1870）。他的生平与事业已经有人向国人介绍过。他最注重人与人的关系，他的思想影响到一切事业，尤以民众高等教育方面为最大。他以为人生最宜受教育的时代是十八岁到二十五岁，方法注重师生感化，内容注重口头讨论与音乐及实际问题研究，以书本为次要。他的主张已经影响到各级学校及丹麦以外各国，前途未可限量！

丹麦海岸线虽长，但山地不多，交通方面除汽车火车外自行车很多，以丹京而论便有二十五万架，几乎满街都是。丹麦的通俗图书馆有七百八十九所，借书的每年有七百万本，可见教育的普及。

总之我觉得丹麦文化具有一切西洋文化的好处而并没有一切西洋文化的坏处，而且以农民为全国基础，大可供中国的参考，深盼国内多派人来考察。

在海外为祖国争光

庄泽宣

这次到丹京出席心理学会会议，个人觉得最欣幸的是得遇我国驻丹公使罗仪元先生及其夫人子女。罗公使是旧日厦大同事罗君之兄，在外交界已二十年，故早闻其名。上次过日内瓦时，罗公使适代表中国出席裁兵及其他会议，承颜骏人先生的介绍，已获一见，坚嘱到丹时即往访。心理学会会议行开幕式时，各国公使均被邀请，因即晤着，仪式毕后乃同赴使馆。此次游欧曾到各使馆访候，虽外表上均尚过得去，但家私及装饰多陈旧，且无一使馆有正式公使，主持的人，或为代办，或为秘书，精神未免散漫。罗公使驻丹六年，使馆布置庄严得体，对于各方面的联络也恰如其分，毋怪丹麦对于中国感情甚好。

丹麦与中国的关系，在商务上以毛厂及水门汀为主要事业，而大北电报公司及丹人在中国航业界服务的关系亦大。去年丹麦太子赴华，印象极佳。回丹后即向使馆道谢，使馆乃邀请太子，事前得中国政府的同意，在使馆大排宴席，邀请丹麦内阁大臣及各国公使相陪，到者三百余人。宴罢举行跳舞，预定夜半二时散席，不料丹麦太子甚为高兴，至三时犹不去，他人不得不奉陪，直至天明未散，只好临时再电话大餐店送早餐来，早餐后方兴尽告别。丹麦报纸大登特登，称为外交界中未有之盛会，但所费几七千圆，电请政府付款，政府索账单，设法借垫付账，将账单寄华，仍分文不付，至今毫无下文。积欠经费三年，更不必说。

罗公使有男女公子各一，均甚聪颖，男公子十岁，在丹入小学，去年丹麦皇后为慈善事业演剧筹款，有一幕需一仙童，乃邀公使之少君充角。预演时颇不坏，新闻记者因彼为中国儿童特别注意，乃与谈话，不料彼大放厥辞，倡言仙童是假的，预演时权为一充，正式上台必临时逃奔，新闻记者乃戏询彼何所愿，彼云志在充一小将军。导演者大惊，不得不改编剧情，令带一班小兵，彼乃如愿以偿，正式开演时神气十足，轰动一时，连日满座，收入增多数千圆，其名遍传丹麦，邀去吃饭游览及消夏者不绝于途，而罗公使乃得“小将军的父亲”之称号。

罗公使之女公子今十三岁，亦在丹京就学，对于体育颇有造就。数月前丹京举行网球比赛，伊报名加入少女组。此组与赛者均为十六七岁之丹麦女子，体格高大，报名时不过以为好玩，多得经验而已，不料竟得冠军！于是代表丹京与二十一省市之冠军比赛，又名列前茅，丹麦报纸争相登载，以为奇闻，因伊既来自素称体弱的中国，而年龄又最小。此数月来各处邀往赛球。丹人均以一瞻丰采艺术为荣，甚且称中国在体育上为后起可畏的国家。

罗公使之岳丈曾任黄埔水师学校校长，公使夫人因亦精于体育，骑马游泳均佳，故其子女均有健全体格，得在海外为祖国争光。罗公使之先辈已在外交界服务，公使为中国学生入英国公学及剑桥大学最早之一人。故罗公使一家可称为外交界中模范家庭。

最可笑的是罗夫人有弟在秘鲁任公使，去年外交部将与秘鲁交涉事件的公文寄至丹麦嘱罗办理，至于与欧洲各国公使往来函电误寄者尤多。去年满洲事件发生时，我国在欧陆各大国及美国均无正式公使，以致手忙脚乱，至今法国及意大利尚无正式公使，“闲时不烧香，临时抱佛脚”，宜乎外交上无往而不失败。（编者按，驻法公使顾维钧氏，最近已赴任，正在日内瓦出席国联会议。）

丹麦使馆旧有秘书精英法文，善交际，在丹数年，名誉极好，终以欠薪太多求去。丹麦当局及各使馆均以此种人才必得中国政府的升拔，后乃知将改业，深为惋惜，某公司即请彼为驻华经理，临行时送行者塞满车站，说者谓虽公使离任无此盛况，丹麦有罗公使及其家属部下，宜乎对华感情特为浓厚。若各国均有如此外交人才，且能长驻，外交上帮助必大，因乐为之记。

汉堡与柏林

庄泽宣

我们原定的计划是想从丹麦经瑞典而入俄国，由西伯利亚乘车回国，不料许多人都说通过满洲极成问题，而西伯利亚火车近来加价二倍，且饭食甚坏，皆劝勿走此路，不得不作罢。我们乃从丹麦再南行至德，先到汉堡，次到柏林。

汉堡人口二百万，为德国重要商埠，距丹京火车行程约十小时，城亦颇大，交通机关除电车汽车外有地道车及火车，每五分钟开行一次，颇为便捷。汉堡及附近Lubeck，Bremer为德国三大自由市，均联邦中一分子，尤以汉堡为最大。一切公共事业，汉堡较之其他市邦为先进，战后改革最早，汉堡教育上改革亦先于其他德国各地，最早取消旧时呆板制度，废除划一办法，许各校自由实验，今实验有效者，已普及于一般学校。

我到汉堡后即往参观一间实验小学，照我的见识所到的，认为欧洲最新式小学，教具方面由教师自行创制的颇多，方法则确实注重学生自动，精神上非表面上如此，故为他国实验小学所不及。各级每日且有自由工作时间，任儿童自愿的去做，而成绩斐然。一四年级教室中全体儿童正合作绘一世界挂图，借以研究各地风土人情，乃请我讲自中国来欧航程及在欧所过城市国家，兴趣盎然，发问亦当，继请我在黑板上写中国字，一儿童即云："中国文字不独与欧洲文字结构不同，且无字母，可见中国人学西洋文字真是不易。"可谓一语道破难处。

自汉堡乘车四小时即达柏林。柏林为世界第三大城，人口四百余万。柏林在欧洲为新城，多数街道建于近五十年中，全城计划亦始于俾斯麦时代，故多宽广而树多。城中有一公园，一望几似一森林，唯园旁多富人住宅，而园内近以失业人多，成穷人露宿之所，两两相对，不知感想如何。柏林交通亦有地道车及火车，制度较伦敦的为有系统，但似不及巴黎的易找。

柏林以 Unter Den Linden 为城中大街，其东端为文化区域，各博物院均集于此，另有大学及国立图书馆。其西端为政治区域，有各部公署及总统府，再西行则为国会，国会之西即大公园，公园之西南有大街称 Kur Firsten Damm，为咖啡店餐馆群聚之所，夜景最佳，我国使馆在此，中国餐馆亦在附近。柏林的中国餐馆以泰东饭店为最大，布置悉采西式，侍者亦德人，西人往餐者颇多，馆主为北方人，菜亦多北方式。

出柏林郊外半小时可达旧皇别墅 Postdam，式样仿法国凡尔赛宫，但布置曲折得多，游柏林者无不去一观。

记者除游览外曾参观一普通市立小学一露天学校，一实验学校一乡村小学，夜间中学已约定，惜未上课，临时中止参观。柏林学校在设备方面均颇简单，教室中除黑板外无一点装饰品或教具，唯所参观的乡村小学系新建，参观地理课，教室后有新式幻灯及图片放映机，但方法仍注重死记。实验学校在工人区域内。家长及教师均有共产色彩，校长室内即有一学生自由画绘一红旗，校长云政府改组后此校大约亦将改组。参观时适多数学生出外旅行，故无甚可观。德国学生旅行之风甚盛，各地有筹备学生住宿的旅舍，长途旅行多每月一次，短途旅行则每周皆有，说者谓德国中小学无一校有全体学生均在校内之时！（可参看民智出版中山大学教育学研究所丛书《德国青年运动》一书。）露天学校成立二十余年，在林中建木屋，初为体弱儿童夏季读书之所，今则任何儿童皆可入内，且全年上课（冬季有火炉）。

此次游欧，在德留一星期，经过 Stuttgart 一宿即去，在汉堡两日，柏林五日，感到德人做事有条不紊，而街道及火车之清洁为各国冠，虽三等车中亦备洗手布巾，且每过一站必洗刷，为他国所无。唯待人接物似不及丹麦人之大方自然，质之留欧多年之同学，不知以为何如?

一个新建立的国家

庄泽宣

我们游俄的愿望既无从达到，不得已取其次，到一种族语言都与俄国相近而且建立时期亦相同的国家——捷克——去看一看，捷克的大部分（BoHemia，Moravia，Silesia）在历史上一千年前已成独立国，但近百年为匈奥所吞并，直至欧战后始复兴，同时 Slovakia 和 Carpathian Ruthenia 也加入他们，合组成一共和国，称 Czechoslovakia，所以我说他是一个新建立的国家，而不是一个复兴的国家。

捷克的独立运动，是由几个领袖领导的，其中最主要的便是今总统 Masaryk。他的父亲是一个车夫，他小时学打铁，后来感到学问的重要，把打铁赚来的钱，跑去维也纳求学。不久他发表他的处女作——“自杀，一个近代文化的共同现象”，声名大噪，回国后不久便任大学哲学教授，著作甚多，重要的有《马克思主义的哲学与社会学基础》,《具体名学研究》,《俄罗斯的精神——历史，文学，与哲学》。后者凡两大卷，在战前为研究俄罗斯的标准著作，虽俄国学者亦甘拜下风。欧战既起，他知道故国复兴的机会来了，遍走各国，一面游说，一面组织，在巴黎成立了一个捷克斯拉夫建国委员会，他自任委员长，其他委员有现任外交总长前大学讲师 Benes，天文学家 Stefanik，创捷克斯拉夫军，加入协约国战线。这位天文家不久成了法国军队中的将军，不幸革命甫告完成，飞回国的时候，飞机跌下来跌死了。一九一八年六月各协约国政府便承认捷克国，到十月间革命成功，建国委员会便在捷京正式成立政府。两年以后议定宪法宣布，总统七年一任，不得连任，但第一任总统可连任一次，足见人民对于此老教授之信仰。

这位老教授治捷克，悉以民意为归，今日捷克境内种族复杂，宗教信仰亦各不同，但悉同等待遇。各民族如学生数多，可独设学校，用所说方言教授。以德人而论，捷克且有用德语教授的大学及专门学校，中小学更多。不过全国一千四百万人口中约三分之二属捷克及斯拉夫民族，所用语言极似俄文。（全国小学生数已达一百七十余万，实已普及。）

这个新国在经济上地位也很高，旧日匈奥帝国精华几全在此。据统计报告，他的磁业占旧匈奥磁业全部，糖业及玻璃各占百分之九十二，纺织及造纸各占百分之七十五，皮革占百分之七十，尤其重要的是矿产，计煤占旧匈奥帝国所产百分之七十五，旧日之金银矿几全在捷境，钢铁亦大部分在此，计每年产额钢有二百万吨，铁有一百四十万吨，宜乎捷克富而匈奥穷了！世界上的皮鞋大王是捷克人，他的工厂面积甚大，每日出鞋数万双，销货至美国与中国，去年也从飞机上跌下来跌死了。

我们在捷京只留两天，见闻颇多，但只有时间参观一间实验学校，一间大规模的安老育幼院，一间民众教育中心机关。实验学校与他国所见的大致相同，不过与大学教育学院关系甚密，闻全城有二十余实验学校（小学及初中）均受大学教育学院的指导，房舍及设备亦佳。民众教育中心机关称 Masaryk Institute for Adult Education（Cultural Federation），成立于一九〇六年，计分演讲，图书馆，艺术，组织，书目，电影及青年等部，本称文化协会，革命告成后，今总统对于该会甚为热心赞助，他老人家七十岁的时候，信仰他的人便捐集一笔巨款称“国父基金”，在这笔基金里抽出四百万圆给文化协会，在他七十五岁时，这个协会为纪念他起见，改称今名。

还有一个纪念“国父”而且象征他人格的一个机关，便是捷克首都市立安老育幼院，原名称 Masaryk Homes。此院建筑开始于一九二六年，完成于一九二九年，计占地二万八千八百方米，凡二十一大建筑，费去十万万圆，内有六所安老院，一所为夫妻俱存的，可容一百对；余为男或女的，可容一千三百五十人。另有养病院四所。育幼院凡四所，孤儿病儿低能儿及体弱儿童各有其所，予以适当的教养。一切设备均极端科学化，各有专家主持，诚集安老育幼之大观。低能儿有低至终日吃睡的，亦有可略做手工的，亦有能略识文字的，身心两方面皆受训练，使不致流入社会作恶害人。捷克人对此院极以为荣，称为世界上所仅有。

有一件事情我们没有赶上看到的，是今年七月间捷克全国体育协会的大会操，这个协会已有七十年的历史，到现在有会员约六十万人。这个协会的目标不仅在鼓励体育，且注重人格训练，任何人皆可入会，但须证明公私德皆无缺点，最初半年至一年须受严重的监督且须上课与上操，而无选举与被选权。经过此种选择后始可充正式会员，参与会员大会及选举职员。会中一切经费概出自会员，每五年全国大会操一次，遇有机会则加入国际竞赛，已引起全世界的注意。除此协会外，尚有运动协会，会员计二十万人，捷克籍德人体育会，会员亦二十万人；社会共和党有工人体育会，会员十万人；天主教体育会，会员亦十一万；无产阶级体育会，会员有四万；其他体育会三十余会员各数万。可见捷克体育之普及。

这个新建立的国家已有了很好的基础，且联合Rumania与YuGoslavia称小协约国，左右欧洲政局，前途未可限量！

重游瑞士与意大利

庄泽宣

从西伯利亚回国的计划既办不到，只好再从意大利乘船飘海归来，因为意邮航程最快，而且九月间班期所轮到的船称 Conte Rosso（似可译作“怡红公子”）颇大，遂决意买此舟作归计。捷克游罢，距登舟日，尚有一星期，乃再到瑞士与意大利，并绕道奥国一观，初本拟至维也纳，后时间匆促，只能经过 Innsbruck，一若过屠门而大嚼，略睹风采而已。

上次所看到的瑞士是西南部分，这次所走过的是东北部分，山水虽殊，风景依然。我们先到 Zurich，此城为瑞士工商业重镇，大学及工业专门学校均极著名。城旁有湖大于日内瓦者，下车略憩后即去游湖。游法有大兜圈子小兜圈子两种，我们以“夕阳无限好，只是近黄昏”，仅能小兜圈子，费两个瑞士法郎可在湖上约两小时，中途且可下汽船，我们拣了一个临湖小饭馆，一尝湖上鱼味，虽不及西子湖的鲜美，已迥非一般欧土放在冰箱中数十小时的所可望其项背。

次早我去大学访友，内子独游街市。有瑞士地质学家 Heim 为名教授之子，三年前在广州中山大学任教，后承中央之委托，曾偕瑞士地图专家赴川边及片马等处研究地质，测绘地图，去年因亲老多病归国，余因往访。不知彼已脱离大学，闻去年回国后有教授缺出，以资格学问论，轮彼补缺，居然外国大学中亦有党派，竟未补上，彼遂辞去大学教职，自行工作。余转辗觅得其住宅，适彼外出。直至夜间彼来旅店始晤着。据云彼辞职后德国方面曾来邀请，彼以亲老，且德国情状纷乱未去，现家居研究，春间仍赴非洲一行，有时有矿商来请检验地质，亦可有大宗收入。伊父虽老尚能工作，父子切磋。兴味盎然，为之歆羡不置。

下午偕内子乘游览汽车赴 Lucerne 及 Pürigen。前者几在瑞士中心，自 Zurich 去，经过山岭及四湖，风景绝佳。后者在高山上，自山下乘电缆车而登，车颇似香港之上山电车具体而微。在山巅可望见高山大湖，胸襟为之一快。在 Pürigen 停留一小时后，回至 Lucerne 停半小时，我等往游“狮坊”，系一大狮雕自巨岩，表示瑞士将士之勇。狮长七米。狮坊上有博物馆，收藏史前遗迹及石雕鸟兽，不及往观。

自 Zurich 乘早车东行三小时后入奥境，中午达 Innsbruck，在此换车候半小时南行又一小时入意境，深夜抵名闻世界的水城 Venice（威尼斯），此城交通全赖水道，马车汽车电车全无所用其技，故仍保存千余年旧迹，不必近代化（电灯自来水等当然早已装置）。全城系一大岛，为水道所分，划成无数小岛，闻有桥四百！火车来此经过一人工建筑之长堤（比之广州之长堤长得多）。

桥以 Rialto 为最著名，全系大理石，桥下有四十间店铺，较之 Florence 所见者为宽，铺之两旁犹有两人行道。城中最热闹处为大广场，计长一百七十五米，宽八十二米。日间有数千鸽集，见人不惧，如置食物在手中，可来就食。夜间则不期而会者数千人，坐广场中饮咖啡听音乐，真有太平古风。广场一端有大庙，雕刻甚精，其旁有旧宫，雕刻，及壁画，亦均无价之宝。有巨画一幅，高七米宽二十二米，乃世界上最大之壁画，中绘天堂，凡数千人，形状各不同，可称洋洋大观。

穿城有大运河，交通有汽船，两旁均旧宅，时期不一，建筑亦异，俱极华丽。河直通大海，城四周有无数小岛，有长形大岛称 Lido，岛之一方对此域，一方即大海，海边平沙数十里，为世界最佳最稳之游泳场，近四十年来意人努力经营，吸得游客不少。客寓林立，最佳者富丽如皇宫。

Venice 初为人居系在第五世纪，传说匈奴人西侵，大陆上居民逃至此，其后欧洲北方野蛮人南侵，居民更多。后习得罗马文化，创自由市，举领袖称 Doge，有议会，俨然一共和国，唯领袖任期为终身。自第七世纪末至十八世纪末，此共和国蔓延不断，在十字军东征时颇占重要地位，且渐占有殖民地，在东欧海上称霸，政治修明，文化昌盛，商务发达。直至意大利统一运动后，始成为意大利一部分。至今每年纪念旧节，遗风犹在，习俗多东方色彩，故欧人讶为新颖，以一游为幸事。

留 Venice 二日，乃登舟东航。

归航

庄泽宣

这次坐回来的船比之去时的船更大。同船回国的计有三十八位同胞（过新加坡后又多二十多位），其中有从中国到欧洲考察回来的，有从英美德法留学回来的，或学经济，或学化学，或习飞行，或习艺术，在船上一星期后大家便都熟识，适当中秋佳节，我们便在船的顶层开了一个赏月大会，同时大家谈谈团结救国的方法。再过几天又遇到了暴日侵入辽宁的周年纪念，在“九·一八”那天吃过早饭以后，又齐集在甲板上向“青天白日”行礼及默念东北被难的三千万同胞，交换抗日救国意见。过了印度以后，我们又开了几次非正式的欢聚会，比去的时候热闹多了。可是去的时候同行的四个人中，有三个这次都同船回去，只有刘君在欧洲住下了。

这次沿途风平浪静，没有一个人晕船，亦没有一个人不吃饭。除了同胞以外，有大批的印度人，因为抵制英国人，所以都坐意大利船回国（德法船多只湾科伦坡），还有大批意大利派到中国去传天主教的神父，可见意大利天主教的复兴运动的扩大。其中有一个还要到西藏去，据说西藏食物中缺少一种欧洲人身体所不可少的要素，所以欧洲人如在西藏继续住五年，便有生命的危险，然而这位神父却决意去牺牲性命！按欧洲人类学家的研究，只有中国人无论到什么地方是可以生存的。

在船上除与各位同胞畅谈外，看了几本关于教育的书，和一本英国新出版谈中国问题的书，叫做 *The Capital Question of China*（麦美伦出版），著者 Lionel Curtis，在英国对于南非洲印度爱尔兰等问题均有过令人注意的贡献，所以这本书在英国必能取得地位而可左右欧美舆论。全书除历史一部分有几处弄错以外，可说是颇能扼要叙述中国今日局面的前因后果。他的结论对中国方面希望南京政府能稳定而恢复国内秩序，他以为这不在于用武力而在于先就势力直接所及的长江下游，在文治方面下工夫，使三民主义的理论逐渐实现，则其他各省自然来归化；对英国方面希望派一有政治经验与眼光，且对中国革命表同情的人做公使，常驻南京，对中国时作友谊的贡献，对英国为远东一切租借与殖民地的主脑。他对香港与新加坡政府压迫中国革命势力深致不满，在香港始终没有给华人部分的立法与司法权颇背英国向来行为，对于上海一般英商眼光短浅及不与公使馆合作，亦加以讥评。谓外商利用中国内乱贩卖军火与鸦片更不应该。但他以为最近的将来，中国必仍陷于无政府状态，似乎太看不起中国人，我们不可不努力的把这种侮人的预言证为错误。至于中国何以成了这样国家，又似乎没有分析清楚，本来这是连中国人自己也不容易明白的，何况一个仅仅在中国跑了一趟的外国人。拿西洋的眼光来看中国的事体，来希望中国的“上轨道”，我总以为未必会对。中国人自己还得对于中国原有的社会结构与组织加以详细研究，努力的再去创造一个比西洋更好的社会出来，不要一味的跟在人家屁股后头走！

这次同船回国的三十六位，除一位嫁中国人的德国太太不计外，计从中国去考察的有十四位（内有中国银行伦敦分行行员项氏夫妇），在德国留学的有十位，美国的六位，法国的三位，英国的两位。以省籍而论，江苏最多，凡八位；广东次之，有六位；湖南河北也各有四位；浙江安徽各三位。从新加坡上来的有华侨三大银行合并后派到中国去发展行务的七八位，有到南洋考察侨况的雷宾南先生，有陈嘉庚先生的子女……几乎到处都看见同胞！然而航海的大船没有一只是中国的！

九月三十号抵香港前。

游欧杂感

庄泽宣

代表西洋文化的欧洲究竟是一个什么现状，这不独是我们东方人所想知道，也是全世界人所急欲知道的。欧洲在六大洲中虽是最小的一个，但在今日全世界中确处于盟主的地位，这是无可否认的。这个盟主对于今后世界前途所负的责任是很大，也是无可否认的。

我这次游欧时期虽短，所跑的地方总算不少。各强国首都全到了，北至丹麦，南至意大利，东至捷克，西至英伦，整个欧洲可说踏过三分之二，固然未免走马看花，但以平日所听见别人说的与所读过书报上载的，证以所见的，欧洲的大概总算可以了然。

欧洲自上次大战后，已将十五年，战事初终，和平声浪颇高。民族自决与民主政体的呼声也遍及全欧，不幸的是所缔和约，完全为战胜国着想，没有替战败国留一点余地，殊不知欧洲的问题是整个的，如此办法是无从解决的，结果不独战败国怨声载道，战胜国也无从恢复原状，到现在来了一个反动。

这个反动在政治上是狭义的国家主义，十年前起于意大利，所谓法西斯蒂运动，现在几已传遍全欧。我们在欧洲所最感到的是一方面各国文化风俗习惯一切的相同，而另一方面是无一国不恨他的四邻。他们来自同一种族，信仰同一耶稣，用同一罗马文字，欧洲各处语言的分别也未必比之闽粤京吴的分别来得大，然而是千年不和的死对头，日夜的防备你侵我略，遇到机会便用尽科学上的发明来整千整万的拼，这不但是欧洲的不幸，也是人类的不幸！所以就各国分别来看，未始不有兴旺气象，就整个欧洲而论，一切政治运动都是向互相残杀的这条路走。

这个反动不但显于政治运动，在经济方面也很明显的表示，最自杀的便是税台高筑，以致农产国原料过剩，工业国制造品过剩，农人饿死，工人失业，金融停滞，游客裹足。以战后赔款而论，为了一点零头，左磋右商，一个不肯减，一个不能付，闹了几个月，以经济复兴而论，左画一个饼，右画一个饼，还是没有充饥。到现在对于国外汇兑和现金流出的限制，几乎使血脉毫不流通。至于币制之纷乱，徒使通济隆等一班旅行机关发行旅行支票从中取利，犹其余事。

在教育方面，各国对于宗教的信仰都在日增无已。墨索里尼固然明目张胆的主张把教育权交回教士手里，回到十八世纪以前的黑暗时代，讨好教皇，利用他来扩张意大利的势力，使全世界教民以罗马为首都，就是平民化的丹麦，也使教义在课程中占重要地位。德国在战后，学校制度本已趋于解放，近又有恢复旧观的倾向，家长主张教授教义的一天一天的多，实验学校也渐渐取消，连澎湃一时的青年运动，也渐渐法西斯蒂化！最可笑的我们这次新教育会议开会的时候，美国人在巴黎办的报纸，竟诬我们是赤化，说会长是受了俄国的金钱，要 Nice 当局取消借地方给我们。其实我们在法国开会，法国教育总长还来演说，所借的地方便是大资本家所有，那有宣传赤化的可能！况且主持的人都来自资本主义最发达的英美。不错，在开会以前，曾请俄国派人出席，然而碰了一个钉子，始终不派人来。新教育运动者最崇拜的一人便是杜威，而美国人的报纸如此诬赖，非反动而何？

当然，欧洲这十五年来不是没有进步，然而他们既以文化先进自居，所进步的比之我们所期望的未免差得太远了！以欧洲盟主自居的法国人，心地之窄，眼光之短，气度之小，几乎令人意想不到，长此下去，盟主的地位恐难保住。以科学先进自居的德国人，一味的提倡大德国主义，连世界第一大科学家爱因斯坦教授，都因种出犹太而不见容，岂又是一个具有科学态度的国家？全欧如此之大，只有捷克的总统是一个学者，希腊的总统是一个音学家，其余的多数是军人，少数是政客，毋怪欧洲裁军会议永远没有结果！

欧洲的进步虽不及我们所期望的，但是他们在文化上胜过我们的地方却不少。耳闻不如目睹，有许多好的地方确是我们道听途说所得不到，非亲历其境不能知道的。我相信做任何职业的人到欧洲来一次，都可得到许多参考材料，没有来过的固然要来，来过的也不妨再来，因为欧洲情状几乎天天在变，况且多数来过欧洲的人都是来做学生，回国做了几年事以后，再来看看，眼光会大不同的。能来一年半载详细考察或长期留学固好，就是两三个月的旅行，亦见识不少，尤其是在出国以前作了相当的准备，把最近出版物先看一下，把行程预定，先与当局接洽，一到就看你所要看的，可在很短的时间中得到很多的材料。

照我这次的调查，大约来回坐大船的次二等，有一百镑，连一切小费及沿途游览都可够了（如买来回票及团体票还可省），在欧旅行连三等车票，两镑一天也足敷用。这还是从宽计算，假如组织团体，预先接洽，有人招待，食宿从廉，不化冤枉钱，或再可省三分之一至四分之一。如此来游两个月，有一百五十镑便能成行，以现在汇兑率计，不过二千五百圆，若是美国去，单是来回路费尚不止此数。我很希望像中国旅行社一类的机关能够发起这样游欧的团体，每年有二三十人来跑一趟，把所见到的报告国人，将来必有良好的影响。

这次所见到感到的虽多，然而我对于中国问题的根本解决办法，并没有改变。我认为中国的情形完全与欧洲各国的不同，决不是仿效任何国所可解决，而必须我们自己打出一条路来。我前年在《教育研究》上曾经发表过一篇文章，以为“中国民族的出路与教育的出路”在具体方面有两条：整理乡村与开发边疆；在抽象方面也有两条：恢复民族自信力与提倡节俭，如此方可渡过难关。经过这次旅行，我还是觉得以前的主张是对的。

中国是一个国吗？杜威已经否认过了，许多外国学者也否认过了。我们不要以为这是骂我们，中国照近代西洋政治学的定义的确不是一个国。不过我要反问一句，像西洋这样的“国”在文化的进程上又有什么好处？尤其是狭义的只顾自己不管别人的“国”。中国的政治向来是消极的，以中国地方如此之大，大过欧洲的整个，假如不采取消极式的政治，恐怕也像欧洲这样四分五裂，你侵我略了。拿中国与欧洲任何一国比，当然不像一个样子，拿中国与整个欧洲比，可是像样得多了。

中国的前途是怎么样？我们不能预言，但是我以为我们必须有自信力，相信我们必定能够创造出一个伟大国家来，我们才有希望。我以为仿效欧洲，也许变成更糟，我们有的是才智，凭我们自己的力量去创进，也许造出一个比欧洲任何国更好的国家。这种创造的工作必须始自乡村。整个中国太大了，连一省也太大了，在许多地方，经过这几十年的扰乱，连一县也无从着手，从乡村做起，不要以为太小，不要以为迂缓，整个的中国终久能建设起来。我们看许多欧洲的国不及我们一县大。在乡村没有整理以前，中央及省县的政治，我希望都暂取消极政策，只求不作恶不贪污，不望有什么大建设，在沙漠上建高楼，没有这回事。不过有一件事是要中央与人民合作去做的，就是移民殖边，这不仅是把人口太多的地方减少些，而且开发了边疆使外人不敢眼热，开发时还可利用科学使与民生问题发生实际密切的关系。至于内地的乡村，在经济力没有增加以前，我以为科学方法只能用在组织方面，如合作事业的提倡，未必能也可不必应用物质科学去增加生产，因为一方面中国的劳力代价很低，而一方面恐有增加生活标准的危险。德国人近来穷得不得了，然因生活标准早已提高，无从低降。他们的经济学家近来很想研究中国人的生活维持方法，但是即使研究了，也做不到。中国一般人的生活标准，将来当然要提高的，现在有许多人不是过人的生活，但在经济力没有增加以前即设法增高，必致内乱更烈，闹到不可收拾。现在我们赶紧要设法抑止这种倾向，一切的人们都应节俭，量入为出，最好能有储蓄，就全国而论，要使入超减少，国富逐渐增加，国势才有转机。

就教育而论，广义的生活教育应与经济力同时增进，乡村整理与边疆开发提倡节俭与恢复民族自信力，便是最好的生活教育。一般中小学固然暂时不必推广，毫无实利的高等教育更须逐渐缩小范围，提高程度，精选教师与学生，拿乡村整理与开发边疆来做我们一切教育的课本，整个民族努力自救，来打开一条血路。

就一切事业而论，我以为要尊重专家，一件事没有专家宁可不办，以免浪费。有了专家，要给他时间，一件事不是一年半载办得出成绩的，五年十年十五年二十年，在情形复杂一切幼稚的中国，是不算长，非如此任何人办不出成绩来。中国人还有一个最坏的毛病，便是不合作好批评，隐善扬恶，以致坏人不顾廉耻，坏事天天增加。我们在今日危险时机中，对于重大的过失固不能宽恕，没有重大过失的人，我们一定要相信他是好意想做好事的，有自信力有互信心，然后整个民族的自信力才建设得起来。

话说长了，就此打住。

二十一年九月十四。在红海上。

编者按：庄先生游欧后对于中国出路的感想，有好几点记者不能同意，限于篇幅，仅能略提一些说说，以后有机会时当另文讨论。（一）整理乡村和开发边疆，固属要政，但必须由确有整个计划确能代表民众意志的政府领导执行，决不是枝枝节节所能收效的；（二）提倡节俭，固是美德，但现在的实际情形，军阀官僚穷奢极欲，劳苦大众已节无可节俭无可俭了；（三）庄先生说中国“未必能也可不必应用物质科学去增加生产”，我觉得很有疑问，有整个计划的大规模的生产非利用机械不可，“增加生活标准”要看什么人，现在已享有丰衣足食的人当然不许增加，也许还须迫令减低，至于“不是过人的生活”的“一般人”，正须设法于最短期内提高他们达到“人的生活”，这当然和大规模的生产有关，不是凭空可以增高的；（四）隐善扬恶诚然不对，但根据事实，以民众福利为前提的社会制裁或社会鼓励，却不可少。

欧游漫笔

庄泽宣

货车特别快　我从里昂到尼斯去赴新教育会议的时候，有一次在半路上停了许久。我坐的是快车，虽不是特别快，我想总不致于在路上停留太多。正在等得不耐烦的时候，才看见过去一串货车，真使从东方古国来的我惊讶不已，后来一打听，原来外国有所谓货车特别快，所载的是水果生菜鲜鱼之类，从法国南部运到巴黎去卖的，要趁新鲜，所以货比人要紧！我们坐的快车只好在半路上等它过去，幸亏我们的快车后来没有脱班误点。回国以后，听见无锡教育学院因为替高长岸的农民组织合作社运销鲜鱼，同京沪铁路大打其交涉。唉，中国的货物运输，向来要看管车的高兴，在那些屡受军事影响的路上，连完整的车辆都很少，人坐的已是特别慢，货物的运输有时完全停滞，还讲什么特别快呢！

各国的乞丐　我这次走过的各国，因为受了不景气的影响，除了丹麦捷克以外，都看见乞丐。号称世界强国的英法意德，几乎没有一处没有乞丐，不过各国的乞丐因为国民性的不同，神气和方法各各不同。

在意大利，我有一次在旅馆里听见幽扬的提琴声出于邻街，我为好奇心所驱使，跑去一看，原来是两个乞丐，男的拉着梵和铃，女的便拿了帽子张着，等人给钱。这位提琴家要是跑到中国来，也许可以做中小学的音乐教师，至少比我知道的一般音乐教师的技术未必差。这样的乞丐，当然也只艺术发达的罗马古国有。

在法国尼斯，我们的旅馆里因为天气热，每天晚饭便在旅馆前面草地上的树下吃。我们所住的旅馆比较小，所以不像大旅馆里吃饭的时候有自备的乐队奏乐。不过我们每晚在外面吃饭欣赏西下的夕阳的时候，便有三位音乐家自动的跑进来奏乐，一位拉提琴，一位拉手风琴，一位便引喉高唱。唱了几支曲子，在我们快吃完的时候，便来要钱。

在英国离旅馆不远有一个小公园，公园前面的人行道上天天看见一位艺术家在地下用颜色粉笔画了好几幅美丽的画，有花鸟也有山水。画好了，这位艺术家便坐在旁边人行道上。我初看见，莫明其妙，后来一问，原来是要钱的。

德国的乞丐最为特色，决不像上面的那样风雅。我到柏林，便去访查，居然发现了。在下午和晚上，走过热闹大街的转角或大公司大游艺场的旁边，看见有些雄纠纠直挺挺站在那里的人，身上挂上一块牌，上面有的写着："我找了许多天，都没有工作做，那一位有工作的给点我做吧！"有的简直写着："我以前曾在欧战时替国家出过力，现在连生活费也没有了！"他们站着一动也不动，比我们的警察站岗还要神气些。还有各国博物院的看守和向导，几乎都是退伍丘八的专业，也是变相的乞丐。我回国后在广州的公共汽车上看见一位白坐车不买票的朋友，卖票的问他要钱的时候，他拿出一封信来证明他是在上海血战过的十九路军部下！大概也和上面的几个德国朋友做"同志"吧！

总之，各国的乞丐决不向你白要钱，必须服务过才要钱。我记得北京前门洞没有拆去的时候，坐洋车出城去，因为风大灰多，一出前门洞，便有老太婆拿了扫帚一面扫灰一面要钱，自从前门洞拆去以后，这种乞丐不见了。在上海过苏州河各桥的时候，也有人帮车夫拉过桥顶，便开口要钱。其余的乞丐都只知道伸手要钱了！

旅馆的门匙　在中国住旅馆，到了出门的时候，便叫："茶房，锁门。"在外国住旅馆，是没有那么许多茶房侍候你的。因此到了旅馆，看定房间以后，便把门匙交给你，嘱咐你每天出门的时候，挂在账房间里有号数的牌上。不过有些旅馆怕你忘记交门匙，便想出方法来使你带不走，我记得在美国的时候，有些旅馆的门匙上挂了一块的牌子，上边一面写着"假如忘记交下，请你贴一分邮票寄回来"，一面有旅馆的名称地址。据说有些小贼，在一家旅馆里住了一夜。把门匙带走，以后靠这条门匙来偷东西，因为旅客多茶房少，常常因此失东西，所以现在也用较野蛮笨重的方法。

这次在英国住的一家旅馆的门匙，可称最笨重了。门匙上吊了一条铁链，下面还有几乎半尺长的铁十字架。这样的门匙不但衣袋里放不进去，假如拿在手上，人家还以为你带了手镣呢！这样一来，决没有一个旅客出门不把门匙交到柜上去的。

德国旅馆的门匙最雅致，下面挂上一个像汽车上鸣号角的橡皮喇叭，橡皮上油白色，或淡青色，真好看，但是要想放在衣袋里带走，决不可能！其他各国旅馆的门匙，没有什么特色，恕不赘述。

独上独下　我每到一个城市，或须先或一到便买一张地图。到了以后便很少找人做向导，有时（如在柏林）便一个熟人也没有去找。我到日内瓦以前，因为有一位女高徒的未婚夫在那边做事，听见我要去，便写信欢迎我，还到车站来接我，我到的第一天便去拜访他。他说“明天国联开大会，我已经替你要到了入场券”。我感他的盛情，便答应去看看。他问我要不要到我的旅馆来一同去。我离国的时候，广州的瑞士领事已经送了我好些关于旅行瑞士的书，其中有一本是有日内瓦的地图的，我在火车上，早已研究清楚，知道他住的地方离国联比我的旅馆近，我就说：“还是我来这里同你同去吧！”他看见我地理很熟，也就答应了。

第二天，我独自去参观了卢骚学院以后，便赶紧赶到他那里。他是住在一所大厦的六楼上一家人家里的，进大厦门后，有自己可开的电梯。我跑进电梯便一直开到六楼，开电梯门一望，他的门前没有他的名片粘着，我一想不要打错了门，给人家骂山门，我的法文不够应付，还不要紧，失了国体却事大。那时电梯已经自动的落下去了。因为这种电梯只预备你上来用，到了上面把电梯门关好，自己便会下去，以备别人坐上来。我只好沿着楼梯一层一层的再跑下去，跑到大门口一看，原来走错了，走到间壁的一所大厦，这所大厦的外表和里面的间隔，和我这位朋友所住的，是一模一样的，大约是一个业主所建的。我才知道我独上独下的白上白下了一顿，但自己走错了，自己寻出错处，自己改正，在独上独下中一个人干着，事后追想，也颇感到趣味。

白坐火车　我还有一次，因为太匆忙了，吃了一个大苦头。我在伦敦最后的一天，因为想参观牛津大学，决定一早乘火车去，下午三点回来，七点搭车离英。到了牛大参观各学院以后，于一点多钟回到车站。那天因为是星期六，天气很好，所以游客很多，我问明了开车时间和月台号数，便站在那里等车，车一到站，赶紧上车，那知到了三点钟，并没有到伦敦，却到了离伦敦很远的一个站！原来这班车误了点，经过牛津的时候刚刚是我要坐的那班车过牛津的时候，而我那班车也误了点，还没有到。我因为匆忙，人又多，而且以为外国的车断不会误点的，因此没有看车厢外面挂的牌子。幸而车多，我还有时候赶回伦敦，然而到伦敦已经六点半，赶紧坐了汽车回旅馆取行李，再到第二个车站，离开车的时候，真真只差一分钟！幸亏我票已预先买好。这次赶得我气喘心跳，但是因为心理学会在丹麦是星期一一早行开会式，不能不赶。

这是一件小小的经验，亦可见在百忙中如能镇定缜密，也可以少吃一些苦头。

丹皇吃瘪　我这次到丹麦出席心理学会，本是顺道参加的，不料教育部替我去了一封公事，派我做正式代表。因此我一到以后，他们便通知我，叫我在行开会式时坐在前排第五位，斜对着丹皇。在开会礼成以后，会长便介绍前排的代表见丹皇。握手以后，他便问我："你是在欧洲留学的吧？"因为中国向来对于这种学会的参加，是派在欧洲的留学生去的，所以他这样聪明的问。那知我答道："不是，我是直接从中国来的。"他赶紧转风的说："哦，不错，从西伯利亚坐火车来，也很近很快呀！"那知我这不善于外交说老实话的答道："我是从海道来的。"他便说："那真是辛苦。"

据说各立宪国的国王，在见客以前，不但由侍从的人，把所见的人的历史调查清楚，并且连问的话，都预备好，生怕说话说错了，惹出是非来，这次丹皇问的话，不知是否事前准备好的，好在无关重要。

地底里兜圈子　我在伦敦，还有一次也因为太匆忙，在地道里大兜其圈子！我从外面回到旅馆去，想快一点，总是坐地道车，那知有一次地道车经过近旅馆的那一站并不停，直到第二站才停。我到了第二站又转过地道车的那一面搭回头的地道车回来，那知经过近旅馆的那一站又不停。后来一看原来车上写明，为求加快的缘故，有几班车是两站一停的，纽约的地道车是有特别快的，欧洲的大都没有，所以我没有注意到。真是欲速则不达！

帮做苦工　我在法国参观一所寄宿女校的时候，她们正是暑假前上课的最后一天。在下午两点钟，大部分学生都坐了校中叫来包定的长途汽车回家。每个学生至少有一个提包，有的还有其他行李，都放在车顶。外国学校用人是很少的，于是校长教员都来帮搬行李，她们都是女子，我们去参观的几个男子，看见了自然是当仁不让，努力帮忙。带我们去的视学官首先下手，同去的另一法国男教师也攘臂争先，于是我也帮做苦工，几一小时！当时还有一位同去的法国的教师带了活动电影机拍照，把我也拍进去。后来新教育会议开会下午演电影，还把这样影片映出来，大家看了大笑，并不以为这是卑贱的事。我到觉得这是生平一件最有趣味的经验。

一个马克　我曾经说过，各国限制现金出口极严，幸亏我带的是旅行支票，现金往往只换到仅仅够用。在我离德境的时候，德国警察到火车上来查各人带的钱。他问我："带了多少钱？"我说"一个马克。"他很奇怪，还以为不懂话。后来我把钱袋拿出来给他看，他才相信。他又问："你没有别的钱吗？"我说："德国钱是没有了，还有些意大利钱和旅行支票。"他才放心的去了。因此车中不知名的朋友都叫我做"一个马克"。

独霸一方　我去的时候，在轮上过了新加坡以后，同桌吃饭的四个人，一个是锡兰人，一个是埃及人，一个是香港土生的杂种，他是英国人。埃及人最无用，稍有风浪，便不敢来吃饭。后来锡兰人也不来了。我便和那位英国朋友说：“我们两个坚持到底。”他说：“好的。”不料经过印度洋的时候，风浪大起来，那位英国朋友大约还是初次航大海，也不敢到饭厅里去吃，终于只剩了我一个，总算没有一餐不去吃，虽则有时吃得很少。我看看四面各桌的人也寥寥可数，大家看见我都很注意。其实我也是为了国体硬撑！

美　国

暴日寇沪时在美见闻一束

公　望

（一）报纸态度　二十七日（一月）报载日军在沪向我致哀的美敦书，限期为二十九日下午六时，合纽约的上午五时（上海时间较纽约前十三小时），当天晨报说中国已完全接受日方条件，但记者以为日军绝不肯如此便休，所以下午三时第一版晚报由纽约运到时即赶到卖报处买了一份，果然，日军晚间在上海向我军进攻了！下午五时第二版晚报又到，登载得更详细，以《纽约时报》一家论，这几天关于上海的电报新闻，每日平均在十万字至十五万字，多半由上海来，其余东京，伦敦，巴黎，日内瓦，莫斯科，沈阳，哈尔滨，南京，都有电报，内容大半是报告各国政府及报纸对此事的态度。据说英法报纸都同情日本，论调是："中国不受统制于日本，便受统治于苏俄。与其让中国统治于苏俄，勿宁任日本统治中国。”又说：“中国土匪遍地，陷于无政府状态，宜由日本予以教训。”但今天报纸上说：“因为日军在公共租界行动危及外人生命财产，所以英法报纸都不对日本同情了。”美国外交协会的研究主任巴尔（Buell）在我校里演讲，据说法国报纸是被日本用钱收买了。法国的报纸照例是替钱说话，不仅此事为然。至于美国报纸的论调，倒没有这样反动，纽约很有势力的《纽约时报》和《赫拉得论坛报》（*Herald Tribune*），自东三省事件以来，都没有对中国说过好话，冷嘲热讽，时常看见，但现在也都说“日本对没有防御的城市施以轰炸，非文明国所应为”了。至于《世界电闻》（*World Telegrams*），向来同情中国最力，此次更不用说。总之报纸论调及上海来的消息，都比前好得多，虽然还有人在说“日本并不想侵吞东三省”的话。日军未施行攻击前，上海来电，都说一般外人预料中国军队见了日本军队一定就向后溜，后来消息传来说日军为我军所败，退回租界。此间一般人都大为惊异。《纽约时报》昨天有一篇论文，大骂张学良，说他平素搜刮民财，吞饷自肥；

拥兵数十万而不肯举一指头与日军对抗，以捍卫中国国土。我们这位张大少以为他那样见了日本军队就溜的态度，可以引动外人的可怜，而不知倒讨一顿臭骂！假使他在东三省抵抗，日军未必就横肆至此。西方人是崇拜自强者，你表示出能力来，才佩服你，像张大少那样态度，只有遇着中国的吃斋老太太，才会像可怜乞丐一样给他两个铜板，西方人可不如此。写至此，记者谨在数万里外对此次对日军作战的将士，致一个最敬礼！并希望全国的将士都奋勇杀贼！

（二）政府态度　美国政府自东三省事件以来，态度忽软忽硬，游移不定；日飞机炸锦州以前，为冷淡时期。政府忙于救济商业衰落的政策，对此事毫不注意。日飞机炸锦州以后为积极时期，史汀生致牒国际联盟，表示愿与国联合作，语气颇为强硬。但东京消息传来，说日本人心愤激，都恨美国干涉，日本驻美大使出渊氏，又频频拜访史汀生密商，于是美国态度，一变而为滑头，无形中就帮助了日本。十一月十六日国联限日本撤兵期满时，欧洲方面颇有各国联合抵制日货的空气，但美国表示不能参加，出席国联旁听代表道威斯氏一语不发，处处都有助日嫌疑，于是限期撤兵就一变而为派员调查。嗣后美日间迭次交换秘密说帖，局外人都不知葫芦里是什么药。日军攻锦州，美国也像煞有介事的抗议，但我们那位张大帅不战而退！所以史汀生于接到日军占领锦州报告后就宣布说：他为满洲问题忙了多日，现在告一段落，要去作两日的短期旅行。此后，一直到美国驻哈领事在沈阳被日军赏了几个耳光，史汀生才又积极起来，于一月七日送给日本一个“不承认现状之合法”的声明，但日本也很聪明，一面对殴击美领案“极力予美国以满意”，一面对美国说帖作一个空空洞洞的回答。美国态度，因此又冷淡下来。日军攻上海后，美国调遣海军至沪，迭次向日抗议，似很积极，但因英法态度的暧昧，美国疑心日法间必有秘密谅解，所以表面似硬而骨子里实软。议院议员有提议政府禁止对日贸易者，史汀生且请求他们不要提出。以前很同情中国的波拉氏，也反对此议，说足以引起战争，又说美国商人要受损失。今天，还有议员反对送军队到中国，说最好是把美国人都运回来就行了。美国政府的态度虽如此游移不定，但可注意的是日军攻沪后，美日战争已成一个讨论的问题。胡佛且宣布海军绝不裁减了。密歇尔大将（General Mitchell）在《胜利》杂志上发表一篇论文，说日空军优于美国，说要攻击日本只有从夏威夷岛及阿拉萨加（Alaska）用飞机过去。美日因为争太平洋的霸权，终必出于一战，但战在何时，却无人能下断语，以目前论，可能性不见多，一则因为美国商业衰落；二则因为对欧洲各国尤其是英国的联络未成熟；三则因为美国在远东的利益，尚未受重大的损害。假如美日在沪的海军，因意外的事而冲突，或美国人民被日兵杀害时，也许会爆发，但日本人诡计多端，难保不用种种方法挑动中国与英美法各国的冲突，那么，事情就糟了！

（三）人民态度　报纸的态度和政府的态度虽然时时转变，但一般人民大体上都多同情于中国。前两天报上说国务部接到很多电报，要求正式抵制日货，哈佛大学教授也有这样的电报发出。中国学生和日本代表在各地辩论时，很受听众欢迎，至于我个人和美国学生及一般市民谈话的结果，虽然有很多抱隔岸观火的态度，或对中国连年内乱表示遗憾者，但大体上都还好，今天早上我和甘末尔教授 Prof. Kemuerer 谈及中国问题，他于批评日本在沪的野蛮行动后，说：“中国的毛病，在人人都忠于家庭忠于省，但不忠于国！”我说这次事件后以前没有觉悟的人也一定觉悟了。“喔！难说！”他说，“中国的事情走得很慢哩。”甘末尔教授是国府财政部前币制设计委员会的主席，在中国一年多，所以记者特地把他的话介绍给读者。

（四）我的建议　关于如何救中国的问题，记者想向国内建议的事是太多了，兹为篇幅所限，略述一二：（1）希望今后国人不要再从事内战了！军阀官僚应觉悟国家一亡，权利于何有，普通人民应觉悟国家亡时，受害最烈者为平民。东三省被占后，同学中有许多还在说：“上海一带是不要紧的。”及至上海被攻，一般居住上海附近的才着急起来，火不烧到眉毛前不救，这是何等的愚蠢！记者读外报及外人所著的书内痛骂中国无自治能力主张共管的言论，真是惊心动魄，不寒而栗，以前大家都以为靠列强均势，中国不至于亡，但现在东三省二十余万方里的地方被日本吞了，各国空作口头抗议，效力毫无，均势亦何可恃？即使可恃，亦何等可耻！前两天美国为上海事件向日本抗议时，《芝加哥论坛报》

斗大标题曰：“美国抗议以保护中国”（U. S. Protests to protect China），国人见之，作何感想？且自东三省事件以来，我国一切弱点，都更暴露无余，今后英美法各国难保不乘隙分一杯羹，加紧演甲午以后分裂中国之现象，国内争权夺利的人们，即使得意，亦有几时！（2）今后国人应注意国防了！中国连年内战，都只注意省防，国防则从未有人计及，东三省数十万方里土地丧失于数日之内，上海数十万人居住之区域毁于一旦，不唯可痛，亦何可耻！一旦中日开战，日本用大炮毁我沿江沿海之城市，或用毒瓦斯杀我数千百万之人民，亦易事耳。亡羊补牢，尚未为晚，此次如能幸而不亡，今后海军空军应如何扩充与训练，陆军应如何裁汰与改进，都市防御应如何设备，不唯政府应负责进行，即人民亦应时时督促，否则真是“鱼游釜中，不知死之将至”了！（3）国际宣传，亟应注重也。以美国报纸论，十之八九系日方宣传消息，但使稍有利于我之消息，即见日方否认或辩驳，我方弱点都为揭发无遗。国际宣传工作，政府负责自较多，但人民方面，亦应注意。我以为上海各大日报，一方应和外报驻华记者时时联络，供给以有利之消息；一方应共同出资派访员在纽约伦敦东京等地，直接电知重要新闻，我读中国寄来报纸，常觉美国有若干重要消息，皆未传至中国，我们的耳目纯为外国通信社所垄断，其不利自不待言。美国报纸，单为上海问题，每家天天都有数万字的电报新闻，难道我们各家联合，尚无力可以每日有二三百字的海外电报新闻吗？（4）应催促政府迅速简派得力人才任驻各强国的公使也。中国应付此项问题，外交最重要，政府只知注全力于国联，而不知英美法意诸国，其重要远过于国联，盖一则有实力为后盾，一则不过一门旋机关也。总之，中国糟至如此地步，实有自取之咎，不可不猛省！

二十一年二月二日于美国普林斯登大学。

国际宣传的几个原则

公　望

自东省事变以来，国人竞言宣传，但以记者在美所得的印象论，我国对此事的国外宣传，与日本人较，不唯太过微弱，且时时有错误发生，反引起不良之观感。兹就愚见所及，拟定几个宣传原则，以供国内人士之参考。

（一）要把事实给人家看，不要说空话。在国内宣传者，往往只拟定几个口号，以攻击敌人。这种宣传，欺骗乡愚是有效的，拿到国外来就没有用！东省事变后，中国人打到外国的电报，总是空空洞洞的说什么“正义”“公道”之类的话，但日本人有些什么事实违反正义公道却不见提，日本人在东三省抢掠杀戮的事实不见提，日本人在东三省一切阴谋诡计不见提：这样美国人如何会信我们的话？我们要宣传日本人的罪恶，不但要把这些事实一件件叙述出来，最好还要用些照片或其他证据，那么，人家才不以为我们在撒谎。

（二）要把宣传要点镶在科学的分析和学术的讨论中，不要使人家一见就觉得是宣传品。东三省事变后，英美各国杂志报纸上研究此事的论文甚多，日本人也有不少文字发表。这些论文，大半是讨论东三省的物产，地理，人口，经济，铁路……以及中日间的一切外交关系。袒护日本人的论调，都说中国曾经和日本订约不能建筑与南满平行的铁路，但后来又违反了此项规定云云。此种论调，颇得英美法各帝国主义国家内所谓代哈派（Die-Hards）的同情（编者按，似可译为“死硬”派），但以我读过的文字言之，从未见有中国人对此点为科学的反驳者。又如日本人屡次宣言如何如何，但行动所表现者，恰为相反，亦不见中国人汇集此等矛盾之点分析考证以贡之全世界者。我所接到中国来的宣传出版物，不但内容毫无学术的研究，且形式上的装订等等一望而知为宣传品。近月以来，美国学校里政治系学生作报告，十之七八是关于东三省问题，但中国方面能供给的材料就缺乏得很。这般学生在研究时代不能得到好的印象，将来怎么能同情于中国？

（三）宣传要点要适合外人的心理。我们对外宣传的时候，常须记着他们的心理和观感和我们的不同；他们的心理和观感对不对是另一问题，但我们既向他们宣传以期取得他们的同情，就得适合他们的心理。譬如向一个中国人说："日本人占了我们的土地，我们便成了他们的牛马和奴隶了。"这类的话，是可以激动他的；但向外国人说就没有用，因为外国人就不在乎中国人是否成了日本人的奴隶和牛马，也不在乎中国的土地是否被侵占；他们所在乎的是他们自己的利益，是他们所谓文明国家的标准道德。日本人向他们说，中国违反了条约，说派兵到中国是保护他们人民的生命财产，说日本人统治东三省后秩序安宁商业一定发达，说中国人如何排外，说中国军队都是土匪不知爱国……这都投合了这般帝国主义国家国民的心理了。日本人占了东三省后，国外对我们同情很少，但上海事变以后，同情骤然增多：原因第一是为日本人在上海的行动危及他们的利益；第二是为日本人在虹口一带惨杀妇孺有违西方人的标准道德；第三是为中国将士的勇敢善战，牺牲爱国，使他们一变向来轻视的态度！今天各报上都有一段联合社的新闻说，该社记者至中国防地时，遇着一个中国兵士年龄不过十五岁，长的还没有枪高，他在战地两夜没有睡觉，天气很冷，吃的东西一点也没有热气，他跑了三英里路（合十华里）到真如去只吃了一碗饭回来，但他还是很高兴。他对联合社记者说："中日战事开始后，我们要把日本人驱逐出去，夺回我们的土地。"前两天又有一段新闻说，吴淞附近有十二个中国妇女持旧式枪械以与日兵对抗，宁死也不让日本兵过来。这种新闻，不但中国人看了为之泣下，就是外国人看了也没有人不说"中国民族究还不错"，比起任何大人先生的牛皮宣言都有效力！

（四）不要现出乞怜的态度。西方人是崇拜自强者，记者前已言之。你现出可怜的态度请求他们慈悲，只引起他们的轻视而已。甚者，他们还要骂你说："你们中国人平日不争气，自己打自己，养着两百多万兵，不能保护国土，现在倒请求我们帮助了，难道我们养的兵是为保护你们吗？"请问你有何话可以回答他。月前底特律（Detroit）的中国人招待外报记者，一个所谓医学博士者代表致辞，把中国人比为鼠，日本人比为猫，第二天报纸上讽刺画就把中国画成鼠，日本画作猫，还加了不少的奚落语。这样的宣传，只是给国家以羞辱而已，有什么用处?

（五）要利用人家已有的宣传利器。散传单，贴标语，临时出刊物之类的宣传，在国内交通不便的场合是有相当用处，但在工业化的欧美各国，用这种法子宣传，费力多而效力少。以散传单言之，每天能散得到几个人?散到的都是些不重要的人，而且他还不会信你的话。若在报纸上作新闻稿发出，数小时之内几千万人都可以看到，无论是重要或不重要的人都可以看到，看了他还相信——假如你的新闻不太过荒唐。两者相比，其效力不可以道里计了。以美国论之，宣传利器：一为报纸，二为杂志，三为无线电播音，四为电影。要向美国宣传，最好由他们这些已有的利器着手，尤应注意在华记者由中国所发出的新闻电稿，因为这些新闻电最迅速最详尽而且读者的范围最广。

日本人在美国的宣传费，九月以来据说已达三百万美金（合一千二百万华币）。中国虽没有这么多钱，但假使政府官吏——尤其是外交官吏——和人民都能注意及此，未始不能有相当效果。中国已往应付此项事变的政策是“镇静”，于是东三省的军队“镇静”而不抵抗，外交官吏“镇静”而不做联络侦察等等工作（施肇基氏为唯一之例外，颜惠卿氏亦尚有相当工作，其余皆饭袋而已），负宣传责任者因“镇静”而不向外表扬中国的是处，镇静乎？坐以待毙乎？

二月八日于美国普林斯登大学。

在美之华侨

公　望

十九世纪中叶，美国西部初开发时，中国移民潮涌以入美，彼时工作状况虽甚艰苦，但因美国人工缺少，尚受相当欢迎，美国今日西部繁盛如此，华侨实为其历史创造者之重要一部分。其后美国西移人民逐渐增多，华侨之勤苦耐劳成为美国工人劲敌，于是排斥华人之空气遂日甚一日，限制华工入境之条约及条例日渐增多，且愈益苛刻，至一九二四年之《移民律》通过，而华侨来美之路，遂几于完全断绝。在此等严格的限制下，华工入美，有采所谓“偷关”或“私运”的方式者，暗以重金贿美国关吏船公司人员等，即可设法混入。但此等华工在私运时所受之待遇，实非言语所能形容其悲惨，往往闷卧舱底或货箱，数日或十数日而不得一饱，若不幸为美国移民局发觉，或则拘禁，或则递解回国，或竟为船公司人员弃置海中或荒岛上，入美之后，若为移民局发觉无入美护照，仍须递解回国。中国人民在海外所受颠沛流离之苦如此，亦我民族生存史中可痛之一页也。

由如此艰难以入美，一若入美后便有致富之机会矣，但事实上则仍不过以苦工换取有限之工资耳。华侨在美职业，最多者为洗衣工人，数千人以上之城市，几于无处无华人洗衣馆者。此辈洗衣工人每日工作多在十二小时左右，星期日亦不停工，其工作之苦及生活之简单，绝非一般白人所能忍受。目下美国一般洗衣馆都用机器，营业方法亦甚新颖；但中国工人所开之洗衣馆则大都以手洗（hand laundry）为号召，营业直无方法可言，不过取价较廉，故尚能与美人竞争耳。为数次于洗衣业者为餐馆业，杂碎（chop suey）与炒面美国人士亦颇有嗜者。营餐馆业需资本较洗衣业为多，其生活状况亦较优，但大规模者亦不多观，多数仅足资生活而已。除此两业外，各大城唐人街（Chinatown）中亦有其他各种商店，售卖中国各种土产：其中售书籍者大半为女学生秘史，姨太太风流史之类，售药品者大都为春药及花柳病药之类。靠开赌场及白鸽票为生者亦不少。高等职业如银行保险之类，则寥寥可数矣。

华侨之勤俭耐劳为其最著之优点，而爱国心之强尤有足多者，每次国内受强邻侵侮时，皆能踊跃捐输。在美华侨殷富者虽甚少，但因美国生活较稳定，工资较高之故，其负担能力自远胜国内，即如此次东省及沪上事变发生，据报载沪地人士所捐慰劳金账目以观，每人平均不过国币一圆左右，此间华侨捐美金一圆几为最低限度，合国币已四圆左右矣。我国每年入超数万万圆，大半赖华侨汇款以为抵补。一旦国家有事，财政之来源亦以华侨之捐募最为可靠，故华侨在外之运命如何，所关者实不仅华侨本身与其家属已也。

华侨之优点如此，但弱点亦有不可为讳者：第一即地方与家族之观念太强是也。在美华侨多为广东台山四邑人，其次为香山人，皆各有其公所，各族人各亦有其公所（刘关张赵四姓合为一龙江公所，取义于桃园结义之后人云）。属于所谓“外江老”者，因言语不通，受其歧视无论矣，即彼等各地各族之间亦互相排斥，时生龃龉。此等因地方与家族而结合之组织，固亦由互相扶助而产生，不过结果往往分裂国民对外一致之战线，为国族福利之障碍，斯为憾事耳。第二即嗜赌及烟是也。侨胞血汗之资，往往耗于一夕之赌博，其沉迷盘龙者亦不乏人。烟赌之利益若有纠纷，则堂斗遂以发生，堂斗时往往伏尸数十，耗资数万至数十万，其影响不仅贻讥外人已也。第三则不洁与缺乏礼貌是也。试一入唐人街，但见商店中尘垢堆积，蝇虫飞舞，侨胞垢衣敝面，植立街头，间且有撩衣当街小便者！纽约芝加哥等埠各通衢，每日均有人备专车兜揽行人参观唐人街（取费一圆），其所得之印象，则神秘（mysterious）与污垢而已。至缺乏礼貌一点，殆为粤人未受教育者之通性，入华侨商店中，只见严面如霜，有时且出不逊之言，其招待顾客之术，逊于一般美国人者远矣。此外，华侨之保守性亦有足惊人者，唐人街中一切风俗习惯，饮食器用，除衣服稍从美制外，余均仍我国数十年前状态，菜馆戏院中大声喧嚷，震耳欲聋，与上海虹口一带差相类似。至思想则尊孔无论矣，保皇且不乏其人（溥仪叛国后，此辈始觉悟），五色国旗，随处尚可见，天地君亲师牌位，供置者亦不少（据称沪战后已有易为十九路军牌位者）。凡此国粹固一概保存，国糟亦一毫不失，此究为优点抑劣点，记者不欲下一笼统之断语。一民族而轻弃其固有之文化，固足以成精神上之灭亡，特故步自封，不加改进，亦非所以立于今之世也。以上所述之弱点，其来源皆由未受相当之教育。华侨来美之前，多属贫寒之家，无教育机会可言；来美后因言语不通及亟于谋生，亦无教育可言，以未受教育之外邦人，处教育普及之美国社会，自然处处相形见绌，又不仅经济竞争不易已也。

华侨新来者因《移民律》限制，日见减少，已如上述，现时在美华侨若干，向无确实统计。略估为二十余万而已。此二十余万中，妇女占极少数，因是华侨在此结婚者十不得其一二，一代之后，即鲜传者，在美华侨之将来，将日益缩减，又可知也。据美国宪法，土生子得为美国国民，此辈土生子从幼受美国教育后，便纯然美国化，几于忘弃祖国之一切，与由中国来者之保守，恰成两极端，凡此皆为负侨务责者应注意之问题也。

二十一，三，廿五。纽约。

如此纽约

公　望

纽约为世界上的第一大城，若追考它的历史，怕都要觉得惊奇罢！一六二六年时，现时大纽约的中心麦哈坦岛（Manhattan）只用价值二十四圆美金的货物，就从印第安人手里换来，相隔三百年，单地产一项，已估计值七十一万万圆而有余了。纽约所以能发展得这样快，固然是因为它临海带河，位置适当，又因美国物产丰富，人口增加，工业进步等等缘故，但美国人的努力经营，自是最根本的原因。纽约在美国城市中，还算有相当的年代，像中部西部的大城如芝加哥如三藩市如底特律（Detroit），几十年或百年以前，还是一片荒地，几家木舍，而现在都成了璀灿繁华的都市了。

（一）地域及人口　现时所谓大纽约（Greater

New York）系包含五个区域（borough）：计为麦哈坦区，白龙区（Bronx），布仑克林区（Brooklyn），昆士区（Queens），及里其蒙区（Richmond）。麦哈坦区最为重要，南面有纽约湾（New York Bay），西有汉特生河（Hudson River）与新泽西州（New Jersey State）相隔，东有东河（East River）与布仑克林与昆士两区相隔，一如上海沪西与浦东有黄浦江相隔一样。面积各区合计，共三百二十方英里，麦哈坦不过占二十二方英里，人口据一九二九年统计约六百万，世界各国人都有，犹太人和黑人甚多，中国人约有一万左右，除聚居在中国街者外，几于每一条街都有一家中国人开的洗衣铺。

（二）交通　现时大都市的发展，纵的方面，房屋逐渐加高，遍处都是高矗云霄的方块建筑（skyscrapers）；横的方面，附近都市的村落或田野，渐次归并为住宅区或工业区。前一项发展，要靠建筑学的进步；后一项发展，要靠交通的进步。纽约的街市交通，就公用者言，共有下数种：（1）地下铁道（subway）由市政府与商人合办。（2）高架铁道（elevator）。这两项一是在地中行驶，一在高架上行驶，不受地面上车辆和行人来往的阻碍，所以非常之快。出五分钱进去后，随便坐到什么地方都可以。（3）电车或地上车（surface car），不论到何处，收费也只五分。（4）公共汽车（bus）由私家公司开办，取费要一角。以上各项车辆路线，共有八百余英里。投资总数，公私合计共达十一万万圆，每年所收车费约二万万圆，每日载客约五百万人。（5）雇用汽车（taxi），每四分之一英里取费五分，车上有表可以照算，用不着讲价。至于麦哈坦与布仑克林昆士两区相隔一东河，其间交通，除由河下面通地下铁道（共三线）及地道（tunnels）外，并有大铁桥五架，每架建筑费都在二三千万圆美金左右，桥长都有六七千尺。又有渡船数处，一定时间开行，取费也甚廉。以上海外滩与浦东间，纯靠渡船来往的交通比较，真所谓相差不可以道里计了。

（三）商务机关　纽约为美国商务中心，在欧战后，也可以说是世界商务的中心。公司商店，达数十万。著名的百老汇路（Broadway），直贯麦哈坦南北两端，街的中部泰晤士方块（Times Square）一带，为戏馆旅馆及零售商店之中心，入夜光耀如昼，行人摩肩接踵，颇为盛况。华尔街（Wall Street）为银行交易所信托公司等金融机关的集中地。一六五二年时，这一段地带尚在荷人手中，因为防御印第安人的攻袭，筑墙以资防守，故有华尔街之名。（编者按,“华尔”译音，原义为“墙”。）在纽约的公共金融机关，主要者如：（1）纽约证券交易所，成立于一七九二年，有会员一千一百人，头等证券，多在此交易；（2）联合证券交易所（Consolidated Stock Exchange），成立于一八七二年；（3）证券市场（Carbmarket），凡不能在纽约证券交易所交易之证券，多在此交易；（4）银行汇划所（The Bank Clearing House）；（5）汇划公司（The Clearing House Association）等。

（四）文化机关　文化机关，首推公共图书馆（Public Library），共有书和小册子约六百万卷。总馆外有参考部（Reference Department）和循环部（Circulation Department）。参考部内存有世界各国历来报纸，杂志，照片之类；又附设有儿童图书馆及盲人图书馆。循环部在市内各地设有支所共四十四处，但向任何支所填一有住所职业等之卡片，存于该所，即可借书籍至家中阅读。此外布仑克林昆士等区，还另有区图书馆。博物院最大的为美国自然历史博物院，珠宝搜集得最多；工业博物院，凡各种工业农业机器进步的程次，都有模型的说明。美术院最著者为都市美术院（Metropolitan Museum of Art），关于中国的搜集得也不少，但比起芝加哥的美术院就不及了。此外各种特种美术院，约在十数以上。学校，首推哥仑比亚大学，有学生约四万人。其次为纽约大学。全市共有大学和专门学校十五所，连中学和小学合计，共六百七十六所，学生约一百万人，占全市人口六分之一，这些学生中，半工半读的很多。此外的学术机关，如罗克佛勒捐资一万万圆创设的，以研究疾疫的防止为主要目的，规模也很宏大。罗氏捐资于教育和慈善机关者为数甚巨，所以美国一般人对他的感情都可算很好。

（五）历史纪念地　美国的历史很短，古迹比较的也少，在纽约，最特出的要算自由神像了。一由纽约港进口，就可见神像矗立云端，右手高举火炬，左手覆胸前执圣经，这座神像，是法国人捐资建造，在法国铸成后分段运至美国。由神像脚底至炬端，共一百五十一英尺，连神像下的方座合计，共三百零五英尺。头长十七英尺，宽十英尺，鼻长也有四英尺。神像里面有螺形铁梯，拾级而登，要二十余分钟才可到头顶，到头顶后，可以由眼鼻各部远眺各方，上面并装有望远镜，麦哈坦全岛，都可在望。一到星期日，那铁梯上下的人，真是络绎不绝，美国人睹此神像，缅怀独立战争的伟绩，国家观念，就自然油然而生。除此而外，历史上各名人的墓地或铜像，倒也不少。哥仑比亚大学的后面，有格兰脱（Grant）总统墓，墓后有李鸿章送植的树两株，现在正是绿叶成荫的时候了。

（六）伟大建筑　论到文化机关或历史纪念地，世界上其余各部都市尽有比纽约好的，但论到伟大建筑，就不能不推纽约首屈一指了。兹述纽约几种伟大建筑如下：（1）华盛顿桥（Washington Bridge）横连麦哈坦北部及新泽西州，建筑费七千五百万圆，今年才告完成，桥高二百一十三英尺，长七千八百英尺，可以有四部卡车同时来往，两旁尚有人行道，步行过桥要收费一角，车辆通行收费二角五分。（2）恩派亚大屋（Empire State Big）也是最近才告完成，有一百零三层，世界最高之建筑。出费一圆，就可到屋顶参观。到屋顶后，全纽约市，都在眼底。街市上汽车蠕蠕行动，等于蚁虫，那三四十层的高楼，望起来也不过土丘似的一小堆而已。入夜全市电灯齐明，在上面望来，但见黄色一片，有如夏日麦熟时田野间麦穗灿烂耀射之状，真奇观也。（3）总中央车站（Grand Central），在麦哈坦中部，有四线铁路以此为终点，市内各地下铁道，都与此相连，所以由火车下后，就可搭地下铁道至市内各地。全站占地共七十九亩（acres），地上高一百二十五英尺，地下有四十五英尺。站内有六十七个上火车门（Track），可容车一千七百四十九辆。待车室内，华丽异常，并有商店数十家，各种旅行用的货物，应有尽有。待车室上方，又有美术品陈列室，以备旅客待车时浏览之用。一进车站时，就觉得辉煌灿烂，五花八门，熙熙攘攘，总之，说不尽的热闹和繁华。（4）荷兰地道（Holland Tunnel）由汉特生河下面贯通麦哈坦南部新泽西州（New Jersey State），共长九千二百五十英尺，宽约一丈四五，两部大卡车可以同时来往。地道内空气甚流通，电灯照耀甚明，并设有警岗，步行者不能通过，车辆经过要收费。

（七）市政优点　上面所说的二，四，六各项，差不多都是市政优点，兹再说几种不能归入上列各项的优点于此：（1）街市与门牌的区分。纽约虽然比上海大，但要找一个地方，却比上海容易得多。因为它的街市纵横交叉，都作方格形，以麦哈坦论，由南至北，顺序名第一街第二街……以至一百几十街，由东到西，顺序名第一马路第二马路（avenue）等等。门牌则每隔一两街交叉的距离，即为一百号，例如要找五百二十号，就晓得是在第五街与第六街之间。街的两边，一为单数，一为双数，顺序找来，自然就是。美国城市，都大半如此区分，不过纽约算分得很整齐，很少出此规则的例外就是了。（2）空中无烟。在上海和芝加哥等地方，空中黑烟腾腾，每次出外归来鼻孔里总是一团黑。但在纽约，空中清朗异常，登高楼一望，屋顶冒烟的人家，不过偶见而已，这是一则因为烹饪都用煤气（gas）或电气，没有烟雾；二则因为地下有通烟的设备，烧煤炭的工厂，烟都往地下去了，所以空中见不着。纽约的地下，要研究起来，真是复杂得很：通铁道，通地道，通自来水管，通粪秽，通煤烟，将来靠地下通的事还多着哩。（3）公园。纽约地价虽昂贵，但公园之占地却很多而且很重要。麦哈坦的中心都有中央公园（Central Park），占地八百七十九亩，算是最大的，不过里面汽车往来如织，没有车坐的人感觉不出多大兴趣来。白龙区有白龙公园，里面有动物园，植物园，还有荡舟处，中下级的人大半在此消遣。哥仑比亚大学，东有晨边公园（Morningside Park），西有河边公园（Riverside Park），都是就斜坡地形围成，夏天到里面来来往往，成双作对，说不尽的旖旎风光。其余各区，都至少有一个公园，合计当在十数。

（八）罪恶一瞥　外国人到中国游历回来，专喜欢讲或写中国的坏处；中国人从欧美游历回来，专喜欢讲或写他们的好处，记者现在为使读者了解他们的真相起见，好处一说，坏处也要说。说到纽约的坏处，第一就要提市政府官吏的营私舞弊。有一个政客官僚的团体叫着唐曼和厅（Tammany Hall），成立于一七八九年，专门把持纽约的政权，包庇罪恶，收受贿赂，公安局的人员和法院的人员，也是一样的不干不净，有钱就要。说到这点，记者要请读者注意的：美国的政客官僚虽然拿钱受贿，但建设的事，也做的不少。本文所述各种市政优点，自然大半是市政府的成绩。中国拿钱不做事乃至专做坏事的官僚政客们，却不能以美国的例子来替自己辩护。第二项罪恶，就是有名无实的酒禁。美国的酒禁，可谓禁者自禁，饮者自饮。据公安局的报告，本市私酒店，共有一万余家，这些私酒店内，并雇有妙龄女郎陪酒，也和上海的燕子窠差不多，这种酒禁情形，虽与中国的禁烟，同样的是有名无实。但饮酒的害，绝不及吸鸦片烟的害大，中国的政府当局和一般烟鬼们，也不能用美国的例子来替自己辩护。第三项罪恶，就是流氓和盗匪。美国大都市的流氓，组织严密，上等的，大批制造或贩卖私酒，包庇赌场及夜总会（night club）；下等的，就绑票，路劫乃至于偷盗。这些流氓常常互相仇杀，但被杀或被伤的人，却至死也不肯向警察说出杀他的人的姓名，据说是他们地下世界（underworld）的法规如此。去岁有一个流氓首领叫金钢腿（Diamond Leg），被人打死了，至今还没有破案。林白上校的公子被绑后又被杀，至今也没有破案。这些情形虽与中国相似，但中国的盗匪，遍处皆是，而美国的盗匪，则都市里才有，小乡镇里就很少听见。第四项罪恶，就是卖淫的娼妓。

纽约是禁娼的，但娼妓却所在皆是。数目若干，无从估计，除了零碎卖淫的娼妓外，那夜总会里面的淫乱情形，东方人闻之，唯有咋舌惊叹！这些夜总会不准有色人种入内，但另有一种所谓大腿戏者（Burlesque），却一律欢迎入内。女郎们脱得精光，表演各种浪态，在中国，任是怎样浪漫的女郎，也绝不会做得出来。此外，美国虽说一夫一妻制，但非法的结合像上海的借小房子或轧姘头者，遍处都有。男男女女在公园里作种种行动，更是平常事了。这种淫乱的情形，虽远过于上海，但美国的妓女，绝无把身子抵押给鸨母，被鸨母奴隶般待遇的事实，且一般都有点卫生知识，医学又发达，故患花柳病者，比较的少。以上所述各种罪恶，固显示出美国政治和社会的黑暗方面，但公正和纯洁的市民们，却也在不断的奋斗，想把这些罪恶防止或消除。纽约市两年前就由立法机关议决成立一个西伯里委员会（Seabury Committee），以西伯里氏为主席，调查市府人员舞弊情形及证据，这两天正在讯问市长瓦克氏（Walker），据说瓦克曾有种种非法的收入。流氓最大的首领加彭（Al Capone）月前已被联邦政府设法判以十一年的监禁。禁酒的问题，一般人也正在高呼改良，至于男女淫乱，美国人很少以为不道德，不过娼妓之存在，自是一种不健全的现象。美国公正清洁的市民努力如此，我希望中国公正纯洁的市民们，也同样的奋起努力，来澄清中国的罪恶，改造中国的政治和社会。

二十一年五月三十日于纽约。

美国的家庭

公　望

美国是个人主义最极端的国家，由家庭制度和生活中可以看出；美国是物质文明最发达的国家，由家庭生活中可以看出；美国是世界上现时最享乐的国家，由家庭生活中也可以看出。现在，特就这三点来一论美国家庭。

（一）个人主义：个人主义的意义，自一方面言之，是各个人自谋生活，不靠旁人；自另一方面言之，是每个人对他自己的行动，都有自主权，无论政府对人民，团体对团员，父母对子女，丈夫对妻子，苟不经正当的法律手续，都不能加以干涉。就头一点说，儿女到了成年或结婚后，父母即不再供给，父母到年老时，也得自谋生活，很少靠儿女养活，亲戚朋友，更不用说。记者来美后，常常碰着些做苦工的工人，有的说起来他的儿子是某公司的经理，兄弟又是某大学的教授，但他自己还得做苦工。去岁，在密歇根作春假旅行，住了很多人家，有一家是一位六十多岁的老太婆，独住在一小山上，她的女儿却住在一英里以外，每星期来看这老太婆一次。这老太婆因为早年积了一点钱，所以每天多半在家里看书消遣，清晨便独自驾着汽车往郊外去逛。这样的例子，着实不少。有一个笑话说："美国有个父亲到他儿子家中住了几天，临走之时，儿子开上账单，父亲看过后说：'项项都对，只火腿三明治一项，我没有吃。'儿子说：'是的，父亲！你没有吃，但你已经叫过了！'"形容虽不免过甚，但美国人的父子兄弟间，一丝不苟，却是事实。去年又有一个中国留学生，因为兄弟欠债，宣告破产后，他竟把他所积蓄的银钱，完全给予他的兄弟，把博士学位也牺牲了。后来美国教授述及此事，认为破天荒的奇闻，由此可见美国人的心理一般了。记者友人某君，曾批评美国社会说"他们只有半伦"，半伦者，男女是也。君臣二字，美国人的脑筋中，从来未有，父子兄弟朋友，不能算"伦"；夫妇间虽共财产，同享安乐，但因离婚率增加，白头偕老者甚少，所以剩下来的，只是男女关系的半伦而已。的确，美国现在的离婚率，真是可惊！有一对结婚，同时就有一对离婚，因为各州法律不同，有的离婚易，有的却难，于是想离婚的人，都故意到离婚易的地方去离婚。像著名的累诺（Reno）城，政府的财源，大半都靠离婚和开赌两项得来的收入。只要到了那个地方住上两个礼拜，取得了居留人（Residence）的资格，即可向法庭请求离婚，只要十分钟，就可竣事。好莱坞的电影明星，照例，每年总要到累诺城跑几次，照顾该城一点离婚费。一对夫妇，若说要到累诺去旅行，下文大半就是不妙了！

就后一点说，每人对他自己的行动，都有自主权（Every man is his own boss），谁也不能干涉谁。美国有一句普遍的俗话说“管你自己的事”（Mind your own business），这句话与中国的“各人自扫门前雪，莫管他家瓦上霜”的意义似相同而其实不同；盖前者乃“你不必要管我的事”，表示一个人不愿受拘束；后者为“莫管他人的事”，表示不愿因他人之事麻烦或有纠纷也。在美国家庭中，子女与父母分庭抗礼的那种神气，中国人看了，总不免要觉惊讶！有一个房东老太婆对我说：“现在的青年，真是和野马一样了！夜间和异性朋友出去，总要到半夜三更才回来，我们年青的时候，那有如此。”又普林斯登大学费特教授（Prof. F.A. Fetter）的母亲，有八十多岁了，她曾向记者说：“我真愿到中国去，听说中国人对年老人很尊重；在美国居住，年纪老后，人人就觉得你是赘瘤了。”这两段话，活活的绘出没有家长权威的家庭制度了，——有一点须声明者，家长对子女没有权威，系指子女成年后而言；子女在未成年时，家长当然仍有教管之权。

美国的个人主义，在家庭方面表现出来者，已如上述；在资本方面表现出来的，即为自由企业的资本主义；在政治方面表现出来的，即为民治主义与地方主义；在社会方面表现出来的，即为职业尊卑观念甚微的社会制度；而在法律方面所表现出来的，即为极力保障私人权利的各种公私法。中国的人民权利，毫无保障；但在美国，因为保障得太厉害了，所以芝加哥流氓首领加彭（Al Capone）虽然大家都知道他贩酒包赌，杀人绑票，无恶不作，但因为找不着证据，没奈他何；直至最近才找着他不付所得税的一个罪名，判了他十一年的监禁。

（二）物质文明：美国家庭的居屋，大约可分三种：第一种是纯用木料建筑的小洋房，较上海霞飞路一带之小洋房稍胜，小城市内最多，工人学生及中产阶级的人都住这类房屋；第二种是公寓（apartment），五六层至十几层的高楼，每楼内分私寓数间，大城市中最多，住的人各色都有；第三种是资本家的巍峨大厦，大半在风景秀丽之地，有的资本家一人有此等房屋四五所，分在各处。第一种房屋，目下最为普遍。就屋外说，邻屋间相距约五六尺至丈许，都有草地，种植花木者亦甚多，屋后有旷地，可供晒衣服等用，故从街面上过，从来不见像中国一样衣裤飘扬的现象。从屋内说，多半分两层，第一层有一间客厅，一间厨房，一间餐室；第二层有卧房三四间至六七间，有浴间一，洗脸沐浴和大小便都在内。大小便粪秽都由地下铅管内汇流至一定处所，用不着马桶，用不着粪坑，浴间内因此毫无臭味。此外物质的设备，如电灯，电话，地毡，自来水，热水，热水汀或汽炉之类，无论大城小城，几于每家都有。关于煮饭的问题，燃料大半是用煤汽炉（gas），只要煤汽管一扭开，就可燃烧，做一顿饭最多只要一个钟头；关于洗衣服的问题，大半用洗衣机器，为时也很省。这等享受，在中国非富有者不办，非大城市不可得见，但在美国则已成为最普遍也可说是最低限度的生活了。

第二种房屋——公寓——物质设备，较第一种有过无不及。但因在城市内，所以光线空气都不很好。此等住屋制度，在城市内为情势所必需，因城市内的一般人，多半无力自购房屋，且来往不定，亦无购屋之必要。若住此等公寓，一切都由房东设备，既不必自己麻烦，又可节俭用费也。第三种房屋——资本家的大厦——内部富丽堂皇，穷极奢华，读者由美国电影片中，已可见其一二。

说完美国家庭物质设备后，记者有两点要请读者注意：第一，美国不但是农业工业等生产事业纯用机器，即家庭中一切工作，亦用机器代替人工。例如洗衣有机器，晒衣有机器，扫地有机器（是胡佛发明的），切肉有机器……等等。应用机器，不唯效率增加，质的方面，也大半较手工工作为佳。欲使一切工作都采用机器，一方面固需要一般科学家在绞尽脑汁来研究，改良，发明，一方面也要社会有资本来购买或置备这种机器。社会若欲具有此等置备机器的能力，必须勤苦工作，少作无益的消耗。苏俄实行五年计划，教人民拼命做工，努力生产，以收获所得的农产品，却尽量向欧美各国贱价倾销，换取机器，亦即此意。第二，美国家庭中的陈设，对于中国出品，如瓷器，绣品，古董，佛像等，颇为珍视，不过购置颇为不易，国内若能依照彼等心理制造，设法推广，美国必为一大主顾无疑也。

（三）享乐生活：中国今日天灾人祸如此，正是卧薪尝胆的时候，享乐的事，最好少提，但记者为使读者对美国家庭有一完全的认识起见，略述其享乐生活之一二。

美国家庭，最重要的构成分子为夫妇，故家庭生活，亦可说就是夫妇生活。记者所见的美国夫妇，都非常要好，此中理由虽多，但很简单明显的，就是不要好的都离婚，尚未离婚者当然是要好的了。美国人男女的交际很自由，性的享受机会很多，结婚年龄，大半很迟。结婚后的女人，有一部分仍在社会上做工，一部分则在家内管理家务，工作也很勤。普通一般人，晨间都起得很早，晏起者绝少，起后多半驱车往郊外一游，然后再去上工。上工回来，夫妇间甜啊，蜜啊，“达灵”（darling）啊，亲热个不休。晚上两人靠在客厅的沙发上，开起无线电音乐，或看书，或作桥戏（bridge），整天只看见他们眉开眼笑。星期日来了，更是享乐的时候，或驱车到郊外作“辟克匿克”（picnic）或到海滨游泳（冬天也有地方游泳），或骑马或荡舟，总之玩的花样多得很。

说到美国的享乐生活，记者又有几点要请读者注意：第一，美国人一面很享乐，一面也很勤劳，无论男女，老幼，贫富，游手不做事的很少。美国今日所以能如此富庶，一则因为地大物博；二则因为对殖民地的剥削；三则因为乘欧战的机会，扶摇直上；但背后主要的原因，则在乎全国人民都勤奋努力，从事生产，一致对外，不作自杀的内战。（南北因黑奴解放内战后，至今无一次内战，以后亦不会有内战吧。）第二，美国有钱人的享乐生活，荡舟骑马跳舞打高而夫球等等，虽自社会主义者眼光观之，未免有有闲阶级之诮；但此等娱乐，对社会有相当益处，对个人康健，亦各有其优点，比起我国人的抽鸦片烟，打麻雀，嫖娼妓不可同日而语了。第三，美国人的享乐，是他们一种基本哲学也可说是他们一种民族性。（其实美国人就不喜欢谈哲学，与中国人好清谈者，恰为相反。）有钱人固然胡皮（whoppe）——快乐之意——穷人也未尝不胡皮。他们的诗歌，文学，电影，戏剧，无非男女欢悦，你欢我爱之辞。其他一切生活，均无往而不胡皮。所以美国的文化，从好的方面说，是蓬蓬勃勃，一团朝气；但尖刻点说，不过是“金圆文化”，“性交艺术”，其中心亦只在于享乐而已。

六月五日，于哥仑比亚大学。

纽约联合准备银行参观记

公　望

美国的联合准备银行，其职务与英法各国的中央银行等，所谓银行之银行（bankers'bank）是也。全国共分十二区，就中纽约一区，营业最大，影响亦最伟。日前得校中教授的介绍前往参观，行址在自由路（Liberty St.），屋高十四层，入门后守卫森严，都佩有盒子炮，为美国一般机关所鲜见。据称银行四周玻窗，厚寸许，可避子弹，行内并置有机关枪，卫士一百人轮流守卫云。

该行派员引导，先至金库，库在地下约八十五英尺，重门深锁，一一开启，最后一门系纯钢制成，厚约五尺，机关扭动后启闭自如，库四周墙垣，厚十六英尺，入后见黄光灿烂，长方块标金堆置地上，每块重三十三磅，价值约八千美金。计该行共有四金库，每金库有屋三四不等，每屋堆满金块可容四千万圆。现时世界黄金，美国屯积百分之四十余，黄金如此锁置库中，亦为金价暴涨，银价暴跌原因之一。美国一面屯置如许黄金，不容流出国外，一面加高关税，阻止外货进口，一面又不肯放弃或减轻其对欧战债，于世界固有害，于美国亦只自促其不景气之日益尖锐化而已。

继参观收支票部（Transit Department），各会员银行间之支票，均由该行代为向付款银行兑收，较之旧制由银行自行托各地连号代兑者，省时省费，此亦联合准备银行制度优点之一，部内自设邮局，直隶邮政总局，凡致该行信件，可以直接由码头车站或飞机场上直接运往，节省时间，因可以减少兑取支票时利息之损失，美国人做事顾效率，真可谓无微不至。

嗣至纸币部，该行收入纸币，先分类检出，然后再由计数股用电机点数。据该行统计一九二九年收到及点数之纸币，共有五十三亿圆左右。点数后置机器上用绳捆扎，其数额较大者用钢条捆扎，外面并由点数人签字负责。此等工作，概由另一公司承办，据谓以机器之助，每人每日（八小时）可检查，计数，捆扎二万至三万张之纸币。与纸币部接连者为现币部，其中检查劣币，计算数目，包裹及装袋等工作，亦一概用机器。记者来美参观各地最触目之印象，即为机器应用之广，工厂中不论矣，即学校，商店，银行，家庭等等，均无处不见机器。用机器故事半而功倍乃至数十百倍，我国今日若欲救穷，若欲增进国防，工业化最为要图；所谓工业化，要言之，亦不过以机器代人工而已。

该行职工共有二千五百人，收兑支票等部系分三班，日夜轮流工作。行内自设医院，餐馆，健身房，俱乐部等，美国大规模之公司商店，类多如此。关于该行营业状况，营业政策等，可由银行学专书及杂志内查考，兹故略而不记。

二十一，八，三，自纽约发。

美国西点陆军大学游记

公　望

西点陆军大学（West Point Military Academy），在全美陆军学校中最负盛名，久就想去考察一番，只因学校课忙，不得如愿。暑假放学了，天气还不十分热，风和日暖，正是旅行的时候，因此便约同同学蒋君，搭汉特生轮船公司专载游客旅行的船到西点去，一路上所见雄伟秀丽的景色，香艳旖旎的事实，颇饶特殊风趣，兹请为读者一一道来。

美国人有旅行热，无论春夏秋冬，到一定的节气，火车公司，公共汽车公司，轮船公司，便特开专班接引人们到各处去游玩。今年将近暑天的时候，汉特生河（Hudson River）上下游，正是瞩目骋怀的所在，我们在麦哈坦中部上船时，船上的人已挤满了，好容易才找到两个座位。船行不久，便过华盛顿桥（Washington Bridge），这桥是新近才完工的，长七千余尺，算是世界上最大的铁桥。由华盛顿桥而北，便渐由建筑高矗云霄的纽约市，进到两岸楼台掩映丛林间的乡村境界。这时，那美丽的阳光照着，和煦的微风吹着，河里的水哗喇哗喇的响着，船上的狐步和爵士（Jayz）的音乐狂奏着，那男男女女们便一对对的拥着，抱着，吻着，依偎着，昵声笑语，毫无顾忌的狂欢极乐，只剩下我和蒋君是两个中国学生，眼对眼的瞪着，一声不响的在坐着。我们也很想打起精神，学他们嬉皮笑脸地闹一会，但久受中国社会薰陶的我俩，那少年老成的面孔总是摆不脱，好似裹了多年小脚，一时间不易放开一样；而且愈见他们狂欢极乐，便愈想到凋零破碎的故国！结果，仍是一声不响的坐着，中美两民族，一是时常忧伤感慨，一是尽情欢乐，究竟为的是环境不同呢，传统的哲学不同呢，抑或是为的天性不同？我且让读者去自做答案吧！

船将到西点，就见陆军学校傍山矗立，有如欧洲古代城堡。下船后顺山脚蜿蜒而上，但见一片广场，绿草如茵，来来往往的游客们，无一不兴高彩烈。妙龄的女郎们，薄薄的纱衣，紧裹在身上，挺胸露臂，显出那壮健的自然的曲线美，记得从前《老虎报》主笔章士钊先生，在北平做教育总长的时候，曾反对女学生们穿着短袖短裙的衣服，他认为“扬袖见肘，举步窥膝”，未免是“荡检逾闲”。但是现在美国的女郎们，用不着扬袖，就可见肘，岂但见肘，而且见臂；用不着举步就可见膝（见而非窥），岂但见膝，而且见腿。章老先生若来此，想必喟然叹曰：“噫！是与禽兽何异！”其实我说中国男女风化的观念，尽可放松些，倒是那临风婀娜的审美观念，若不快点改变，女郎们弱不禁风的娇躯，若不快点锻炼，岂但“东亚病夫”的绰号，永远不会脱掉，并且是民族前途的隐忧啊！

广场的北方，建有高约六七丈的圆柱一，系纪念死于欧战的该校学生。下面横列炮弹数十堆，大炮数十尊，皆系各次战役夺来的战利品。中有一野战炮，系庚子联军由我国夺来的，记者在日本，在加拿大，在美国，都见我国的炮陈列着作人家的战胜纪念品。他们的胜利纪念，就是我们的国耻纪念，愿国人勿再作内战，合力对外，一雪此耻！

由此沿着山坡顺河边行去，一面是青碧色的流水，一面是参天的大树，那山坡上一对对男男女女拥抱卧着，那小径上着制服的青年战士个个挽着妙龄美丽的女郎在徐步细语。美国人的生活，就像他们制出的电影，无论是战争科学，社会冒险，或侦探滑稽的片子，都有男女爱情在点缀着。记者来参观陆军学校之先，满拟着要看一番军令森严士马奔腾的气象，却不料倒看了这些浪漫风流的事实。美国人享乐是享的够了，但将来有了很严重的战争，士气是否可靠？不见得就没有问题罢！

欣赏约三小时左右，回头的船已开到。归时船上一般人的狂欢极乐，也如去的时候，到纽约时，业已万家灯火。看街市上人们忙忙碌碌，又是一番景象了。

八，十九，于纽约。

美国人眼中的中国人

公　望

美国人有名菲律布（Philip）者，著一本书名曰《龙眼下之外国人》（*Through the Eyes of the Dragon*），拿龙来象征中国，说中国人把外国人都看作洋鬼子（Foreign Devils）和蛮夷，此外他并把中国一切黑暗腐败的情形，叙述了很多。这不过举其一而已，其余类此的著作甚多，知己知彼，兵家所贵，究竟美国人把我们中国人又如何看法，记者特就几年来的接触经验，分析介绍于国人如下。

美国因为特殊立场的关系，在政治上对中国比起日本英国乃至法国对中国都好些，但社会上的待遇中国人呢，比起英日法各国只有更坏。他们常骂中国人排外，但事实上他们对有色人种的成见，实是为中国一般人所想像不到。明明挂着房屋出租的招牌，去租时偏说没有了；俱乐部，兄弟会，跳舞场，大戏院，这类的地方，有色人种照例被拒绝；一个白人女子假如同一个有色人在街上走，路旁的人就会瞪着眼看你；报纸上招工广告，十之六七都注明要白人；诸如此类，处处可见。有色人种中，黑人最受贱视；日本人则“敬而远之”；菲律宾人因为是他们的属民，对待还比较宽大；印度人之类为数很少，不受注意；至于中国人呢，就是他们讥笑嘲弄的资料，翻开一本杂志或书籍，骂中国人（Chinaman）的话随时可见；戏院里或电影里演到中国人，不是土匪就是阴谋杀人的恶棍；在街上过，小孩子会叫你“支那人”（Chinaman）；同他们谈话谈到中国，他们的印象总是不外内乱，土匪，共产党，堂斗，鸦片，虎列拉，灾荒，小脚，奴婢，长头发辫，姨太太……这一类事。因为中国人在美国大半开洗衣铺，他们见了一个不相识的中国人，不论你是什么人，总要问你，近来洗衣的生意做得怎样了？在西方，有许多理发铺不让中国人进去，中国人被雇用，就会有工会来恐吓雇主解雇。我有一个朋友在旧金山向房东太太租好了一间房子，半夜里房东回来听说是中国人，便要他立刻搬出。中国籍的中国人固然是受他们的如此待遇，就是美国籍的中国人除了不受移民律的限制外，也一样如此。国内有的人在痴想着国亡了只要有钱还可入外国籍，却不知受这样的气，入外国籍也没有用，有钱也不会快乐。（美国现时除土生子外，已不准亚洲人入籍。）

美国人对中国的印象何以这样坏呢？第一自然是因为种族的隔阂；第二是因为我们中国人也确有许多不争气的事实；第三就因为他们的电影，报纸，杂志，书籍，小说之类都对中国有许多恶意的不正确的描写。就电影说，只要有关中国人的片子，就无一不是侮辱中国人。罗克《不怕死》一片，不过其一而已。此间还有许多片子如《傅满洲医生》（*Dr. Fu Manchu*），《斧头党》（*The Hatchet Men*），《上海快车》（*Shanghai Express*），《上帝之子》（*Son of the God*），《龙女》（*Daughter of Dragon*）之类，都把中国人描写得像鬼怪妖魔；却偏还有许多华侨为了几文薪资，便替他们演这种辱国的影片（黄阿媚亦是此中要角）！就报纸说，每天消息都是土匪和共产党猖獗，教士被绑勒赎，虎列拉死若干万人之类，建设方面的消息，从来未有，《纽约时报》驻华总记者阿本氏（Abend），为散布此等恶消息之最重要分子。例如报告日军要侵热河，下面他就跟着说南北不和要生内战；报告日本承认满洲伪国，下面就跟着说山东韩刘火并；报告国内一部分人反对“国联调查团报告书”，下面就说这不过内政争斗工具，并非真的反对，诸如此类。有许多固然是事实，有许多就是捕风捉影，或故加诬蔑。这样的消息，就是我们存心不信他话的人看了，也要叹中国人之不争气，外人感想如何，就可想而知。就杂志说，地理杂志之类，所登中国的照片不外鹑衣百结的穷人，破陋不堪的矮屋，狭窄凌乱的街道……等等。日本人主持销行很广的《亚细亚杂志》（*Asia*），那更妙了：前篇登一张日本美丽少妇的照片，下面就登一张中国小脚丐妇的照片；前面登一幅日本制服整齐精神活泼小学生的照片，下面就登一幅中国灾民家庭牵儿抱子的照片。相形之下，令人自然观念迥殊。就书籍说，图书馆中旅行中国者所著的书，至少也有四五十种，这般旅行家既不懂中国文，又不懂中国话，说来说去无非是鸦片，土匪，小脚之类！阿本氏前年著了一本《痛苦的中国》（*Tortured*

China），于形容中国腐败之后，并主张列强“为人道计”共管中国；另外一个新闻记者拍弗（Peffer），著了一本《中国文化的崩溃》（*China the Collapse of A Civilization*），虽然反对共管，但对中国的坏处，也就说得很多。就小说来说，街角上书摊里所摆着的侦探小说，封面上往往画着一个三角眼小头发辫长指甲的凶恶的中国人拿着尖刀在戳人，或者偷放毒药在人碗里，内容如何就可想而知。去岁赛珍珠夫人（Mrs. Pearls Buck，系美国人，在中国生长，金陵大学农科柏克教授的夫人，曾任中央大学英文教员）发表了《大地》（*Good Earth*）这本小说，系描写安徽一个农民叫作王龙的由穷困而至发迹的故事。经美国文学学会认为前年内最有价值的文学作品，两年之内，行销到十九版。一个普通的美国人假如没有看过这本书，至少也曾听见了这个书名，影响之大，自不待言。书内描写中国人的生活，虽然也还相当像真，但所予美国人的印象，则只使人觉得中国真是道德破产，文化落后。赛夫人近来又跟着发表了一本续集，名曰《儿子》（*Sons*），系描写王龙的儿子做了小军阀后的种种行为，预料也可哄动一时，听说她还在赶著另一续

集。赛夫人钱也赚够了，名气也大了，只是中国人的名誉也就跟着糟了。（赛夫人大体上对中国的印象还不坏，不过她描写的都偏向中国社会病态，易使美国人误会，以为中国人人如此。）

要纠正人家对我们的恶印象，第一是“止谤莫如自修”，国内的人和海外的侨胞都要争点气，改正一切病象和弱点。第二，宣传工夫也不得不做一点。中国现有的英文宣传刊物如《民族杂志》（*The Nation*）之类，此间书摊内从来未见，图书馆内摆着也很少人看。《密勒氏评论报》，还比较有人注意。我以为最好合并各种英文杂志，集中经费人才，办一种类似《亚细亚杂志》的有画报的刊物，改善内容，期诸久远，才可以做一个对外的喉舌。中国文化史，文学史，哲学史，美术史之类，如能译成外国文，也是宣传之一种。我在哥仑比亚大学图书馆里目录内翻了一个钟头，都翻不出这类的书籍。中国文化虽说落后，但文化哲学和美术，倒还可以在世界市场上陈列一下。此外，中国的名山大川，古迹胜景，美人名士之类，如能制为电影或画片，或以照片送外报载，都是宣传之法。政府有庆典，人民有集会时，最好设法找各电影公司驻华的机关，拍些新闻片子。记者近来赴附近各城市演讲，把中国的文化和日本人在中国的阴谋，也介绍了不少给美国人。人人尽力宣传，恶印象自然可以渐渐减少。不过国内的学者如胡适之流，在国际小负声名，不但不作好宣传，反而用英文在外国杂志说中国的坏处，其用意也就不可解了。

又附带报告者，中日问题，此间现时仍很注意。替日方宣传之主要分子：一为前《远东时报》主笔梭苛斯基氏（Sokosky）。梭系俄国人，美国国籍，曾任中国财政部顾问，现在《纽约时报》专写远东问题文字，并时在无线电内演讲。最近著一书名曰《远东之火药库》（*Tin Box of the Far East*），议论多袒日；与以前所发表者不同，想系为日方收买所致。其次则为日人 Akagi 氏，明为在哥仑比亚大学任讲师，实则借此头衔在此宣传，颇为得力。为我方说公道话者为前《北京导报》主笔美国人柯乐文（Grover Clark）氏，记者与之同寓，对此问题时作研讨。彼生长中国，东方情形甚熟悉，唯因在此无一定报纸为凭借之故，其影响远不及为日方宣传之梭苛斯基氏。此外顾子仁氏，孟治氏，亦有相当宣传，顾氏英文虽佳，但议论间有不得体处。例如上次在政治学会演讲时，顾氏以日本譬为丈夫，中国比为妻子，此丈夫贪妻子的妆奁，乃将彼逐出，另以奴婢为妻云云。又在哇海哇演讲时彼竟主张美国对中日两国货皆应抵制。高见诚为记者所不能了了也。

美国的学校与学生

公　望

美国学校究竟怎样？它们的制度如何？与中国学校的比较如何？学生们读书情形如何？经济来源如何？课余生活如何？思想如何？中国学生和他们的比较如何？这些，大约是国内一般读者所愿知道的罢；那么，且听我道来：

（一）学校比较　美国学校比中国学校好，这是无庸我申述的了。所谓好的标准，第一是图书仪器实验室等设备比较的完全；第二是教员的学识比较的渊深；第三呢，各种陶冶学生性情及人格，鼓励学生用功，健全学生身体，和帮助学生经济困难的办法，比较的周到。以美国大学互相比较，概言之，东部优于中部，中部又优于西部。东部最著名的如哈佛，耶鲁，普林斯登，哥仑比亚，麻省理工，约翰霍布斯金等；中部最著名的如芝加哥，密歇根，威斯康辛，意利诺，康乃耳等；西部著名的较少，加里福尼亚和斯丹福算最出色的了。

（二）严格考试　美国大学的考试制度和中国可谓恰与相反。在中国，著名一点的学校入学考试非常之难，但一经入校，即使镇日不读书也可混到文凭。美国呢，入学非常容易，十九不须经过考试，只须有以前学校的成绩单，就可定班次，但入校后每门功课至少月有一考，功课选得多一点就会个个礼拜都有考，考试不及格，学期终了后就须开除。（考试时也没有像中国学生要求教员指定范围或在试场上带夹带的怪现象。）因为这样严格的考，所以学生十分不用功的很少，但坏处在学生都把学位学分看得太重要了，真正学问，似乎反在其次。因为要取得好分数，于是教员说黑就黑，说白就白，一点自由创造都没有。有一个英国教授批评美国学生说："他们心目中只有两 G：一是 grade（学分成绩）。一是 girl（女朋友）。"这倒也入木三分。话虽如此说，不过美国教授所出的题目，倒绝不像中国教授那样照着书上出几个专凭记忆的题目，若要考得好，必须全盘彻底了解才行，所以假如你能对这门功课考得好，至少你已经有了相当的贯彻了解了。

（三）中国留学生的考试成绩　中国学生在美国学校里考试成绩，平均都不在美国学生之下，以文字及语言的困难和阻碍，尚且能与他们竞争，足见中国人的智力并不低于白人。但何以出校后的成就就远不如他们呢？依我的意见，原因大约如下：（1）中国社会生活不安定。美国学生出校后，不管是教书，做律师，进工场，做生意，一做就可以安安心心的做几十年——假如他不出乱子的话。做一件事连做几十年，自然能够有点成就。中国学生呢，回国后先是教书做过渡，权当住旅馆。但教书往往是领不到钱，于是不管是学工科，医科或商科，有机会总想跳到政治舞台上去瞎混。在政治上照例是五日京兆，下台后又混到旁的事业上去。如此东奔西跳，那能有伟大的成就？（2）中国人的身体健康，远逊西人，学生尤甚。中国留学生中，体重十九是在美国人的平均度以下，害肺病者，比比皆是，耐劳力远不及他们。西洋人在六七十岁以后还正是建树事业的时候，而中国人呢，五十已老，六十即朽。既老且朽，就自然昏而且庸，何能有为？（3）中国社会用人，重关系而不重才学。留学生在此取得头衔回国之后，大部分时间就消耗在建立关系上面，读书研究的时间，非常之少。即使想做点研究工作罢，良好的图书馆和实验室，两俱缺乏，在几十年以前，不靠图书馆和实验室也可以成功一个学者或科学家，但现在就很难了。此外，自然还有零零碎碎的原因，但以上所述，不能不说是最重要的了。

（四）美国学生喜欢学些什么科学　对这个问题的答案，一言以蔽之曰：实用科学。土木工程，机械工程，电气工程，应用化学，医科，商科之类，都是美国学生所喜欢学的。中国学生大半喜欢学政治经济等社会科学，美国人问起来总觉得很奇怪。《纽约时报》驻沪记者阿本（Abend）氏所著《痛苦的中国》（*Tortured China*）一书内，也以此为批评。中国人所以多喜欢学社会科学而不喜欢学自然科学：第一是因为民族性好抽象玄虚的理论，以为此等学问才是“形而上”；第二是因为一般人还是抱传统的“学而优则仕”的见解，以为读书只为做官；第三是因为中学里面数学及理化等根基太坏，学自然科学颇感困难。学社会科学的人，回国后既不能创造或经营生产事业，于是大都奔竞于仕途，仕途的饭碗不够分配，于是互相倾轧争夺而政治日乱，近代欧美的文明，究其实是建筑于物质之上，也可说是建筑于自然科学之上。我们若不能迎头赶上他们的物质建设，不唯经济不能竞争，国防不能充实，一切社会或政治问题，也很难解决，我并不是说社会科学不需要，但像现在这样一般人都集中于社会科学而忽视自然科学，实是一种极端不健全的现象。

（五）他们为什么没有学潮　中国的学潮，近来更是奔腾澎湃。但在美国，除了今春哥仑比亚大学曾经闹了一番带滑稽性的风潮外，就从未听得。其原因我以为略有如下：（1）美国国势强盛，政治安定，学生对于政治无须过问，无须入党结社。除了纽约因为城市大，各国人都有，一部分学生还有点政治活动外，其余学校里学生，不但没有政治性质的团体，而且连学生会都大半没有；所有的不过是兄弟会（Fraternity）或姊妹会（Sorority）的组织，此等组织，其目的不过在交同性或异性的朋友而已。（2）美国社会经济比较的安定，学生无论由家庭供给或自己做工，经济上都不大感什么痛苦，出校后职业也比较的有路子可走，用不着依附什么政党或特殊势力，自然更用不着为任何特殊势力来鼓动风潮。（3）教员薪水不欠，循次渐升（由讲师升助理教授，又升副教授，再升正教授）。著书立说，出路不成问题，用不着利用学生来巩固饭碗，或扩张势力。学生既不过问政治，政客们也就用不着来学校占地盘，利用学生来做政治活动。（4）学校当局办事认真，学校天天在进步中，教员学问好的不用说，坏的也还过得去，上起课来，非常认真，从不缺课。学生对学校既无不满意，即使不满意，转学甚易，也就用不着闹风潮。（5）功课很紧，应付考试不暇，课余后又有运动室可以运动，社交机会可以谈天，谁还有工夫来开学生会，贴标语，闹风潮？

（六）半工半读与教育普及　美国的工业特点是大量生产（mass production）；教育呢，特点也是大量生产。每一个著名大学行毕业礼，学士总是上千。硕士往往上百，博士总是上十。这样，也许有人批评是粗制滥造，但其实粗制滥造倒未必，教育普及却是真。高等教育都能普及如此，有一个重要原因是半工半读的机会很多。

每个大学里，半工半读的学生，总是在百分之三四十以上，大半是做餐馆侍者，其余有的做厨子，园丁，书记，跑街，售货员，打字员，速记员等等不一，学校里设有介绍机关代为寻工，社会上需要用人时，就关照学校介绍机关代找。工资平均是每小时四角至五角。在不景气风潮未甚前，中国学生纯靠做工在此读书者甚多，现在呢，他们有了工都是先给美国人，中国学生就比较难找工作了。除了这种半工半读的机会外，每个学校里，都有私人或机关捐助的奖学金（scholarship or fellowship），名额大半都在一百以上，金额二三百圆至二三千圆一年不等。成绩好的，经济困难的，就可请求得到。

（七）女学生　除了哈佛，耶鲁，普林斯登，斯丹福等少数学校外，各大学都招收女生。以我所在过的几个学校论，女生数都占全校学生数百分之四十以上。这些女生所习的科学，大半是教育，医科，及速记打字之类。美国目下各机关各商店，所用的书记（stenographer），十有九是女子，训练得非常之好。关于打字，速记，编排文件，接电话，招待来宾等工作，都精练灵敏，为中国女子所少有。学这些功课，费时较短，寻工作也容易，不过不会有什么大成就而已。在班上青年的女同学虽然很多，但白发苍苍的老太婆也时常遇见。至于暑期学校，那简直就像一个老头子和老太婆学校，因为在小学中学和大学一二年级教书的，每个暑期，大半都进暑期学校补习，他们的年龄，自然较大了。

（八）课余生活　美国学生课余后，既不做政治活动，也不做社会运动；他们的消遣，最重要的大约就是身体运动和社交。一个美国学生假使他家里给他的钱恰够日常费用，他就往往要一天做几点钟，赚一点钱来享乐——主要是带女朋友跳舞。至于中国学生呢，宁可不享乐在家里闷坐，非不得已决不愿做那几点钟工。这也是中西民族性最不同之一点，一是积极工作积极享乐，一是抱“安步以当车，晚食以当肉”的哲学；换言之，一是要满足欲望，一是节制欲望。最近《新共和》（*New Republic*）杂志上，有一篇苏俄通信说：有一个俄国女人每天除了做工外还要在成人学校里尽义务教一两点钟书；她问美国记者道：“美国女人究竟做什么呢？”那美国记者回答她道：“她们也做工，但做工后就看电影，跳舞，吃口香糖。”那俄国女人又问：“她们为什么这样呢？”美国记者说：“她们要快活（good time）。”真的，美国青年男女心目中，先是找一个工作（get a job），于是就想怎样有很多钱（lots of money）和很多快活（lots of fun），至于对社会尽义务，那可不是他们所想到的了。话虽如此说，但我们若为美国青年辩护，也未始不可以说：美国国势强盛，用不着他们奔走呼号；教育普及，用不着他们办成人学校；人民知识程度高，用不着他们演讲宣传；资本家与工人财富分配虽然不均，但这是工人自己有组织起来斗争的，用不着他们来参加；其余社会上虽有许多问题，但大体上负责有人，用不着他们越俎代庖。他们又为什么不自求其乐呢？

美国是美国，中国是中国，美国学生不为社会尽义务也许有理由，但中国目下国势如此阽危，人民不识字的如此其多，政治和社会如此腐败，土匪，鸦片，疫疠，灾荒，如此其猖獗，中国青年自应除了自己的事外，还要对社会对国家尽一番有益的义务，担当一番除腐布新的责任。

实力救国

仲　雨

“头可断，志不可屈”，这是我先烈史督师可法慷慨就义时遗给我国民的宝贵教训，当此存亡间发，奴主须臾之候，我全国同胞应本此精神，抱定“与贼偕亡”，“杀身成仁”的决心，更应从事于各种有效的反日工作，准备实力，以与日贼相周旋。

我旅美侨胞，刻正厉行对日经济绝交，并积极筹备航空实力，以为杀敌致果之准备。

自日寇侵占我东省，全美侨胞莫不悲愤填膺，极愿与日贼拼命一战，以雪此亘古未有之奇耻。唯在国内此种救国工作，系以青年为中心，中年老年较为迟缓，在华侨社会中，则无此偏倚现象，有时中年老年，反较慷慨激昂，盖彼辈半生奔波，备尝艰险，深感侨居海外，毫无祖国的保卫，其苦痛等于孤儿之失慈母，故一遇国难，即披发缨冠，奋起救援。前三藩市一中年华侨厨工，于治肴馔时，横刀乱舞，大呼“杀尽日本倭鬼”“杀尽日本强盗”，适有倭鬼道经其门，即以铳枪向之暗射，彼不觉，仍大呼“杀日贼”“杀日贼”不已，迨主妇闻声赶至，始知腿已受伤，其悲愤热烈之情，可以想见。侨胞中愿以身家性命为国牺牲者，亦比比皆是，如墨西哥亚鳟务埠反日救国大会中主席请与会人表白为国效劳志愿，当有吴存谱黄锦羡等数十人皆自愿将其财产全部捐出，并愿执枪效死于疆场；至愿捐出财产一半或数千圆以充军费者，更不胜枚举，各人自动，且签名宣誓，以示决心。墨西哥，加拿大，美利坚，各处华侨皆自动组织义勇队，多者千余人，少者亦百数十人，皆准备于中央对日宣战时，即回国牺牲，为国杀贼。华侨青年大都体格雄健，气宇轩昂，敢行敢言，一洗缩头缩脑，忍气吞声的萎靡积习。彼辈多有救国铁血团之组织，一遇下愚不移的劣性同胞，偶与日寇发生经济关系，即毫不客气的飨以老拳，此种不屑之教，不但施之于同种的不良分子，即为虎作伥，被贼收买的碧眼黄髯儿，一与彼辈碰头，亦难免饱尝一顿肉团团。因此，关于对日经济绝交事，雷厉风行，披靡全美，日人损失不赀，因而停业者，亦不在少，如西雅图日人所设太平洋商务银行，本有存款二百五十万圆，但贮户大都为华侨，自日贼强占我东省，侨胞大愤，纷纷向该行取回存款，致发生挤兑风潮，该行乏款应付，十月二十三日，即被美国调查银行委员勒令停闭。又航行美亚的日本轮船，其最大主顾本为华侨，现华侨一律拒绝搭乘日轮，该轮船公司无法支持，已有停航之势。就现时的情形说，在华侨商店中已买不出日本货，与日经济绝交的程度，已经达到最后的一步。但我爱国侨胞，仍恐一般人对于日货分辨不清，特开仇货展览会，搜罗仇货甚多，如布匹，食品，玩具，装饰品，漆器，瓷器等不下数千种，各界侨胞往观者极踊跃。此外更有家庭爱国运动会，邀请侨胞眷属参加，并分析各种家庭日用之仇货。据上种种可知侨胞对日经济绝交之努力和坚决，故美国舆论亦赞为“民族精神之强韧表现”。两军相战，喋血沙场，是为有形的宣战；经济绝交，抵制仇货，是无形的宣战。有形宣战，效死疆场者，仅一部分热血男儿；无形宣战，则四万万人无论男女老少，皆为实际战斗之一员，而且百战百胜，稳操胜算，绝无失败之虞，如能永久坚持，贯彻始终，只须二三年的短促期间，日寇必一败涂地。海外侨胞，既已如此努力，我国内同胞，其再接再厉！

“航空救国”在美已成全侨胞一致努力的目标，美国航空事业，本极发达，我侨于此训练航空人才，购买战斗飞机，均有近水楼台之便，中日战争，无论迟早，势将不免，飞机为战争利器，于缺乏海军之我国，尤为切要，且“无空防即无国防”，已为世界所公认，我国处此生死关头，更应加倍努力，迎头赶上我们的死敌——日本陆海军战斗机为一千三百十二架，今又劫夺我东省飞机二百余架，已增至一千五百余架矣。我国陆军对日本至少亦可与之相抗，（日本现役陆军为二十一万零八百八十名。）海军则相差太远，（日本海军总吨数为七十九万八千三百九十四吨，我国仅四万二千九百二十吨，且多为二十年前之陈旧物。）空军力量我亦薄弱，（我国飞机原有五百五十架，今被日寇劫去二百余架，仅有三百数十架矣。）欲振兴海军，非经长久时间不为功，扩充空军，则比较易举而收效快，日本空军力量尚不十分雄厚，我若全力以赴，前途殊不可量，我旅美侨胞有见及此，故能一唱百和，全侨响应，最初由纽约华侨反日救国会提议倡办航空学校，于最近期间培植三千航空人才，并广筹经费，购买战斗飞机，加紧训练，储为国用。闻风兴起者，有芝加哥，费城，砵仑，山姐姑，罗省，葛仑等地，皆已实际筹款购机，（侨胞中多有变卖产业，购机赠送各地航空救国会者，如砵仑埠之林若泉君等。）加拿大华侨义勇队中另组有航空决死队。我华侨青年大都雄健活泼，更能耐劳吃苦，在先天上已具有“临虚御风”翱翔九天的惊人体魄，故有一部分早经练习航空，学成而领有美政府特发的航空执照者，亦不乏人，此辈青年，刻正于各地从事航空人才之训练，坚苦卓绝，为国效忠，其精诚良可感佩。上月尾，砵仑埠华侨反日救国会开会时，我侨胞驾驭自购的战斗飞机，翱翔天空，散放传单，一般侨胞仰望着这几架翩若惊鸿，充满杀敌气概的战斗飞机，莫不欢呼拍掌，表示热忱，且有喜极流泪，神魂与俱者。

嗟我同胞，事急寇深，国亡家破之祸，我东省同胞已先遭受而备尝其荼毒矣，我全国同胞务须坚持排斥仇货，厉行经济绝交，并应充分准备实力，以备与此野蛮无人性的兽行国家，拼个死活，人心不死，国魂归来，海外侨胞，业已踏上此康庄的救国大道肆力迈进矣，我国内同胞，其速起。

二十，十一，八。

名满全美的马将军

仲 雨

一鸣惊人的马占山将军，现已名满全美了。在两星期前不但世界人士不闻马将军之名，即咱们中国人自己也绝少知道。

自九月十八晚日寇暗袭我军，强占辽吉而后，所向无敌，气焰万丈，日外相币原公然向国联宣称中日绝无战争，因渠深信日本不至向华宣战，中国虽有一部分青年宣传作战，但渠以为中国人乃世界人类中最缺乏军人资格者，何敢遽尔言战。海外侨胞闻此极端侮辱之语，无不目眦尽裂，立志复仇，然而失却人性的日寇依然兽行如故。

自上周日寇进攻黑省，想一鼓作气的攻下齐齐哈尔以完成其大满洲的好梦，不意兵至嫩江桥即被我黑龙江代主席马占山将军迎头痛击，大败而回，此项消息当晚即传到美国，翌晨各地报纸均竞载此项宝贵消息，我们宿舍（即国际舍，专住各国留学生，前有日本学生数人，现已迁出），于晨六时即得着三份日报，对此消息均以极警励的语句，作极大的标题，如“中国将军对日宣战”，“中国人痛惩顽敌”，“中国军队大败日军”。各国学生见了这项消息，都奔来告我，握手道贺，两月来含羞忍辱的悲愤生活，竟于一朝之间，略得洗涤，这种精神上的慰安，真非言语所能形容。旬日以来，马将军孤军奋战，迭破强敌，以残缺不完的东北一隅，敌倭奴全国之横蛮压迫而不稍怯，军人精神，发挥尽致，我爱国侨胞对此伟大军人，真有一种说不出的钦崇和敬爱！连日纽约，芝加哥，三藩市等华侨团体慰劳马将军的文电有如雪片飞来，文人墨士更竞以诗文赞颂其人，各地报纸更争传其籍贯里居，生平概略。

近两月来由祖国传来的满洲消息，尽属日寇之杀人越货，我军之缴械投诚，我侨胞于极端悲痛羞愤之余，忽尔欣闻马将军的誓死奋战，为国杀贼，其欢愉感激之忱，诚非笔墨所能描刻于万一。记者曾接华侨友人来函云，当彼初读马将军击败倭寇的新闻时，感情激越，于不知不觉中泣涕如雨，致将报纸湿透，此中滋味，真是又甜又苦，亦喜亦悲。这名震全球的马将军我们真不知应当怎样的向他敬礼；“我公忠勇卫国，孤军杀敌，薄海内外，仰若泰山”，“贵主席精忠卫国，华侨感戴，当节衣缩食，为公后盾”，“我公奋起杀贼，为中华民族争人格，为世界人类争正义，友邦敬佩，日贼心寒，恳再秣马厉兵，扫灭丑虏，克复领土，桨戟东京”，这些语句，都是从华侨团体给马将军文电中摘录而来，虽是一鳞半爪，然于此也可推见我侨胞对马将军爱戴的一斑。我们中国因为有了这么一个马将军，顿使被人讥为缺乏军人资格的中国民族，放出异彩，顿使世界各国对于中国民族之观感为之一变。[前《纽约太晤周报》讥中国为无武备之国家，虽养二百万兵，只等于乌合之众（Rag tag and bobtoil soldiers），今因马将军之能战拒日，又谓中国军人亦有能战者。]怎能不使海外闻风感激流涕呢！马将军真不愧中国男儿！

前日（十五）三藩市华侨慰劳黑省将士会，派员募捐，虽大雨如注，各募捐员仍冒雨进行，捐款者甚为踊跃。皆曰前线将士，牺牲性命，尚且不惜，区区捐款，算个什么！虽数龄儿童闻助款马将军，打倒倭鬼子的呼声，亦自愿将其储蓄之小款完全捐出。更有许多外国人闻马将军之名亦自捐助现款，表示敬意，故当日已捐得美金七千圆，昨日（十六）已将此款折合中国洋二万五千圆汇交哈尔滨商会转交马将军慰劳黑省将士，该会刻仍继续进行募捐。又三藩市华侨更有反日救国储金会之组织，由华侨自由储款，若中国对日宣战，此款即移作军用，否则连本带利退还储款人，爱国同胞，已纷往储款。

最有趣的，这几日来，外国学生遇见了我们都爱问："你们的马将军好吗？今天的报说他又打败了日本军！"在这儿我们忍痛的附带着说几句关于张海鹏的话，张海鹏之变，我们认为是一件万分紧要而不可忽略的事情，这里充分表现着中国民族性的弱点，充分反映着中国公德的破产，这该死的卖国贼，丧尽祖德的蠢才，在外国报纸上却不多见他的名字，有之则叙中日两军阵势时，将张军列入日军，附加一句，除日军外，另有中国叛军张海鹏部数千人，背日军而阵，准备向华军反攻。外国人见了这样的消息，莫明其妙，他们真不知中国人是怎么样的人，他们说这太神秘了，因为像这样帮同敌国毁祖国，帮同异族杀同胞的事，不但近世史所绝无，即整个的人类历史中亦难找出。我们中国人自己看见了这样的消息更羞愧难当，最怕的是外国同学频频叩问这“坏蛋”，任你怎样善于辞令的人，遇着这样的叩问，你有什么方法避免羞辱呢？国内的人，对于这件痛心的事体感想如何，我们无从知道，我们在海外的人，真是气够了。哼！像这样禽兽不如的东西，怎么配在这儿说呢，那样的禽兽，除了把他投彼豺虎外，我永不愿再提他的名字。最可怜的是他部下几千没脑子的盲从兵士，他们天天在那里帮同敌寇，残杀骨肉，他们做的什么，他们自己绝不知道。呜呼！无教育不可以为国，无教育的军人更足以祸国，于兹弥天国难中，我们仍不能忘却立国之本的教育。

十一，十七。

旅美华侨航空救国热

仲　雨

关于旅美华侨的航空救国运动，记者于上次通讯已道其梗概，兹更将最近所得情形摘要报告与读者。

现经美国政府正式立案的华侨航空学校有纽约，砵仑，洛且市打罗省等埠，其宗旨为训练航空人才，对外为巩固国防，对内为发展航空事业，永不参加任何内战，申言之如祖国对外作战，即全部回国，效力疆场，如无对外战事发生，即为航空营业，及设学校训练国内青年，务期航空发达，永远捍卫国家。

各埠航空学校，均隶属于华侨航空救国会或中华会馆反日救国会，进行步骤约分三期：（一）先购战斗飞机数架，聘请专门教师，实施训练。（二）练习生于毕业后更由航空会出资送其升入高级航空学校，以求深造。（三）设立飞机制造厂，以为国防航空实力之补充；并制造民用飞机，以发展民用航空事业。

学生须富有爱国思想，年龄在二十以上三十以下，体格健全，粗通中英文字，并无恶劣嗜好者方为合格，一经考入，不得中途废学，学习期满，尚不能飞行者，即取消其飞行员资格，改习机械工程，并有规定学成毕业后，须在该会服务三年，薪水酌给，在对外战争时期，薪饷由政府发给，服务期满，可自由就业，该会仍保留先聘权。

经费概由华侨捐助，亦有规定股份，将来营业所获利益，须照股均分，每股有定十圆者，亦有定二十圆者。侨胞对此项捐款极形踊跃，如纽约航空会规定每人捐款二十圆即可为会员，预计会员一万人，但稍为殷实之家，其捐款多半由五十圆至二百圆，捐千圆以上者亦不乏人。现在各埠航空学校，正积极进行，加紧训练。兹节录砵仑罗省航空救国会宣言如下，以见我侨胞创办航空学校旨趣之一斑：

“拯危救亡，莫若航空，同人为增厚航空实力，以固国防计，此所以有美洲华侨航空救国会之组织，纯以热诚救国为主旨，对国内一切政争内战，决不参与，吾

人只购制飞机，造就航空人才，国有外患，即效力沙场，外患若止，则为商运交通。”——砵仑

“吾人欲炸沉倭贼三岛，雪我不共戴天之仇，必须训练四千航空人才——我航空人员冒险性成，救国愿切，宁为英雄死，不愿屈辱生。”——罗省

我旅美侨胞爱护祖国之忱，可谓至诚，故全美舆论一致赞扬，称为中华之光。唯国内当局，仍不能和衷共济，一致对外，最足以伤我侨胞之心。据昨今两日消息，谓广州四全大会否认上海和会议案，统一难成，内争复起，外报讥评中国领袖只知争权夺利，不顾国命民生；更有谓古今中外断无敌国外患若是亟亟，亡国之祸近在目前，而执政者仍日事内争，不稍和协以御外侮者。他们说像中国这样的民族，除了“神秘”二字外，真不知要用什么字眼来解释！海外侨胞，前闻和议成功，无不额手称庆，今闻争端重开，多疾首痛心，异常愤慨。（编者按：此段所述，在国内似已过去，但争端是否从此可息，恐怕仍是问题，故仍如原文刊布。）

二十，十一，二六，于美国。

十九路军在美的威名

仲 雨

本庄繁放言三个月内即可将支那领土完全占领；沪战之初，日海军司令盐泽亦侈言四小时即可占领上海，迨经我忠勇奋发，英勇绝世的十九路军迎头痛击，卒能大破日贼，扬我国威，使此辈大言不惭的倭国小丑终为世人所笑骂。

十九路军的威名，真是震动世界了。美国报纸关于十九路军之评述多先冠以“世界驰名的中国十九路军”，于蔡廷锴将军个人更极力赞扬，不遗余力，一切“中国救星”“世界伟人”等美妙名词，莫不尽量运用，小说家多把中国比作耶教《旧约》中的少英雄大卫（David），而以日本比作巨人歌利发（Goliath），最终巨人歌利发是被少年大卫杀死的，这是同情一个小战士战胜一个巨敌的有趣故事。诗歌家更把中国这次的战胜编为歌词，填入曲谱。

在沪战未发生之前，美国民众固多不直日本，同时亦不直中国，其不直日本者，以其无法无天；其不直中国者，以其无气无骨！从前我们和外国同学一谈起中日问题，他们劈头一句便问："中国对于日本究竟如何应付？"欧美民族是战争民族，他们赞美强者不同情弱者，像我们中国那样同情弱者的所谓"抑强扶弱"的固有文化（这种高尚的文化固自有其价值），他们怎么也不会理解的。我们和欧美人相处日久，深觉彼此生活习惯相异者并不见多，唯对于强者和弱者的观念，则大异其趣。两人私斗，他们极力褒奖强者而对弱者嗤之以鼻。彼此谈话，虽极和悦，一语侵及，立生反感，彼此冲突，继之以武，事过伤愈，又握手言欢相互道歉的事，我们见得很多，一方用武，他方不抗而逃的事实，我们却从未见过。

其实我们中国的固有文化也是"有勇知方"的，"智仁勇"三者是孔子理想中的天下之三大道，"知耻近乎勇"，"明耻教战"，也都是我们文化之结晶，一切怯懦的人多把这样伟大的遗教忘了。他们最记得的是“唾面自干”“委曲求全”等无耻的废话，我们要把这样的废话永远废掉，以振起“我武维扬”的民族意识和抵抗精神。

一个夜间，仅仅一个夜间，美国人认识中国人了，这就是一月廿八夜的沪滨抗战。自此而后，全美上下对于中国的观念顿形改变。林百克博士是孙中山先生的信徒，（今年中山先生逝世七周年纪念，林用无线电向全美演说中山先生的人格和伟大，颇得此邦人士的同情。）而又是极爱中国的人，但在沪战之先他在上院和波拉等辩论中日问题，却只能说如列强和美国不帮助中国，则日本灭中国后将驱中国四万万人以征服世界，但在沪战之后，他却说中国民族是世界最勇敢最善战的民族，日本虽兵坚甲利，然终必为中国所屈服。上周彼曾以中国国民政府顾问资格当场斥责一袒日侮华的美国人，其人格深为美国人士所信仰。

其他之社会闻人和当代学者更极力提倡抵制日货，从大都会以至小市镇皆纷纷组织抵制日货团体，而以纽约为总会，各地宣言均谓“日本对华停止侵略之日，即美国公民对日停止排货之时”。现时各埠中国商店多书“此系中国人商店”贴于店门，以示区别。华盛顿京城和芝加哥等处民众且曾举行盛大的“反日侵华”大巡行，围攻日本使领馆，能奋斗者不灭亡，自助而后人助，望我同胞加倍努力，以自振拔。

有一天有个美国小学生在路上遇见我，突如其来的问我道:“日本人，你怕不怕中国的十九路军？”我佯应之曰:“可爱的小孩，我是不怕十九路军的。”他说:“但我们先生说你们是怕的。”真的，十九路军的威名，在美国真是妇孺皆知的了。其声名之盛，较之从前嫩江抗战的马占山尤有过之。这儿又提起马占山了，沪战初起，侨胞中流行一种歌谣:

东北马占山，东南蒋蔡戴，

中国英雄多，倭奴怎不败？

总之十九路军和第五军已将中国民族从死里救出来了，蔡廷锴张治中等血战抗日的模范军人更为世人所钦服，最后我们有两件事情要求读者和国人:

（一）我国军制将来无论如何变更，我们要求永远保存十九路军之名，以资景仰而志不忘。

（二）自今而后一切武力只能为对外而用，如再有无耻政客，无知军人，相互利用，以国家武力作私人政争之工具者，愿与国人共弃之。

四，七。

中国的一位女飞行家

仲　雨

我国留美女生张瑞芬于上月领得美政府航空执照，因张女士为中国女子领得美政府航空执照的第一人，故全美报纸均竞传其消息而资为美谈。前几天又有一乞伦华侨女生领得美政府航空执照。自此而后，所谓中国女子不宜学习航空之偏见为之打破。向来有一部分中西人士俱认中国女子身体柔弱，绝不宜于学习航空，事实胜于揣想，因张女士之成功，这种无根无据的揣想遂不攻自破。记者以张女士为罗省航空会会员，特向该会常务委员黎赞君探询张女士学习飞行之经过，及其将来的目的，兹将黎君见告的情形述之如下。

张女士广东恩平县人，为旅美侨商张舜炳君的女儿，生长中国，曾肄业于广州真光女校及培正学校，为人纯朴，绝无摩登恶习，且具义肠侠骨，热心公益事业，在女界中殊为难能可贵。前数年负笈美洲，习音乐科，恂恂如也，其姓名都少有人知道。说起她学习飞行的动机，却也颇为有趣。她在前年偶在报上看见一段新闻，里面说起广州航空学校有女生数名欲报名投考，为该校当局所拒，谓本校立案时并未言明兼收女生学习飞行。女士以男女平等，何得有意偏倚，湮没壮志，遂动学习飞行之念，以事实表示男女能力之平等，而开实际平等之先河，乃在美转学于林肯航空学校，迄今不过年余，即为美国同学所推重，仍在聚精会神继续研究中。据女士所表示之将来计划，拟于学成后回国细察国内飞行人才及军部航空状况，然后设法组织平民航空学校，兼授男女生徒，尤注重提倡女界练习。又据女士谈，女子学习航空，最重要者在有决心，有决心即可抵抗困难。美国女子学习飞行者时有所闻，就罗省一处而论，已有三十余人之多，唯经考验而获得执照者仅有十余人，故对张女士之成绩咸表惊异与歆羡之意。此则不仅有关女士一人的荣誉，亦为中华女子伸气扬眉也。

四月十八日于美国。

美的家庭教育

仲　雨

大概是因为自己富有孩子性吧，所以随便到那儿都喜欢注意孩子们的活动，美国孩子的活跃，真使人兴奋，一般人只知道美国是尊重女权的，殊不知美国的“孩权”尤重于女权，社会上对于儿童的珍视宝爱，真是无微不至，一般父母更认定家庭教育是家庭生活的中心，夫妇生活的目的，一切教育的基础，他们对家庭教育，大概可分为两方面：

（一）德性之培养　一切父母，尤其是母亲，对于孩子这方面的教育，都注重潜移默化，陶养于无形，他们对于孩子从不粗声厉气的威吓呵责，常于不知不觉中教训他们，改正他们。有一次记者于道旁抱起一个跌倒地上的孩子，待他母亲赶来时，马上教他：“说声谢谢先生。”孩子当时还在哭泣，居然遵照母亲的教诲，如响斯应的说声：“谢谢先生。”说时右手抹眼泪，左手的食指塞在嫩牙上，小口微张，眼泪滴在唇上，声音之清婉，等于天然的音乐，那种憨态可掬的孩气，真教人喜欢。我和他的母亲都笑了。总之他们对于孩子的教育，纯全是利用机会，因势顺导。他们知道孩子们的理解力薄弱，若不就事启发，则徒托空言，毫无用处。他们虽然不打骂孩子，但孩子们自然听从他们，很少执拗，如果你听见孩子说了一句粗话，你只须说一句：“我要告诉你妈妈。”他便马上向你求饶。无论他们游戏得怎样高兴，只要母亲轻轻的一喊，便马上回去。

（二）身体的培养　每一个小孩，至少也有几种运动器具，这些器具，都是很有益于身体的。最普遍的是开车，（式如运货车，大者可乘人，小者只能踏上一足。）着滑冰的橇鞋等。脚踏车在吾国尚为新式的交通工具，在美国早已不见成人乘用，仅为儿童运动器具之一种。公共运动场的秋千架上，常有母亲扶持着二三岁的孩子自由推动。公家方面对于儿童的运动设备和游戏场，亦特别注意。他们有句谚语“儿童无游戏场等于成人失业”，所以无论是公园，街角，或公共体育场，他们都特设有儿童游戏部。儿童游泳池亦有两种，一种是于公共游泳池中另辟一部为儿童游泳池；一种是在适当地点，特辟儿童游泳池，常见五六龄之儿童，跃身池中，随波上下，游去游来，一个个的酷似活泼泼的出水虾蟆。我们站在旁边用冷静的头脑，观察他们，用热烈的情感，体念他们。在这样的情景当中，偶一念及我们中国的儿童，便有一种莫明其妙的刺激，涌上心头，眼角上常常是满含湿意。

因为家庭和社会方面都注重儿童的体育，所以他们的儿童身体都圆肥饱满，五六岁的儿童约有我们中国十一二岁的一样大，十二三岁的就像成人一样。他们虽然只有几岁，却有相当的常识和充分的礼节，见着我们这样的外国人，毫不诧异，大都市如此，小乡村亦莫不如此，且常常老远的便举起小手，说声：“早安，先生好吗？”你如果问他：“你知道我是那国的人？”他们多半会回答“中国人”，或“日本人”，有时我们要替他们照像，他们都很欢喜的跑拢来，依次站好。有一个星期日，我们在公园里遇着两个极可爱的小姑娘，约莫五六岁的光景，我们要她们和我们一同照像，问她们喜不喜欢，她们回答说：“喜欢，只是我们的衣服太脏，恐怕累污了先生们华丽的衣服，怎么好呢？”我们说：“不要客气吧，你们的衣服都很美丽。”照了过后，她们且深谢而去。假使没有良好的家庭教育，几岁的孩子怎么会有这样的礼貌。

也有无知识的父母痛打小孩的，但这是极稀少极稀少的事情，报纸对于这样的消息多半给予大标题，而斥这样的父母为野兽，且作评论说“打小孩是罪过，是野蛮，是给小孩忧苦之源，是破坏其将来之成功，是葬送其终身之幸福。小孩是父母身上的一部分，父母自己做错了事，是不会打自己的，为什么要打自己身上的一部分梦虫般的小孩呢？父母打小孩，借口是为孩子们好，实则是为自己出气，小孩不打不坏，越打越坏”等语。舆论方面，对这等事是这样的严厉，几曾见我们中国的报纸记载着父母打小孩的事。在美国不但社会制裁而已，政府方面，得着这项消息，立即将这不成形的父母捉将官里去，科以虐待儿童之罪，或罚款，或入狱，无不尽情惩罚，较之吾国毒打小孩，官府既不保护，社会亦无制裁，旁人且推波助澜的赞美这样的父母为有家教，什么“不打不成人，黄荆棍儿下出好人”的杀人口号，犹普遍于中华大地，哼！倒霉的中国儿童，亲爱的读者诸君，救救我们的孩子，我们要求良好的家庭教育。

二十一，六，十二。

沪战爆发后之美洲华侨

平　庸

寄人篱下散居南北美之华侨为数当有二十余万众，单就留居美国（加拿大古巴南美墨西哥均不在内）之华人总数，至少亦在九万以上，而在纽约市及美东一带之侨众，亦有四万左右，对于祖国政治与社会事业之关心与留意，异常深切。中以业洗衣者最多，营餐馆者次之，海员西崽又次之。华侨区各杂货店之营业范围，亦仅为华人之卖买，其他与西人有交易者，除华昌华茶等出入口公司及少数古玩铺外，固谈不到什么商业也。

华侨在纽约市区以内之法团有中华公所，华商总会，联成公所，宁阳会馆等六十余团体；特种组织有安良协胜两大堂；带政治色彩者有左右国民党部（自宁汉分裂后，至今仍然对立），及致公堂等（在旧金山大埠尚有宪政党机关）；职业组织有东安公所等机关。资力最雄潜势力最厚者当推安良，所有华埠一切重要商业（连包烟庇赌在内）皆与彼有直接间接之关系，会员以业衣馆者为较多，故华人团体中之一切动作，安良皆有左右之力，此普通情形也。

自倭奴入寇东北以来，纽约华侨即有“抗日救国会”之组织，初本得纽约中国学生会之帮助，颇著成绩，继因国家主义派与国民党人互相水火，几至无形解体，结果仍由李青一辈把持，仍能每星期假华侨学校开大会一次，敦请中西人士演讲，对于以前宣布抗日之马占山曾有一度颇大之贡献（送十余万圆给马），后马忽而中途变节，反颜事仇，竟成卖国贼之中坚，其影响于侨众对国内抗日诸军事领袖之信仰，自有不少之减色。至所谓“华侨航空救国学校”之筹备，事本壮举，惜主持者既乏航空常识，不唯不学无术，且多为过去办理“济南惨案后援会”之不肖分子，（该会以前曾筹有美金十余万圆，其用途之黑暗糊涂经侨众攻讦指斥宣扬后，中华公所对全侨之信用因而破产。）故自筹备以来，经五阅月之光阴，得舆论界之极端赞助，而结果仅筹三千美金之额，而动支已逾三分之二，近自《商报》正式指谪之后，其丑态益复显露，华侨之一切社会公益事业几尽为若辈三数无赖分子扫地无余，言之殊属痛心。洎自沪战爆发以来，一般真正热心爱国分子，因感中华公所及抗日会诸人之不可靠，咸自动筹集巨资以助国军抗日之军需。最先发起自动捐款者，为布碌仑福隆园餐馆之职工同人，单就该园本身同人于一晚之间，已筹逾万金之额，继之者纷至沓来，成绩之佳，为纽约有华侨以来所未有。各法团之筹款成绩，应推琼崖同乡会为最优，查其会员总数不及二百而有二万圆以上之自动捐款。全体华侨中个人之最热心者当以陈一民杨大文等为最特色，因陈杨之地位，仅一普通住宅之杂差，全月所得工资，均在百圆以下，而于沪战甫发之时，即自动至银行买千圆以上之汇票，以个人名义捐赠国府及十九路军，比诸坐拥巨万之李禄等之一毛不拔，其相去又为何如，此亦足记者也。“群众运动”之成绩，最显著者当以华侨妇女救国会为最有成绩，冒风雨作化装演讲，能以三小时之极短时间，而募三万余金，开华侨妇女界之新纪元，极得各西报之赞誉。他如学生会方面所组织之示威大巡行，亦甚能引起美人社会之重视，至于各社团之舞狮筹款，与女学生之卖花犒师，亦为沪战爆发后之纽约华侨区之形形色色，他如波士顿及费城美京等处，亦有同样之活动。

留学界之活动，成绩尤佳，我国留学生之散居美东者，为数约及千人，以纽约为最多，波士顿次之，事实上亦以该两地之学生为较有组织，故活动力亦较强。总而言之，在我军始终坚守淞沪原防，吴淞炮台轰沉贼舰与江湾挫敌之捷报传来之时，所有各地侨众欢腾之声，可谓空前未有，其反日空气之紧张，亦为纽约所仅见。广东银行每日收汇捐款之忙碌，几如山阴道上，迨接我军撤防不战而退之消息后，各华文报纸几至不敢译登！洎乎淞沪失陷之噩耗传来之时，放声痛哭者有之，顿失常性状类癫狂者有之，读西报而以真消息报告被人殴打者亦有之！一般失望与懊丧之态度，尤甚于失慈母之婴孩，同时广东银行之门市几至无人过问，华埠一带之街头巷尾，时闻怨蒋咒汪之声。有奸人乘机大放蔡廷锴被人收买之空气，王赓之被日人拘而复放，亦足以令侨众启莫大之疑团，顾维钧之迭登英舰，与宋子文陈友仁对西报记者之矛盾谈话，均足以证明诸领袖对外态度之不能一致，而令侨胞不胜痛心。此纽约华侨社会最近之情况也。

廿一年三月五日。

沪战爆发后之美国社会

平　庸

自日寇以暴力占据我国东省以还，美国朝野上下，因受日人在美洲作有组织之宣传及广为收买舆论之影响，最初均一致诋毁我国不顾国际信用，任意废除对外条约，故曾有极端左袒日本之言论；但自沪战扩大，倭寇积极增兵，无辜平民横遭惨戮之消息传至此间之后，美人之态度，忽由袒日高潮中急转而深表同情于我国，此固半由于我国留学界扩大宣传之成效，而日人对国际上骄矜与无礼之反应，亦有以致之。兹将美政府与其他各种社会对我国抗日之态度，特为分析述之，以供国内关心国际形势者之参考焉：

（1）向为日人鼓吹之西报，除代表特别资产阶级之《纽约时报》（*New York Times*，该报驻沪特约通讯员曾于二年前被我国当局扣留惩戒一次，故对于与我有关之重要消息，常持“隐善扬恶”之仇视态度，而屡发表不利于我之宣传）与专为日人张目之《太阳晚报》（*The Sun*，闻该报有日人资本及日本雇员多人）两家外，至于销数最大之《每日平民画报》（*N.Y.Daily News Tabloid*）（每日销数达一百三十万份，星期日则逾一百七十万）现亦转表同情于我。其他向表同情于我之大报如《论坛报》（*New York Herald Tribune*，为美政府最大机关报之一，其销数与势力约略与《纽约时报》相埒，而政治背景则过之，其总撰述立民氏西文名 Waiter Lippman，为世界最著名之大政论家），《纽约晚报》（*New York Evening Post*，为全美国牌子最老最有势力之晚报，每日自正午十二时起至下午八时止，每二小时出版一次），《纽约世界电报》（*World Telegram*，每日出版四次，每遇有重要事件发生，有时增至六七次），《纽约亚美利坚报》（*N.Y. American*），《纽约新闻报》[*New York Journal*，上二报均同隶一公司，唯早报则用《美利坚》，晚报用《纽约新闻》，其驻沪特派员基本斯（Floid Gibbons）为世界最著名之战地访员，曾在欧战期内被流弹伤其左目，其报告之战情与各种有利于我之消息甚得美国社会之信仰］等大报，均大书特书倭寇之无理残暴，与我方将士之忠勇奋发，大足以改变列强对华之轻蔑态度，中尤以基本斯之报告为最详细与有力，此最近三周中纽约舆论界对我之大概情形也。

（2）据《论坛报》所述，美京方面最近对沪战之官场消息，咸以为美政府认定所有《凯洛非战公约》（*Kellogg Briand Pact*），《九国公约》（*Nine Power Treaty*），与对华门户开放政策，均属美国对华之一贯主张，今既为日本破坏净尽，美政府为维持自己国家体面起见，不得不用书面表示警告，至必要时虽可以循例向倭政府抗议，或以空言恫吓，观于二月二十五日美国务卿史汀生（H.L. Stimson）致参议院外交股长波拉（E. Borah）之长函，盖所以间接宣告倭政府破坏公约之罪恶与美国未来之责任，唯美政府亦深知日本人心目中久已视列强若无物，美国除对日实行经济绝交外，决非空言所能奏效者也。

（3）美国普通社会对倭寇此次之侵沪，皆不直其所为，报章杂志一切刊物所发现之反日论评，几无日无之，甚至于中下级之贩夫走卒，亦屡见排斥日人之呼声，其疾视倭奴之空气似甚浓厚，尤以加利福尼亚省之反日空气为最紧张，全国上流社会及知识界，如前陆军总长璧架（N.D. Baker）及哈佛大学（Harvard University）校长罗威路（A.L. Lowell）等一百五十七个名流，最近呈请美政府抵制日货之主张，前《北京导报》主笔柯乐文（Grover Clark），国府立法院法律顾问林百克，均到处演讲鼓吹排日，美京全国妇女协会会长劝告全国妇女界请其勿着日本丝织品以为抵制，美总统胡佛夫人已首先于宴会场中服用棉褂，以为提倡，其表同情于我国态度之活跃，于此可见一斑。唯以波拉（Senator Borah）等三数议员为顾及资本家利益之故，竟大表反对，以记者之眼光观察，若辈代表资本势力之不可轻视，实为历史上昭告我人之事实，其中理由与真相，当于下文述之。

（4）美国为资本主义之国家，其政治之原动力，当然以资本阶级为背景，故无论其为地方，或中央政府之官吏，几全为资本家之留声机器，所谓总统以及议员等等，亦莫不以资本家之意志为意志，质言之，现在华盛顿之一切大小公务人员，自总统以至于科员录事，皆为纽约银行团（Wall Street Communique）之经理走卒！十余年前美国之对德奥宣战，其表面之冠冕文章，所谓“尊重人道主持正义”者，亦不过一种欺人之门面话，而其真实之背景与主因，则为英法二国政府皆负有纽约银行团之巨额公债，故美国之加入联盟，主其事者表面上固属威尔逊，然其中主张最力而为后台拉线之人物，即为新近作古之大资本家马鲁（Morlowe，彼为银行团之主席，即大飞行家林德白之岳父），威尔逊之位置不过一小经理耳！今日本政府公债之销存于纽约华尔街（Wall Street）者，为值几何，我人固未能知其确数，而波拉之坚决反对美国对日实行经济绝交者，其内容之必有经济背景，则可断言也。

廿一，二，廿三，于纽约。

万劫后民族的自觉运动

马星野

黑人之荣誉　最近在美国洛杉矶举行之世界运动大会，竞走的第一位第二位英雄，不是久以领袖全球自豪的白人，也不是亚东雄踞的黄色日本人，却是代表美国，同时久为美国人所不齿的黑人。据当场的观客说，当时一同竞跑的有一位日本人，两位黑人，其余的是欧洲美洲的白人，然而结果只见两道黑光，冲向前去，黄人不用说落后，白人也只得望尘莫及。虽然跑得快一些并不是什么了不得的事，然而使黑人们回想到过去所受的侮辱压迫，和现在的蔑视，虐待，对于这次生生地压倒白人，争到世界竞走的第一把交椅，而使白人不能代表美国的荣誉，不但是可以自豪自励，而且也可以使自己相信，黑的脸并不是一定天生的劣等，来日的世界，黑人并不是没有过问的希望。

因此想到德国近代哲人喀萨林的话，他说来日之文明，必以黑人为主体，欧洲白人将没落，而亚洲亦将泰半灭亡。喀萨林的话是否太神秘，我们不敢断定，然种族能力之平等，无黑白之分，乃是很可相信的。中国小说《镜花缘》里面，描写黑女之聪明秀雅，白民之愚庸低劣，可谓淋漓尽致，可见黑白之不足辨贤愚，中国有脑筋的文人早就注意到了。即就今日美国而论，据说在艺术方面，如歌如舞，白人总不及黑人，而社会学研究结果，以为黑人的身体构造，离兽类最远，白人和猕猴类血统最近云云。极端的话我们且不必提起，现在略谈此万劫后民族的自觉运动。

黑人无祖国　在最近几年来，种族自觉之进展在白人中虽甚强烈，然以在有色种族中为尤甚。在许多大民族主义运动之中，如大条顿主义，大斯拉夫主义，大拉丁主义，大阿拉伯运动，大亚细亚主义等，其最有趣味及最近发生的，莫过于大亚非利加运动（The Pan African Movement）了。在世界上共有一万万五千万黑人，实际上没有一个是不在白人统治之下的。黑人的政治地位，也像犹太人，没有祖国的，虽在名义上有三个黑人国，利伯利亚（Liberia，美国势力范围），海地（Haiti，最近美国撤退驻兵，然实为美国之保护国也），及阿比西尼亚（Abyssinia，非洲山国，为意法等国均势所维持），然亦不能算独立国。因此黑人的种族运动，所提出的口号便是：

“非洲者，非洲人之非洲也！”

他们主张世界上分散着的黑同胞，都回到非洲去，而把在非洲的白民，驱逐出来。

一团黑　在欧战发生的那一年，一位吉买嘉（Jamaica，西印度群岛大岛之一，属英国，人口几尽为黑人）的黑人名嘉威（Marcus Garvey）者，雄心壮志，有古英雄风，组织了一个世界黑人改进会（Universal Negro Improvement Association），设总部于纽约。这个团体，提倡联合及熔冶全世界黑人各族，成为一健全的人种。他们反对黑人与白种互婚，以及其他种族自杀之道。他们深信黑种是和他种有同样的优异，所以黑的也应该和他种一样自信自荣。他们相信在地理上，社会关系上及政治组织上，黑人应和白人分开来，然后他们可以创造他们自己的文明及推行自己的理想。唯对于其他民族，给以通商的权利。嘉威自号为“总大总统”（“President General”），自加“最高无上元首”“His Supreme Highness the Potentate”的封号，自命为非洲临时大总统，非洲联军总司令，及爱西亚比亚（Ethiopia）国爵位之首座。他又分封爵第，如乌干达公爵（Dukes of Uganda），及尼罗河御林军总帅等官。又设有“黑十字会”之看护妇，及“黑星邮船公司”。他的国家，采用一面红黑绿的三色旗，造好了一只亚非利加国歌。更规定世界黑人改进会，每年开大会一次。在一九二四年（民国十三年）的常年大会中，大会全场一致通过一条决议，说是“上帝造人，是依照现在黑人的样子来造成的”。更决定立绘黑脸耶稣图无数幅，分给全世界黑人；而圣母马利亚，亦应涂作黑妇人，分发全球。嘉威自己宣布有六百万黑人子弟，已投身加入他的建国运动，当然这个数目，未免夸大，他们费了八十万块钱，筹备“黑星邮船公司”，这些钱都是黑人捐助的，然而结果公司失败，嘉威被告为作弊，被逮至法庭受审。因此这如火如荼的运动，暂受摧挫，然而嘉威始终本着无所畏惧的精神，继续在缧绁中进行煽动工作，尤其是他的报纸，《黑人世界报》（*Negro World*）为有力工具。他又组织了另一个汽船公司，叫做“黑十字运输贸易公司”。在一九二四年之全球黑人大会中，他又重登演台，制驭全会了。最后，美国中央法庭判决，课他五年的禁闭，但是入狱未满期，即被赦释放了。

在非洲方面，亦颇受了这个运动之影响而发生作用。有几处居然发起排除白人出非洲之运动。没有多久时间，所谓爱西亚比亚（Ethiopian）教会（是非洲土人所组织，接受基督教义而保持固有种族道德者），在各处组织起来，为政治活动之中心机关。不过同时，非洲黑人国利伯利亚政府，在一九二四年八月，向美国政府提出抗议，谓嘉威的计划，乃是要把利伯利亚做他臣属，有害其独立。该政府更训令其驻美领事，不再发护照给“改进会”中人，以免其回到非洲去捣乱。

黑白分离或合作　很明显的，那些较守旧而受过较高教育的黑人，并不愿和嘉威式的大非洲运动发生关系。他们的意见，以为要解决当今黑人种族问题，与其回到非洲去，不如和白人合作，定下一定计划来，以事改善，不然，到非洲去以后，他们要受各种困难不能解决的问题，势必至于饥馑而死。然而这一派人，也相信白人与黑人关系，要求改善，一个国际的黑人组织，是必要的。在大战结束那一年，第一届大非洲会议，于二月间举行，到会代表，自五十个不同国家而来。此项大会，将继续在美洲或欧洲举行，因为这些地方，种族的纷争特别多些。大会也有一个常务委员会，由三个委员组成，主持大会一切。这三个委员，是从三个黑人最多的国家来的，便是英国的，法国的，和美国的黑人代表。在大会之中，嘉威派渐失势，故建国主张，渐趋沉寂，然种族平等之要求，依然为大会最基本的主张。他们主张造成一个国际保障黑人法律，以推行于全世界黑人所及的地方。

八月八日，寄自美国密苏里大学新闻学院。

鸦片与中国

正　新

“吾人多远涉他国来者，莫不痛心疾首于外人之讥刺，大而国际会议也，小而私人接谈也，深入于人心者如文人之小说，广布于耳目者如日常之报纸，几无不以鸦片与中国两字处处搭为有情之文题。”——节录暨南大学教授会反对公卖宣言。

国内同胞对这几句文章作何感想，我们不敢妄加揣度，唯据我们“远涉他国”者自己的经验而论，这的确是实情实话。不客气的说，在外国人，尤其是美国人的眼光中，大多数的中国人，都是衣服褴褛，面目黧黑，瘦骨棱棱的鸦片烟鬼。该宣言中只说报纸和小说常把中国和鸦片联成对比，还未提及银幕上表演的华人吸食鸦片的种种奇形怪状。这样的影片在从前多半由华人实地写真，现身说法，后来民智渐进，这种害群之马常被侨胞严厉处置，故虽有自愿卖身为奴之贱种，因怵于群众势力之不可侮，亦不敢肆意妄为。

美国电影资本家有的是钱，俗话说“有钱买得鬼挑担”，中国人不做这样的臭勾当，棕色的菲律宾人和煤炭般的黑种人正多着哩。他们对于这类的工作正求之不得，反正“习惯于耻辱与溃败的中国人”，任何人也瞧不起，怕他则甚，而且还有资本家走狗的“警察”躬与其事，这真是极安全轻便的工作，无怪乎蠢如鹿豕的菲黑人趋之若鹜啊。不过什么都可以假造，唐人街（China Town）的街景却非实地摄影不可，于是乎最近掀然大波的纽约华埠宰也街杏林春案遂奔腾于全美社会。

纽约华埠的美国警察多人于七月十八日下午一时，串同福克士影片公司（Fox）收买黑菲流氓，化装扮演华人吸食鸦片的种种丑态，怪模怪样，看了令人发指。该流氓等胆大妄为，目无华人，竟敢于光天化日之下，驰赴华埠宰也街杏林春楼上摄制其所预定侮辱华人的影片。当时埠中侨胞见状大愤，群起与之理论，该流氓等置之不理，依然工作如故，一部分热血侨胞于忍无可忍中，乃用酒缸及其他什物猛向警察攻击，并蜂涌而前，欲毁摄影机，适大批警察赶到。遂于人丛中捕去华人陈永福及钟英二人，控以扰乱治安，殴打警察等罪。七月二十日由纽约第一法庭开审，我国驻纽领事冯吉修及华侨团体领袖等二十余人均到庭观审。警察自供“当时所摄的影片，系伪造的警察团捕华埠烟窟情形，系由白人黑人菲律宾人等扮演，我们参加系奉有上峰命令”云云，但公家律师则谓此案要点系关于两华人扰乱秩序及殴打警察，应以事实证明此两华人是否有此行动及果犯此罪与否，至于摄影之由来与摄时的情形，均无关重要。换句话说，侮辱华人的部分不成问题，尤谬的是法官在判词里劈头就说，“中国民众现在东三省与日本抗争，和现在的纽约华侨与警察冲突，其无理取闹如出一辙”云云。有了这样“公正贤明”的法官和公家律师，我们的侨胞自然有罪，结果陈钟二君各罚银二十五圆，另打指模存案，遂将此案取消。我方律师屡与法官抗辩，并指出警察私刑拷打陈钟二君为犯法，唯法官不理，并命记录员删去他的话。此案虽经此横蛮法官糊涂判决，但我方已声明不服，现已提起上诉，各埠华侨多起而为此案之声援，前途如何不可知，唯我侨胞的反抗精神却为可佩。

当此杏林春案尚未了结时，而芝加哥又发生一表演华人吸食鸦片案。有西人名Dr Frank Lomar者，偕同助手多人在芝城河景公园内表演华人吸食鸦片的种种丑态，侨胞愤恨，莫可名状，总领事馆乃派汪副领事亲往调查，至则见其门外有长阔数丈的丑态毕露的告白三巨幅，形容华人吸食鸦片的丑形怪状，妇女二人坐在门口售券，券价五分。该西人Lomar身穿华式短衫长裤，戴小帽，悬耳环，黏着小八字假发，足穿中国鞋，手拿烟枪，口讲指画，演说中国人食鸦片情形，并横卧案上作烧吸状。他的妻子亦穿华式绣袍，助他算命卖课，收费十分及五分。观者争先恐后，拥挤异常，大有“万人争看海宁潮”之概！汪君当即与该西人严重交涉，责他不应做此侮辱华人的举动，他反装腔作势，蛮不讲理，并说华盛顿某部长是他的朋友，某要人又是他的亲戚，江湖营业是他的自由，绝非他人所可妄加干涉云云，汪君见他横蛮如此，知非善言规观所能奏效，乃由总领事馆行文芝城市政府，请求立即查封禁演，警察总监遂令将该处封禁，该西人夫妇等亦逃之夭夭，不知去向，该园现已另换他项杂剧。此事因总领事馆与市政府感情极佳，故能有此结果。

轻视有色人种，尤其是自己不争气的中国人，是白种人的普遍心理，纽约杏林春案与芝加哥河景公园案，不过其微末之例而已。许多温水池，不许华人进去洗澡；许多理发店，不替华人理发；许多电影院，拒绝华人买座：这在美国真是司空见惯的事情。惯于忍气吞声的华人常常受了这样的侮辱而不反抗，因之白种人更得恣意妄为，以为中国人总是容易对付的。我有一个朋友有一次在西部的波士顿南城被影戏院拒绝了，他马上提出交涉，以种种理由当面向该院经理质问，结果由该经理赔礼。自愿取消此项不平等待遇。欧美人的心理，你愈能和他斗争抵抗，他愈加佩服你；你如抱不抵抗主义，忍辱含垢，他便愈加不齿你。

至于鸦片之为害于中国，早为举世周知的事实，我们一面痛心于外人之侮辱，一面又极痛心于祖国的自暴自弃，尤其是由祖国传来的遍地罂粟和“鸦片公卖”的惊人消息，直把我们海外侨胞气得发昏章第十一！

二十一年八月十五日。

美国与远东

顾子仁

美国政治学会（Institute of Politics）自七月二十九日在麻省威廉城举行以来，将近一个月，我被邀演讲，参加以来，殊多感触。该学会为威廉大学校长贾菲尔德（President Garfield）所发起，每年一次，今年为第十二次。代表各国的学者领袖参加的达欧，亚，及美洲，各国俱有代表团，郑重其事，而我国以财穷人少，仅由我一人滥竽其间。会中演讲及圆桌讨论会时均用英文，但由欧洲大陆来的几位教授讲的英语，许多人觉得难懂，就是日本代表团领袖新渡户博士的英语也有些美国人觉得不易明白，而大家觉得有趣的是我中国的英语却人人懂。

在开会期内，每日有大会，有圆桌讨论会，晚间有公开于大众的演讲会。圆桌讨论会中的题目之有关东方的：（一）关于日本的有："日本和经济恐慌"，"社会的和政治的反动"，"对付中国的武力政策"。关于中国的有："经济和政治的问题"，"共党的问题"，"建国的奋斗"。关于东三省的有："中日的冲突"，"日俄问题"，"满洲国"。关于远东外交政策的有："日本，中国，俄国"，"国联的调解"，"美国的任务"。看了这些题目，他们对于远东问题的注意可以想见。

每日大会在上午十一点至十二点四十五分钟间举行，赴会者全体都到，有三人或四人演讲在各种圆桌讨论会里面所研究过的问题的要旨，每人演讲十五分钟至二十分钟，使全体赴会者对于各种问题都得到一种概观。晚间演讲会由八点十五分至九点半，我已讲过两次，一次是关于满洲和世界和平，还有一次是关于中国的建国运动，听众最多，为其他各晚所不及，亦可见他们对于中国问题之富有兴趣。

日本代表团的人数很多，由新渡户博士领导。中国方面只有我孤零零的一个人，独脚戏做了一个星期之后，才来了一位江亢虎博士，于是我们两个人尽力周旋。

我每次参加国际的集会，最受感触的是日本的代表人物在数量上和人选上都极充分，中国的代表人数既少，并缺乏充分的准备。这种现象，不但见于国际的集会方面，并见于我国的驻在国外的外交官的职务方面。讲到东北问题，美国对我国是怎样的重要，但是自从伍朝枢辞职以来，我国在华盛顿便没有公使就地作有力的联络（颜惠庆在日内瓦）。我希望今秋国联再议满洲问题时，我国在华盛顿有一位最优越的外交人才。

美国的舆论仍对中国有强烈的好感。美国人谈起中国，最关心的是中国的内乱和共党问题。

讲到美国的内政问题，在我这次又到美国的当儿，美国人心目中最大的问题一是大选，一是经济。大选的竞争已经开始了，共和党仍推胡佛连任，民主党则推纽约省长罗斯福上台。十一月为终选期，届时谁能被选，尚难预料，就现在情形看来，胡佛连任很有问题，因为民众受经济压迫，皆归咎于现任政府，故民主党很有希望得胜。就中国的利害讲，虽国际上都是各为着自己的利益，但比较上还是希望共和党得胜，胡佛连任，因此次美国对远东问题采取不承认日本在满洲违背条约的行动的宣言，听说还是胡佛亲笔写的。如民主党胜利，恐对中国不利，因民主党对远东问题向抱闭关自守态度。不过中国如不能自己争气，无论别人怎样，到底都是不相干的。

美国经济的恐慌，数月来不但不见起色，反较前更甚，国内营业固非常萧条，国外贸易也毫无进步，只看福特汽车行的营业部即可见一斑了。两年前该行新车出来后，头三个月就定出去七十五万辆；今年新车出来后，头三个月定出去的还不到三十万辆，其他汽车公司尚有不及此比例的，其他情形也可想见了。美国政府近来想种种方法救济这种经济危机。美国会最近通过五六亿圆的救济会议案，此款当然不在收入预算内，故政府拟以政府名义出票洋，但此种办法能否打破经济恐慌，还是个问题，故美国经济的前途很难乐观。

二十一，八，二十二。

躬逢盛会

陈仁炳

到美不到两月，就躬逢他们的四年一度的总统选举盛会。这次因为一个是大权在手，恋恋不舍，想蝉联下去四年的胡佛，另一个是靠着前任大总统罗斯福的威名，又有着投合全国大部分人民心理的把握，大想一染指的佛兰克令罗斯福；二人势均力敌，在无线电的战场上，作最后的决战，自然煞是好听好看，尤其是最后的几场。这篇通讯到上海时虽然稍迟，但新贵人还得明年三月才上任，此时总还不算十分过时吧。

这次胡佛落选的致命伤，据记者观察，是在美国人民经济生活的转变，主要关键在失业和禁酒二大问题。胡佛倒霉就倒在失业问题背后的世界经济恐慌。原来美国人民自战后一直到一九二九世界经济危机爆发前，生产发达，消费增进，人民生活安乐程度日进千里，美国人也就好像天之骄子一般地忘其所以，直到一九二九的一个炸弹，股票暴落，银行关门，工厂停工，千万人失业，这正是不幸的新上任的胡佛的第一年。脑筋简单（这是我两月以来的观察大胆的结论）的美国人，那里懂得这是资本主义的必然的渐次崩溃，于是，几年来的一肚皮丛脞的怨气，尤其是现在失业的工人们的牢骚，都寄在投给罗斯福的票子上。美国人不像中国人的重情义（往不好里说是富依赖性），亲戚朋友急难时有个济助，美国人失了业马上生活一切都告断绝，是完全没有办法的，就算赖了房租，赖了债，吃饭却仍是问题，此次两个候选人的竞选演说便集中在解决失业问题和恢复经济繁荣上。罗斯福说道：我有一个新的计划（a new deal），能叫全国失业者马上有工作；胡佛说：你们不要听他的，他完全是空话，并不曾给你具体的办法。罗斯福说：胡佛的行政，已经四年来的事实证明，完全糟透，你们还要再来个四年的牺牲吗？胡佛说：罗斯福冤枉我胡佛，你们国民可不要冤枉我胡佛，世界经济危机不是我胡佛有本领造得出的，也不是我能马上救治的，请大家再给我四年机会！罗斯福说：哼！已经够了，谁还敢让你再儿戏四年，拿全国人财产命运闹着玩。胡佛说：你们这次若选罗斯福，行将见灾殃降临到每一个美国人家里。（他原文是每一个冬夜围炉的火畔 every fireside。）罗斯福说：胡佛先生的人格我极端佩服，可是他的政策却糊涂到极点，鄙人着实不敢恭维。总之双方各扬对方的丑，夸自己的好，愈近十一月八日，两方的进攻和反攻更急，说的话，用的字，愈来愈不堪，尤其是罗斯福，真够泼辣的！我亲耳从无线电听过胡佛一小时半之久的演说四次，听过罗斯福的次数相等。前举的句子，不但代表双方的精彩和要点，并且同样的原句可在双方讲稿中找出。最妙的是有时，尤其是十一月八日前几夜，大选临头，各人剑拔弩张的时候，假设胡佛在六时半至八时演说，罗斯福就在八时至九时，全美国的人民，除了极贫的少数，那时无不坐在家里，开起无线电收音机，静听二人的演说——不，简直是辩论。因为一则时间蝉联，（也许发言者相隔数千里。）二则二人都用的辩论式的体裁演说，一方面辩护自己的立场，一方面攻击对方的主张，还要抽出时间答辩对方的责难，末后往往提出几个问题要求对方答复。这简直是辩论！美国的总统选举是越弄越奇特了！这是前几度很少有的。这是因为无线电比四年前更普遍。（二三十圆，十几圆便可以置一架，几于家家户户都买得起汽车的美国人，那在乎此区区？）罗斯福的为人，本善投合普通人心理，不恤用滑头泼辣的口吻；胡佛则因偏重大小资产阶级，和妇女，宗教徒等趋向保守的分子，想博得他们的同情以致胜，所以说话现出老实恳挚，情见乎辞的气概，又有点"人之将死，其言也善"的况味！好像他自己也知道这次有些靠不住，不能不作最后向国民的哀告，这是胡佛此次各演说中骨子里的可怜的精神。

我所以说禁酒问题，也是胡佛致命伤的，因为美国自通过禁酒以来，暗中是偷造偷运偷售偷购，早已成公开秘密，年青人去野餐，若没有本领弄点酒带去，便不算漂亮，值钱的年青女子都会不屑与他做朋友！所以社会对禁酒法，早已视若赘疣，看作讨厌。罗斯福看破这一点，所以他很巧妙的暗示在他任中这一点的不成问题。这种上海话所谓"漂亮朋友"当然受欢迎。这次加利福尼亚州，在大选的同日，就以二与一之比由全州选民通过不执行禁酒律了，可见美人心理之一斑。胡佛在这上面吃暗亏不小。

大选中还有一件值得述的，就是美国社会主义的抬头。安于尊荣的美国人向来不知社会主义为何物，等到现在尝了资本主义破产的一点点滋味，才开始注意和资本主义对立的社会主义。这次美国社会主义党的总统候选人诺曼多玛斯便是应运而生的人物，很出了一阵风头，可惜只是一场风头而已。在胡佛与罗斯福热战中有这么个多玛斯在一旁说风凉话，也很有意思。他说："你们不要听他们两个资本家的奴才在那里争吵，谁对不起他的主人，谁便坏了自家的事，他们所说的都是废话！"在教育美国人稍稍知道资本主义的罪恶上，多玛斯不算白演说几十场。他往来旅行演说，都是一个人驾了自己的破旧的汽车到处跑。"老头子精神饱满，场场演说都有精彩"，这是我客观听来的别人批评。这次他居然在美国资本主义宣传工具的报纸和学校掩蔽之下，获得百万以上的票数，大不是易事。社会有识见有远眼光的人很多和他表同情的，这百万票中，大学生，教授，进步的天主教以及基督教徒，工人等占多数。

二十一，十一，九，美国洛杉矶。

美国失业之一斑

寄　君

从表面看，一个世界上最富足的国家，人们将不知一班美国人是如何的丰衣足食，生活优裕，纵有失业，也不是甚么大不了的一回事。但是从骨子里看，从经济的立场上去看，却正因为她是世界上最富足的国家，同时也是一个资本主义最发达和最工业化的国家，所以这次遭受世界普遍经济衰落的打击，便发生了从来未有的失业的惨剧。

据最近可靠的统计，全美国失业人数已达一千二百万人，几乎平均每十人中要占一人。即此便可知失业情形之重大。（据另一方面的宣传，则谓失业人数确已超过一千六百万。）

在任何城市里，你总可以遇到向你要五分钱去买一杯咖啡喝的人。在街头巷尾，你更可以看到三四岁或是五六岁的小孩，手提小篮，满盛制作恶劣的饼饵，在烈日中，在风雨里，向你叫卖。有时他们会递给你一张小纸条，上面写着："先生们，买一点真正家常自制的饼干罢，这是我们全家恃以为生的唯一方法！"

在大城里，在工人区或者可以说是穷人区，你可以看到你所梦想不到的大城市的黑暗和腐败。在那里有五分钱的旅店和餐馆，有一家大小五六口聚处一室的猪圈。在附郊的荒地里或是旷场上，你更可以看到许多像在中国看到的茅草盖的棚子。但是这却不是真的茅草盖的。这仅仅是在荒地里掘的一个土坑，一张冰铁片，几块木板搭成的。他们和中国的叫化子一样，在露天里有公共的炉灶。他们一样的也到垃圾堆里去寻找食物。二十世纪的物质文明，虽说是曾经用他们的血汗去造成的，可是他们是没有福分去享受的。那些都变成了社会上少数人的专利品，都被那班少数人享用尽了，浪费完了。他们遭逢到的只有黑暗，饥饿，与绝望。

遭受失业影响最重大的，第一要算底特律（Detroit），该城有全世界最大的汽车制造厂。失业人数达百二十余万。其次的便要算芝加哥和纽约了，每城也都有上百万的失业者。在彭雪凡尼亚州与坎脱基州有百余万的煤矿失业工人。这些广大的失业群众，一样的也会举行示威运动，也有妇女小孩去参加游行，小孩们一样的也会唱："起来罢，饥寒压迫的奴隶！"这些都不是住在中国的人们所想像得到的。

失业的情形已经使社会的旧有制度发生动摇了。社会上随处都可以看到不安的现象，报纸上和刊物上都满载着讨论失业和救济方略的文字。民主党大举抨击胡佛政府（共和党）救济政策之失当。社会党更高唱整个经济制度的改造计划。唱国际主义高调的先生们（如杜威等）也在起来组织第三党了。最近上院已通过三十八万万金圆的救济费，可是这样巨大的数目，只不过暂解目前的缓急罢了。

人们已能渐渐明了这次失业的主因是由于资本主义制度下的生产过剩，从前这些过剩的生产品，可以找到一些半开化的未开化的民族的主顾，或是到那些殖民地或半殖民地去销售，现在资本主义的铁蹄已经将整个的世界踏遍了，再找不到相当的新的市场。这原是资本制度本身的一个根本矛盾。所以欲挽回世界普遍的经济衰落，欲回复到从前的繁荣时期，或是最低限度的欲免去失业的危险，不仅有待于美国人的聪明和努力，还要望全世界人类的聪明和努力。

二十一年，九月。

美国学生界思想的左倾

寄　君

一个时代的思想，与现社会的经济制度是有多少联带关系的。在一个旧有的经济制度发生了动摇的时期，思想之趋向左倾，是必然的事。

在三四年前，美国的大学毕业生是再侥幸不过了，在未毕业前，便有许多的公司里，各机关或各工厂派人来邀请。不等毕业，事情早定妥了。每月至少有百余金圆至二三百金圆的薪资。他们几曾梦想到人生旅途上的艰苦，可是最近一两年的情形便逐渐不同了。一九三〇毕业的大学生仅有十分之三是有事做的。一九三一毕业有事做的不到二十分之一。去年毕业的听说找到事的更少了。再兼以求学时代找寻工作亦不如从前之易。有许多学生照常都是每餐一瓶牛奶两片夹肉面包，便算果腹。有许多是从来未曾有过两套衣服两双皮鞋的。和我同班去年毕业的一个同学，今年暑假里我遇到他，我问他找到事做没有，他说下半年或者可望到乡间的一个初级小学教图画去。再有一个还是五六年前毕业学教育的，至今还在学校附近的一个小餐馆里执役，月得二三十金借以糊口。这样每年整千整万的大学毕业生既找不到相当的出路，于是便自然喊起了"到民间去"，"去做一个现社会的改造者"等类的口号。在美国，思想方面，言论方面，集会结社等行动方面，究竟要比在中国自由得多；她究竟要算一个文明国家呀。于是每个学校学生主办的日报或刊物上便逐渐发现很激烈的言论，少数的学生也公开的组织起来了。我的学校里也有这样的一个组织。他们每星期集会一次，每次都定好一定的题目，到时公开讨论。除团员参加外，更欢迎外来者自由参加。我记得他们有几次讨论的题目是"×× 主义呢？社会主义呢？"，"宗教是人民的麻醉品"，"资本主义下教育制度之腐败"等。每次的题目都写成广告的形式，到处张贴在学校的公告栏里。这公开的直率的研究，是可以使中国的教育当局见了咋舌的。

坎脱基州（Kentucky）煤矿罢工工人备受厂方虐待。东部各大学学生便组织了一个矿区调查团，携带现金及慰劳品等，谁知不等行到矿区便被地方政府扣留了。结果学生方面延请律师，打了不少笔墨口舌的官司。最近中部各大学又组织了一个伊利诺州的矿区调查团。这次他们是比较聪明些，预先带了一位律师一同去。

今年五月间在芝加哥开的 ×× 党大会，各校的小组织均有代表前往参加。中等学校里的左倾运动更为活跃，因为美国劳工的子弟们一样也有受教育的机会。在工业发达，较大的城市里，每个中等学校或小学校，几乎都有劳动青年团和童子团的组织。

总之美国学生界思想的左倾，虽说是尚在萌芽时期，同时却也是一桩未可忽视的事实。

二一，十二，二二。

日 本

“一目了然的对支问题一览表”

君　一

日本人之关心我国，可说是无微不至；不论政治，教育，风俗人情等，都比我们自己还知道得详尽！要看我国的详细地图，就得向日本购买，即是明证！关于我国各方面的书籍，不胜枚举。此次暴力侵犯我东北后，虽只一月于兹，而什么《满州问题与外交》，《日支关系与国民自觉》，《对支问题总解算》，《日本与支那的诸问题》……等，相继出版了不下数十种；像是早已写好印好，乘此机会而发卖一样似的来得便当迅速！至于杂志方面（东京方面所发行的杂志期刊，差不多有一二百种；他们的出版期，适与我国相反，如十一月的，大都在十月中旬就广告发卖了）更不必说，不是《满洲事件专号》，就是《日支问题特辑号》。这样地，他们还怕不能普及，更聪明的出版了一种内容既详尽，而时间金钱又都经济的（看的时间可减少，定价低廉，随处报摊上可买到，可贴在壁上作“座右铭”），所谓“一目了然的对支问题一览表”。

此表是大阪《每日新闻》社于九月三十日发行的。内分“对支政治问题一览表”，“对支经济资料一览表”，及附录“满洲时局地图”三大张。（听说前月底东京曾举行过一次“支那政情展览会”；可惜我没有知道，未曾去参观，至引为憾！）

“对支问题，是现在的重大事件；同时亦是将来的大问题。现在际此大转机时，为了要把支那问题，确实地解决；凡我国人，关于支那和我国的政治经济的实情，有详细知道的第一必要。本表是根据大阪商工会议所的苦心调查，把过去及现在的两国关系，一目了然的以表列出；也可说是缩短的对支百科全书。如把此表备于座右，则无论何人，对支问题成为完全通晓的人，无疑！”

上面这段文字，就是印在“对支问题一览表”的封袋上的。至其内容，确系详尽之至，诚然无论何人看了，都能成为“对支问题完全通晓的人”。兹将其内容，择要介绍一点，如借此而能引起我同胞对于我东北及日本的注意，更深一层，那就不胜忻盼了！（来日有暇，拟将该表全部译成中文，贡献国人，以供各界参考。）

“对支政治问题一览表”方面，最足令我愤慨者，有下列几点：（一）列国在支获得之权利，不是强制压迫的。（二）鉴于中国的法典及裁判所警察制度的实情，治外法权（领事裁判权）即时撤废，时机尚早。（三）鉴于日支两国的特殊关系，中国须确实承认下面两项：（A）法律上的保障——日本人关系的裁判，务期公正。特定都市的新式法庭，要聘日人做法律顾问；（B）中国内地开放——日本人应有在中国全版图的土地使用权及居住营业旅行往来等的权利。（四）日华交涉略史：第一期为平等交通时代；第二期为欧美的特权均沾时代；第三期为势力范围获得时代；第四期为极东特殊地位确立运动时代；第五期为日本的对支政策更新时代。（五）我国（指日本）的在满蒙的特殊权益，其由来至深；且系正当权利。倘使没有日俄战争，日本拼命将俄国驱逐，把满蒙夺回，则今日之满蒙，不是俄国的领土了；且中国自体的存亡，其危险不言自明。此外尚有许多，限于篇幅从略。其实单就这点，已足够使我国人看了“发指”吧！我们试玩味一下“日华交涉略史”的五期，是怎样的一种过程，真令人痛彻心肝呀！我们要把已被日人掠去的权益夺回，也得开始我们的“对日政策更新时代”才行！

再来谈谈“对支经济资料”方面。日人对于我国的经济情形，不论商工业各方面，都有详细的数字统计。关于我国的产物，尤其是我东北方面的宝藏，调查得更为周密。据该表载：满洲产的种种原料品，为世界市场有数的商品。现在要占中国对外贸易全额的三分之一。满蒙的可耕地有四千七百八十六万七千六百余亩；其中现在既耕地只占百分之四〇点七，其未经耕种者，尚有二千五百余万亩，急待开拓。生产物方面：据去年的调查，大豆为三千七百余万石，占世界产额五千六百万石之百分之六六强。其他高粱（三千六百五十六万二千石），粟（二千八百七十二万六千石）。此外玉蜀黍小麦等的生产额，亦甚可观。如再将治水灌溉等，加以整理；品种，农具，肥料及耕作方法等，加以改良，则五成乃至十成的生产增加，决非难事。畜牧方面：单东部内蒙古的羊，已有二百万头之多。水产方面：因地位为黄渤两海的中心，渔获量可达八十余万担；实为世界的好渔场。矿产物方面：金属矿比非金属矿为多；其中尤以金矿及铁矿为主，单鞍山一处好铁矿，有三亿吨的埋藏量。石炭亦占满蒙产额中最重要的地位；大小炭田约有八十余处，埋藏量预想有三十亿吨。其他如菱苦土矿，石绵，重晶石，耐火黏土，天然曹达等的埋藏量，亦甚丰富。至于满洲的木材，蓄积量约有九四亿石。内可作制造料者约三〇亿石。除供满洲自体消费五百万石及日本消费五千万石外，今后至少还可有五十余年的供给力。此外制盐，因关东州地方，降雨少，蒸发力旺盛，天日制盐即晒盐，最为适宜。现在所有盐地的总面积，约有一万多亩；产额五亿斤左右。倘再将沿岸多数适于作盐田者，而企业计划开拓一下，则将来全部完成后的生产额，预料可达十五亿斤。其余养蚕亦甚相宜。

总之，我东北地方，我们自己也知道是我国的一大富源。难道我们就放弃这绝大富源，而让日本人拿去吗？绝对不成！那么，现在强盗已进了家，我们应当如何地努力来把强盗赶走！

最后，我来仿照该封袋上一段的口气，奉告同胞几句：对日问题，是现在的重大事件；同时亦是将来我国存亡的紧要关头。际此尚可挽回之时，为了要把日本问题确实地解决，凡我国民，都当根本觉醒！消极方面：应实行彻底的对日经济绝交；严加鞭督我无能的外交当局。积极方面：应促我政治，军事，教育等的改进；努力我农业工业等的经济建设。“以前种种譬如昨日死，以后种种譬如今日生！”全国一致努力！则对日问题，其成为不生问题，无疑！即“极东特殊地位”一反而在我中华掌握，其不难，亦可信无疑！

十月十九日于东京。

金再禁后的日本

君　一

日本的政党，有政友会，民政党，国民同志会，革新党，社会民众党，全国大众党，劳动党，无产诸政党等，而其中能握有国家政权势力者，现在只有政友会与民政党两党的交替起伏。此两党处于势不两立的地位，你排我挤的闹个不休。因此他们的政策，也就分道扬镳，各不相同。其不同之最显著者，为财政经济政策。民政党对外主张经济国际主义，对内实行紧缩政策，所以主唱“金解禁”。政友会对外主张经济国家主义，对内实行膨胀政策，所以主唱“金输禁”。二年前民政党滨口雄幸组阁时，上台后即毅然实行金解禁。此次政友会犬养毅组阁的当日，即断行金再禁。这就是两党各自实行其政策的明证。考其原，两党的经济政策，所谓“金解禁”与“金输禁”，无非都是高唱着“谋不景气之打开”，（实际两党的经济政策，另有作用和背景——借作政权争霸的工具，同时谋私人的利益，唱着“不景气打开策”者，哄哄国民而已。）可是事实却未能尽如理想者。盖处于今日世界不景气的漩涡中，先天本来不足的日本，任何政策，亦无济于事，无论实行“金解禁”或“金再禁”，对于不景气之深刻化，依然故我，未见有些微景气影响也。

昭和五年（去年）一月十五日，民政党内阁断行金解禁后，至本月十三日政友会内阁断行金再禁止，约二年。在这二年间，政府对于财政经济的紧缩，努力的结果，物价低落；多出预算编不转而实行财政整理的减俸裁员等，于国家收支方面，固收了相当效果，可是反面却因物价的低落而致工商业萎缩不振；因减俸裁员，而失业人数急激增加。不景气的声浪只见高涨，而未曾有些微减色也。今年下半年，更因胡佛的战债及德国赔偿金支付延期提案，德国的恐慌；英国及其他北欧诸国的金本位停止等；世界的经济界起了很大的动摇。日本的几个财阀，（与政界一向有密切关系，有左右政变的势力。）又因满洲事变与英国金本位停止的动机大做其“元”（美金）买与“圆”（日金）卖的投机生意，因此现金流出，单十月三日至十二月十一日政变止，达三亿四百万。以致正货准备空虚，国家信用的基础，发生了动摇。若槻内阁末期，非特民间不景气之深刻，即国家财政上，亦陷于至难挽救的穷途，今次若槻内阁之倒，经济政策的失败，亦未始非其中之一大原因。

政友会在野时，即堂堂声明其政纲的不景气打开策金再禁；一旦登台后的立即实行其金再禁，为人人所意料者，果然犬养毅组阁的第一日，即断然实现其金再禁了。金再禁实行的当日，果然各方面起了很大的景气波动，第一为汇兑市价的暴落，在政变前，即未行金再禁时，唱着四十九圆（日金百圆兑美金四十九圆）的对美汇兑；在实行了再禁后的景气混乱中，竟发现了三十八圆的市面，一方股票市场，无视实需的盲目暴腾，终于不得不陷入停止营业的一步。（停了好几天，现在开了。）同时日本银行押到的兑现者，不知千万，弄得守卫巡查手足无措，终于不得不出诸断然处置，所谓“兑换禁止的紧急敕令”。至于米棉纸粉肥料等，也急激昂腾。

再禁的结果，汇兑惨落十分之二以上。在未禁前眼光远大的“元”买热财阀，因此博得了万万圆的暴利。还有少数资本家，进有大批存仓货者，因了汇兑之低落，也获得很大利益；大唱其成功之歌。这未始不是好景气的现象；可是唱成功之歌者，只少数中之少数人而已。一般国民的消费力与购买力，并未增加，而生活负担上，却加重了一层。换言之，“元”买热者所得的暴利，及握有存仓货者所获的巨利；其大部分仍由消费者的负担上支付了。日本此次的经济政策变更，一方——少数人固大景气而特景气；但一方——一般国民却反陷于更不景气的深渊。真所谓“富者越富，穷者越穷”。现在日本一般舆论，对此不平之声，纷纷而起；下台后的民政党，对此不劳而获的巨利，更高唱着“返还国家”的口号。

汇兑的暴落，就是货币价值的低落；货币价值低落，也就是一般工资劳动者，及俸给生活者，实行无形的减俸。同时物价却与货币价成反比例的腾贵；尤以输入品为最。据东京商工会议所调查：再禁止的后日即十二月十五日，东京市中实用品小卖物价，比了十二月一日，平均涨二分七厘；比了前月十五日涨三分五厘。于此可见物价的涨风不弱。物价腾贵的直接影响，即为工资劳动者与俸给生活者的生活负担加重；尤其是离不了一定收入的四十余万失业群众，势必敢死队似的向饥馑线直冲。至于中农以下的无产农民（日本农民阶级，占全人口十分之六强）的生活难，其趋于深刻化，更为难免的事实。因此而生的社会不安，同时左翼病患者的乘机播种（如财阀的获暴利，就是若辈绝好的宣传材料），也是不可避免的事实；最近叫着“生活权断然拥护”之声，不一而足。就是一般官厅里的俸给生活者，也大唱其“反减俸”“增俸”的口号了。在野时政友会高唱着：“减俸的恶法绝对反对。”这是人人听熟了的。登台后对此俸给战线，如无相当办法，则来日的风潮，意中事也。

就是政府的财政上，因了金再禁后的物价腾贵，立刻物件费也同样的昂贵，多出预算势必膨涨。结局募集公债，发行纸币。于是经济界发生了“通货膨胀”的倾向；纸币价格因此而下落，其直接影响，仍归一般国民的负担上。总之金解禁固促不景气之深刻化，而金输禁也同样地不能挽救不景气于万一。倘使我国的对日经济绝交更能坚持彻底，简直可致日本的死命！盖日本现在所能维持着的奄奄财界，大部犹系对我输出贸易的收入也。国人其紧握此唯一武器，博最后的胜利！

二〇，一二，二三。

日人编的《打倒日本》

成　之

（一）引言　最近日本东京邦文社出一本书，这书是前任满铁地方部长保保隆矣所主编。这位部长在任的时候，特别组织了一个委员会，收集中国各种小学教科书，凡是有关于日本的我国国耻历史，或类似的故事，或哀吊，诗歌之类的课文，只要是他们认为文字里含有悲愤国家贫弱的意思，其意即是排日；既是排日，就是编入这书的好材料。这本书就是这样成功的，所以这本书名曰《打倒日本》，而旁边注着："中国的排日教育"。据他们所收集到的，有三百二十二篇之多；编印出来的，有一百十六篇——余二〇六篇，都附有目录——分为五部：1. 中日关系总说；2. 历史的事件；3. 政治；4. 经济；5. 社会。把原文印在书的上端，下面译成日文。紧要的地方，加以详细而尖刻阴毒的评注。

这本书出版在九月一日，十几天之内，已出了十多版；许多报纸和杂志上的广告，大登而特登；那样的广告，在商业性质之外，当然更有他的用意。现在已引起了许多人在报纸上，杂志上，对中国教育和中日前途，发出了许多议论，总不外是说："中国不应该把仇恨邻国的思想教育儿童。"而决不说："日本侵略中国的政策是错误的。"

（二）教育自由权将被剥夺　在这本书里，我们随便可以举出许多例子来，就可以明白，到底是我们中国"排日"呢，还是日本要想"灭亡中国"。先请看他们认为的排日教材吧：

《新主义社会课本》前期小学第二册第二六课（见《打倒日本》一〇九页）：

五月三十日

五月三十日，是外国人在上海打死中国人的纪念日。

这区区二十一个字，给他们认为排日教材，选了出来，他们的用意自然是要我们把五卅忘掉了才是甘心。五卅国耻纪念，本不单是和日本一国有关系，他们尚指为纪念五卅就是排日；其余像五三，五七，五九，甚至五四学生运动，这许多纪念日，当然是使他们更不高兴的，所以选入的不一而足；我们设想，要是日本权力能够做到的话，当然这许多纪念日是在所必禁；只要看日本的禁止华侨学行国耻纪念，就可证明了。

《新中华三民主义课本》第一册第三课（该书三五页）：

中国领土的丧失

赵三益的父亲，邮汇一笔钱给他的朋友，并且和三益说："这朋友是没有故乡的，他本是台湾人，台湾割给日本，他不愿做亡国奴，便流落在外，吃尽辛苦为民族努力，所以我很情愿接济他。"

课文是这么一个故事，和这一类关于朝鲜的事情，更多着哩。在他们的意思，简直就是说："台湾不是你们的了，现在既是我们所有，你们还在做什么梦？"他们的反对，无非压制我们对于被压迫的亡国民族的同情。

《新时代国语教科书》第六册第四八课（该书一七页）：

吊戚将军

戚将军，你看如今的世界，是甚么样子了？倭奴这样的横行，侵占我们的土地，杀戮我们的人民，并订了许多不平等条约，岂不比当年更要痛心？你倘然有知，你是怎样的愤恨？我想你不单恨人家强暴，你更恨我们自家不能振作精神！戚将军！这话是不是只要自家能够振作，那怕他倭奴横行！

这篇短短的课文，他们也认为反日的教材；我们想，我们的所以要吊戚将军，这因为是戚将军功著史迹；我们看到今日国势的衰弱，追怀往昔，自然会不禁泪如雨下的哭吊前人；但他们对于我们竟已到了连痛哭的地步也不能了；“更恨我们自家不能振作”，就连自恨也不能了；这简直要逼到我们哭不得恨不得，自怨也不得的地步了！

《新时代国语教科书》高级用第一册第四课（该书四〇页）：

自由钟

竖起独立旗，撞动自由钟；
美哉好国民，不愧生东亚！
心如明月白，血洒桃花红；
区区三韩地，莫道无英雄！
悠悠千载前，本是箕子封；
人民美而秀，土地膏而丰。
那肯让异族，长作主人翁！
一声世雷动，遍地起蛰虫！
祖国人人爱，公理天下同！
我愿和平会，慎勿装耳聋！

这篇是我们为东亚弱小民族要求自由的呼声，而竟指为排日教材；我们竟然连呼自由的权利亦将被他们剥夺了！本来，今日之世界，所谓国际平等民族平等，只是强国能享受的特权，弱小的国家，竟够不上谈什么平等自由的资格。同胞们！我们可以猛醒了吧！

《新时代国语教科书》初级用第八册第三一课（该书第四页）：

伤心之地

前清光绪时候，为着朝鲜的事情，中国和日本打仗，结果是中国打得大败，后来同他讲和，赔了钱给他，割了地给他，才算和议成功。当时和他订约的是李鸿章；订约的地点是日本马关地方的春帆楼。这一次和约，中国可算吃了大亏，于是马关就成了一个纪念地。凡是中国人游历日本，到了马关，总免不了有些特别的感触；也有些，他们的感触发表在文字中的。著名的文人吴汝纶游历日本，到了马关，他就在春帆楼上题了一方匾额道：“伤心之地”。后来吴保初过马关，也做了一首诗道：

万顷云涛立海滩，
天风浩荡白鸥间；
舟人那识伤心地？
唯指前程是马关！

这“伤心之地”，我们读了这首诗，是怎样的感想啊？“触境生情”这是人类共通的情感；有感而缀韵赋诗，这是文人常事；可是不幸做了被压迫的民族，就不许有人类同有的情感！

以上所述，都是随手拈来的例子，都明示给我们哭不得笑不得的日子，就在眼前了。看他们居心之可怕，简直不把中国灭亡不甘休；而我们看到目前朝鲜台湾人民受日本压迫的惨痛，看看我们今日所处的地位，我们应如何的脚踏着实地，牺牲小我的一切，而为大我——我们的民族——向前去拼一个生死，夺回平等自由！

（三）蛮横至极的批评　前面列举了他们认为排日教材的例子，现在再摘录他们所加上的几段评注的文章；他们如此向国内外宣传，我们应谋如何抵抗？

（1）关于东三省者，其评注中有曰："开发荒芜的边境，是世界人类共同之义务；中国放掷不顾之满蒙自然宝库，为之开发，使中国数十百万生民，授之以职业，示之以文化，中国对日本之感谢乃属当然。"

"然中国今日专想将此已开拓繁荣之土地，无代价的收回，日本人决无晏然不问之理。"（《打倒日本》六一页）

又："满洲为塞外之地，东夷北狄所盘据，而非中国领土，事实昭然。然俄国列强认此为'中国领土'，见此事实，乃有日本外交方针之结果。东三省在日俄战前，极为贫弱，然今日秩序和平之维持与富裕，中国之内无其类例；此全受日本努力之赐，中国人以外，世界之有识者莫不承认。"（《打倒日本》六八页）

（2）关于日俄战争的话："朝鲜自三国干涉以后，俄国一方面妨害日本之保全，另一方面破坏东洋之和平，对满韩野心之实现，着着进行；防止俄国侵略满洲，自不只是称为主权者的中国之责任；中国却为要压迫日本而使李鸿章诱导俄国——缔结罗巴诺夫密约，事实上结为攻守同盟。对此事实，自明治三十五年七月以来，日本为自卫行动，与维持东亚大局，代中国使朝鲜独立；与俄交涉以保全清之领土，遂至两国诉之于非常手段；解决未由，日俄战争遂起。”

“日俄战争，如我国确知上述之密约，则在朴资莫斯会议，对中国如敌国，有割让满洲之理由；这一点实为日本国民千秋恨事。”（《打倒日本》八页）

（3）关于二十一条的评注：“一九一五年之中日条约（即二十一条）……知道中国实情的人们，并不见其有不对的地方；近时美人法人，已有积极之肯定，可以证明，所谓二十一条的要求，其不正当何在，尽可翻出原案。”（《打倒日本》七四页）

（4）关于中国领土丧失的评注：“各民族追溯其无限的历史，其民族之版图，将陷于不明之地；而汉族不能不溯黄河而上，归还到中央亚细亚去了。所谓‘失掉的领土’以前不是‘夺来做领土’的么？”（《打倒日本》一五五页）

上面随便摘录几段，可以说，无一字一句不可以见到他们要把中国灭亡的野心。他们自谓有正当的条约——如二十一条，用来挟制中国；他们和别国战，也有正当的理由占据我们的领土；他们尽人类应尽的义务，为中国开辟荒芜的边境；他们追溯我们的历史，说东三省台湾等原来不是我们的地方；更要把历史无限的追溯上去，叫我们大汉民族，回到中央亚细亚去。好！他要这样就这样，要那样就那样；他们怎样说，怎样做，都是正当，无所往而不是正当。同胞们！他们的野心，除要灭亡中国之外，还有什么？

（四）自灭自亡的指摘　前面都是说日本要把我们灭亡；他们的野心已暴露到极点；可是这书里面的评注却还有许多关于中国自灭自亡的文章，觉得更是险毒，这许多话虽出于仇敌之口，而却句句促起我们的沉痛反省，因此也摘出来给大家看看，我们看后应该如何的振作起来！记者作此介绍，当然不是表示赞成之意，不过希望国人之沉痛反省而已。

（1）他们指出我们中国的真敌人："五月四日的学生运动或者可以说中国国民外交的发轫，要说是中国民主主义的胜利，断乎不可。中国的现实，依然是在新旧军阀专制之下，而无民主之实……"（《打倒日本》九八页）

（2）对于中国打倒帝国主义的批评："一部分日本人，

也确实希望着中国国民革命能造成理想的国家，其实中国成功了什么呢？国民的思想对于政治反映的程度怎样呢？他们只是贴新标语，事实上仍然是政权的争夺。”

“中国尚未达到自治自立的地步，毕竟没有把外国自卫的管理保护撤回的理由；然而国民党和国民政府为了掩饰自己，把这些罪过归之于外国，特别是日本；所谓民治民权的内治主义，则束之高阁……”（该书一二三页）

“做了清朝奴隶的四万万人民，今日又做共和军阀的奴隶了。常常的苛敛诛求，生命的安全也没有保证。国民政府到今日的成绩，实质上什么进步也没有。这‘文章之国’，‘宣传之国’，只会在报纸上宣传，日本人不要受了欺骗。”（该书一三四页）

（3）中国复兴无望：“战败国对战胜国，怎样的赔偿，是历史上的常道。领土的割让，赔款的偿还；又为了通商而允许内地杂居，国内要开放一定的地方。这也是当然的。中国裁判官的没有廉耻心，能力的低劣，也是领事裁判权存在的一个理由，自己的不整治，徒然只是批难弄到这地步的结果，把责任推到人家身上；中国人这

种通病继续下去，中国的复兴，好像是等待‘百年河清’一样了。”（该书一三七页）

（4）租借地的税和中国内地的税比较：“中国的税是强者的掠夺，可是租界和租借地的课税，同中国内地都是不同，乃在支配道路，警备，教育，卫生以及行政等之费用的。”（该书一五五页）

（5）中国人买洋货的批评：“外国货物的输入，有几种重要的原因存在，主要的几点：

A. 在中国内乱继续，生命财产不断的不安，弄到交通的发达，工厂的设立，在在困难，阻碍产业的发达。

B. 资本缺乏，技术没有进步。

C. 中国人的生活程度，最近显著的提高，中国工业赶不上去；素来尊重洋货的中国人心理是有输入洋货的必要。”（该书一七三页）

（6）租界租借地的发达：“租界地价的腾贵，那是因为租界是中国国内生命财产的安全可以确保的唯一地方。仅在这区域内，中国人和外国人在外国的行政警察之下，确保生命财产的安全，因此得到很安定的经营工商业。”（该书一七三页）

（7）中国还是给外国人管理吧！“中国的人口，在国外和外国管理的地方，显然非常的增加，然而在真正的国内，人口数却是停滞。那因为战祸，疫病，和土匪的扰乱，弄到国内生命不能安全，产业不能发达，所以假设中国全国，若是属于外国管理，则生命的安全，生活的安定，可以很快的得到吧！”（该书一九四页）

请全国同胞听听这些是什么话！

（五）沉痛的感想　记者在属稿之初，是九月中旬，后以此书有翻译之必要，遂将此文置之案旁；其间又因为种种关系未能从速脱稿；回想在以往一月之中，已发生了许多不堪设想之变化，痛哭伤心之下，决意将此文作一结束，记者本非能文，但以热泪与沸血不能已于饶舌，敢将最近感想赘述一二：

（1）此书在属稿之初不过十余版，至今已近四十版，销售之广，与流传之盛可知。我们知道世界独立各国之教育，各有绝对的自由，他国绝不能加以干涉；但日本对于我国之教育，不但是加以干涉，且进一步要加以取缔，直视我如已亡之国，而属彼管理者然，其蔑视我国权也可谓极矣。有一日友，与记者谈及中国排日教育，他说："贵国排日教育很不好，请看我国小学教育，绝无排外思想。"记者坦然以对："诚如君言，此系日本之强，而中国之弱故也；果使日本与中国易地以处，其排外岂有不更甚于中国者？且也，中国被贵国所指为排外排日之教育，不过系记述已往之历史而已，世岂有自国之历史不能使其国民知之者？苟如此，则中国必欢迎外国欢迎日本以教育其国民而后可乎？更有进者，中国所被指为排日教育之小学教科书，其课文不过数十字，以至数百字，纵使为尽属排日思想者，多不过二三百篇；试观日本关于中国之书籍，凡可以窥得日本侵吞中国之心的书籍，尽日本之所有，巨帙厚册，恐不下五六百种之多；使中国小学课文一篇，以比一册，则日本之侵掠我中国为何如者？我知之矣！中国国民教育之不当，岂真有所不当乎？特中国为一病贫衰弱之国家而已，君以为然乎？"日友无以为对。凡我同胞试思，处今日之世界，果有所谓正义人道者乎？日本诚然为人面兽心唯一之代表也。我们既自知国家之弱，虽如教育之有绝对自由权，亦致受人干涉，我们是要一致努力奋斗，誓死不懈去干，可是中华立国二十年来，政治军事，固言之痛心，即二十年来之教育，又岂有不可痛心者？教育固受国政军事之累，至二十年无成；但教育界之过去及现状如何？此可证之于事实。处今日存亡之危机，尚犹不能痛切悔悟，矢志矢忠，为国尽瘁，则与军阀之乱国，政客之卖国，营私舞弊祸国殃民者，何以异？

（2）今者，决非徒然痛切悔悟而已；更切要者，在充足实力，谋抗寇敌。以举国愤慨，一致奋勇之消息传来，深喜我国振兴有望；然而今日国内之和平，既为外患所迫，出于不得不然；至于各方之会合于和平旗帜之下，是否都出于为国为民之至诚？抑或仍是各怀鬼胎？政局之团结，能不能有强大的能力？似仍是一问题。能维持至何时？又为一问题。我们所切望者，万不要再为仇雠所快，仍复分崩灭裂；万不要为亲厚者所痛，仍然是祸国殃民，要真实能为民众之先导，为国为民谋福利；对外要确能抵抗强权，扶助弱小。凡我国民，谅决不会怪我希望于执政者之太切，同时又如杞人忧天之过虑吧？

（3）至于我国对日本，几时一度的抵制，从来只有五分钟热度，这次的创痛，可谓空前，国内抵抗之声，与一致的精神，亦大非昔比；然而日本的商人，那一个不在等待着中国民气的消沉，中国贩卖日货的商人，又真有几多人是出于良心，誓不买卖日货？进一步说，中国能觉悟，能真心耐苦，谋国家实业之振兴者又有若干？这许多事情，在在是难免再蹈故辙。这种情形之下，我们除了努力谋发展之外，又不得不忍痛，要能忍性坚心，譬如今日已死于仇寇刀枪之下，又譬如是冒锋镝去死于炮火之下，这并不是设想，这就在眼前；我国民都是沸鼎中之游鱼，然而实在能如此想着，下最后之决心者又有若干？作者写到这里，不禁泪如泉涌！

记者之沉痛，悲愤，已至极点，要表示出我希望于国人之深厚，亦已尽我之所能者，表示于此矣！但愿我同胞一日不死，终须尽一日之力！一息尚存，终须使其最后之挣扎！

十二月十日脱稿于东京。

民穷财尽的日本

衡　之

一年一度的灿烂菊花开过序幕以后，随后日本便演着日比谷座舞剧（议会）了。

在此舞剧将开幕时，日本政府不能不把次年度的预算案预先编就。但是这一次日本政府所编就的昭和八年度（一九三三）预算案，即将提出于六十四次议会，东京《朝日新闻》评为“日本开国以来空前之大预算”，这个“空前之大”却出现于民穷财尽的今日的日本，徒使日本财政前途的危机愈益急迫而已！

十数年以来，日本每年度的支出，除了一九二八年是十七亿圆以外，其余各年度，差不多都是在十五亿左右。而前年度却仅为十四亿圆，但是自满洲事变以来，去年度突然一增，增至十九亿了。使日本国民经济力不胜此重大的负担，而呈露出一般的贫乏，愈加强度，愈趋于不景气了！可是八年度的预算，现在却又百尺竿头，更进一步。不独不是如常年度的十五亿，而且是超过了去年度的十九亿而臻至二十二亿之未曾有的巨额了！

量入为出，这是财政上的原理，日本每年度的收入，最大宗的算是七亿圆租税了。其次是官业官有财产的收入四亿。其他印花纸杂税以及从特别会计挪移的约一亿，统计岁入总额却不过是十三亿圆！而现在相差之额，却是十三亿与二十二亿之比！此九亿差额在平时还好，而又是在此非常不况下的时候！

公债截至去年度止，已有六十亿圆了。前日本藏相井上氏于去年度看到公债蒸蒸日上，不禁吓了一跳，以为无论如何，不当使它超过六十亿。可是现在呢？一年之间，不仅超过六十亿，以日本军阀之醉心侵略，侵占我东北疆土，军费一项已用去四亿三千万圆，且犹扩充军备，与世界为敌。已使日本国债陡增至九十亿的惊人巨数了。

目前因为纸币的滥发，外来经济的胁迫，一方面使日本的物价腾贵起来，另一方面又使日本对外的汇兑，极可怜的暴跌下去。将来负担愈多，物价与汇兑，势必随之愈趋动摇。就使以现状来说吧，十五亿的外债，因外汇的跌价，实质上已增加一倍。此后的公债，又不能不添此一笔十五亿巨大的外债损失。那么，公债不是一年之间，由六十亿一跃而至一百亿以上了吗？

百亿的公债，别的不说，单是利息支出吧，每年已需五亿了。此五亿利息的支出，加上不能不支出的恩给金（尤其是军人恩给金及遗族抚恤科）二项，已把最大宗的日本岁入的七亿圆租税并吞过去了。又按照这一回军事费的预算额，则岁入所剩下的四亿圆，恐又抵此一目而不足。那么自此以后，政府一切收入的财政，凭岁入以支出，则除了支付公债利息和军事费两目以外，其他的政费都无着落。而况日军阀尚在兴高采烈，横行无忌，所谓“与满洲同生死”，“为满洲而战，虽化全国为焦土而不辞”的决心代价，在中国民族固是蒙了绝大的牺牲，在日本所得几何，也是疑问。我们既知日本的财政内容之岌岌不可终日，更应从抵货方面努力以促其崩溃而戢其野心，同时亦应增加其为民族生存而积极斗争的勇气。

廿一年十二月廿一日东京。

日本社会的不安

衡　之

日本现在算是很强盛的了，日军阀为要使它更加强盛起来（？）所以不惜穷兵黩武。可是真正的强盛并不在社会的表层，而是在乎社会的底层。现在日本却反是：它的强盛，在社会表层——尤其是军部方面——固然蒸蒸日上了，可是在社会底层呢？那就弄得非常矛盾，支离，简直有不堪设想的状态了。

（一）农村的穷乏——日本农村经济力的支持，是靠着米，茧，及其他农畜物。自一九二九年美国不景气以后，日本农村经济，不期然也就一落千丈了。第一受影响的是生丝，因为美国发生经济恐慌，生丝需要减少，日本茧价也就骤然跌落下去了。在一九二九年生丝一贯（约合中国七斤左右）的价目为日金六圆余，而一九三〇年却落至二圆余。自此以后，茧价不见上腾。米呢？也是那样。一九二九年前是一石二六圆，一九三〇年以后，却跌至每石十六圆左右。最大宗的米茧价目，既然是这样的跌落下来，那么其他农畜物的价目，也就未免发生动摇了。鸡卵到现在已是一个一钱（约合华币二个铜板），马从前每匹在四十圆以上，现在已跌落至四分之一左右。有时候预备了五圆日金，也是可以买到的。

农产物农畜物价格的低下，已经使日本农民蒙了莫大的损失。再以近来日政府因采了膨胀政策，使货币价值低下，而一般农用品却反上腾了。于是日本农民乃被加上一层压迫了。在那样高压之下，他们唯有极力节俭，借债，以至妇女的卖淫。据说广岛县某村，全村村民，每日早寝早起。自夸电力占世界第二位的日本，电灯散满全国，可是他们为着经济所迫，已不能享受那样物质文明，而不得不实行灭灯了。债务呢？现在日本全国农村负债总额为四十八亿以上，按照日本全农民平均起来，每人须负担八百圆左右。这样巨大的债务，单只利息，每年也要支出四亿圆！至于妇女的卖淫，更不必说。据说山形县某村一村，已供给了三百余人的娼妓！

又日本的租税，是特别的奇重。但都市的税率，每随市况以消长，而农村却一成不变。现在日本小地主所负担的租税，约为纯收入十分之六以上。而自耕农呢？也是在十分之五点四左右。而且满洲事变以来，租税更多，他们于受整个经济恐慌威胁之后，直接间接，仍不能不负担专以宰割“弱大”民族的军事侵掠费！

日本农民，素称驯服，但是他们能长久受此经济恐慌的波涛所掩溺，而又无穷的负担巨额的税租吗？换言之，就是驯服而濒于饿死的时候，也仍然一样的缄默屈服吗？那就不得而知了。

（二）失业战线延长——现在不景气的大轮，渐渐把生活层越向下转，中层的滚到下层去，下层的滚到无底层去！日本目下失业的数目，已达到了五十万的尖峰！比前年又添加了二万余人。大阪，横滨，名古屋，福冈等都市约各四万人。而首都东京呢？却已跳跃至十四万人以上！而一般临时失业者，还不算在内。

这许多失业群中，一部分是劳动阶级，一部分便是知识阶级。东京失业知识阶级已和失业劳动阶级平分天下了。这七万人的失业知识阶级中，有二万人还是中学教员！

东京劳动失业者，大部分集住在日暮里深川坂桥等处，一般人叫那个地方做“细民街”，“饥群巷”，或者“泪之街”！我们在那里可以绘就一幅人间悲惨的画图！

这失业群最好的，算是日工了。社会局每月给他们以五六天的劳动，可得工资日金六七圆。有这六七圆收入的人，如果是有妻子的，那么一个人一日的生活费平均也只有七钱（合华银十七八个铜板），如果不是日工呢？那就唯有背起竹篓，到各处找垃圾桶去！或者是老坐在家里，隔日到救济处去领一张一顿救死的饭票罢了！

谁说日本强盛呢？它国内却还有过着连鸡犬都不如的生活的许多人呢！

劳动失业者生活是如此，可是知识失业者呢？据日某警察长之调查，有一家是这样的报告：“是一个中学毕业生，有妻，三子。曾在某公司服务，因财界不况，公司破产，彼遂失业六个月了。初将家具卖充生活费。及家具卖完，虽由亲友救济，近已渐渐不支……最近全家已三日不食了……”

因为失业战线无限的延长，他们便不得不找新天地去，于是军阀高唱于上，他们迷和于下，一找找到“满洲乐土”来！但是掠夺满洲，真的是可以安安稳稳的拿来解决这个难题吗？真的是日本失业群的市场吗？

去年日本官方为移民事特派了官员到满洲视察去。回来的报告是：“……以满洲为乐土，原来也有失业者！前次抚顺炭局招坑夫三十人，内地人（日人）却拥到二百九十余人来……劳动阶级渡满尚早……”

“‘新国家’财政未确定……知识阶级现时渡满尚难……”

“现在急速的大欢迎的是小店员与女佣……”“新兵娘子军大进出！现奉天有艺妓百八十三人，酌妇（馆子女佣，业营丑业）有百二十名，比事变前增二倍……”

移民而看到娘子军上面，其效果可见。现在一班失业者如果觉悟到穷兵黩武并不能——或者不是——为他们解决难关的时候，那么他们失业战线上，要冲到那一方面去呢？这是不难想像到的。

日本都市不安既如此，而农村穷乏又如彼，于是整个社会就起了很大的不安了。

（三）左倾思想普遍化——日本社会运动，在和制“墨索里尼”田中内阁时，受了打击。但近数年左倾思想，却到反蒸蒸日上了。这自然是经济恐慌的反映。据说，前年的左倾出版物，占全出版物八成。博得青年爱读的河上肇博士所著的《第二贫乏物语》,《资本论入门》等作品，便是在那个时候出版的。

满洲事变后，日本极端右倾团体忽然抬头，军阀一面穷兵黩武，弄得日本国库空虚，人民负担奇重，农村都市，都感不安；同时对于左倾团体压迫愈甚。但潜入社会底层的左倾思想，却愈加普遍，去年十一月末，政府编就预算案时，日商工会长乡氏设宴招待陆相荒木。乡会长谆谆以缩减预算为请，而荒木却认为财政本不足虑，而思想问题实为可忧！

去年十月一日是大东京市拓大的日子，有些人却趁了全市还未把祝贺的布条撤下来的时候，赶紧举行大都市开幕式了！这就是说十月六日有几个强盗白昼劫掠东京某银行。强盗也吧！然而据某警察部长所言，这强盗又是和思想有关的！

不错，如果我们每天打开日本报纸一看，便可以看到三种不同的消息，不绝的记载着：一种是如何发挥“皇军”权威的新闻，另二种，就是强盗的劫夺和左倾分子的检举消息了。

本月初旬，日本警察局又检举了一批大学教授了，商大教授大冢，既就捕于前，而且有新经济学权威，左翼论坛盟主河上肇又于本月十二日从容步上中野警察署里去了。（二人被捕报上皆未载明姓名。）

因检举的频多，也就可见左倾思想在日本社会底层暗流的汹涌了。但是专靠压迫，果能克服这左倾思想的暗流吗？只管穷兵黩武，果能扫荡日本社会底层的矛盾和支离吗？这唯有叫日本压迫者和穷兵黩武者自己试为自省一下吧了！

廿二年一月廿一日。

两个印象

济　川

第一印象是关于日本的警察。日本警察在为统治阶级维持“治安”这一点上是很有名的。无论留日的中国人或日本国民，听见“警察”两个字谁都会头痛！他们毒辣的手段也曾一度光顾到我。那是本年二月间的事吧。敝省前清遗老郑孝胥氏，受着日人土肥原的利诱威吓，拥护溥仪出关去做伪组织的傀儡。留日的福建同乡愤郑贼之无耻，乃秘密在日本人开的饭馆里，假食饭为名，开会讨论对付的办法。那知馆东受着日警的嘱托，处处注意中国人的行动。我们竟被他看出破绽来了，暗以电话通知警署，派队来捕；幸而他们来时，我们早就走了。过了几天，我们几位重要的同志，竟被拘捕，在狱两天，受尽了委曲！狱中也有许多日本人，据说是所谓“反动派”的，他们所受的摧残真是目不忍睹：被鞭挞的也有，以水冲鼻的也有……他们对待“反动派”的手段并不比那一国文明些！

第二印象是关于日本的学生和民众，接着我要叙述一个和上面正反对的事实。日本学生向以“安分”闻名的；但近年来随着经济危机的加剧，学生队伍中竟也分化起来，有左右两派的对立；自“九·一八”以后这种对立尤其尖锐化。左派的学生为着廓清一般人对于此次事变的误解，每周都有辩论会的召集。在会场中最初都是右派的学生上台大发其谬论，无非是那些“拥护帝国”和“夺取生命线——满洲”等无理的口号。然而数千人的听众多是左派的学生，所以所给他们的回答是：最初大骂“马鹿！”“马鹿！”，继则极力鼓掌，务使台上所讲的台下不能够听见而讲演的人不得不见机而退时为止。接着左派上台来了，大放厥辞，例如“反对日帝国主义！”“反对日本出兵上海！”及“中日的兄弟联合起来！”等不一而足。他们的大胆，他们的狂喊，震动了听众里每一个的神经。会场的空气紧张到万分！此时平日如狼似虎的在旁监视的警察，在激越的群众情感之上，竟如驯羊般动弹不得，有时反被大众嘲弄！在这样的场合上，我们可以得到许多不易听到的消息，例如在满士兵的倒戈运动等。至于一般民众，对于此次事变态度，也有令人注意的地方。最有趣的是日政府弄巧成拙的事：日政府叫民众尽力捐出“慰问袋”（内贮各种食物日常用品等）给予在满的兵士，结果收集了十余万袋，先送去二三万个，弄成了在满兵士的倒戈；原来袋中十有八九放着传单或家信，多是煽动兵士不要为军阀资本家作无谓的牺牲的话。结果是把剩下的没收了，但民众还要与政府为难，说东西是民众的，应由民众推举委员送去；结果这样要求当然无效，然而也太煞风景了！

读者看了上面两件正相反对的事实，当能了然于帝国主义的本质是怎样。日本侵略我们，但并不是全日本国民的意志，而是少数资本家及军阀等为维持其自身的存在的行为。

廿一，九，廿五，东京。

日本的大学生

公　凡

日本大学生都有一定的制服，社会上一般人对大学生都很尊敬，与其穿一套西装，还不如穿一套制服的好。制服制帽，又是愈旧愈好，愈破愈好，因为旧，破，就可以表示自己的资格老。所以刚买来的新制服制帽，故意把它弄脏几处，也不乏其人。太漂亮了，到反惹起同学的轻视，社会上一般人的菲薄。

日本大学生，平时尽管贪玩，到考试临头的时候却拼命的用功。在考试的当儿，几夜不睡觉，这是普遍现象。平时上课，笔记的多，用功的学生，把教授所讲的，笔记下来之后，有时还以油印本发卖。每买来一部新书，读过之后，一定是圈点的一塌糊涂，真是使得那一本书“体无完肤”！

记者想把日本大学生分作四大典型：一种是浪漫的，一种是消极的，一种右倾的，一种左倾的——自然，按步就班，无声无嗅的本分学生，是在这四大典型之外。

消极的是指情死与自杀的一部分而言。据七月五日的《朝日新闻》记载，在日本不到半年的光景，自杀的人，几近千人。这一千人当中，大多数，甚至于可以说完全是自十八岁到二十五岁的青年。据统计报告，从二十岁至二十五岁者占第一位，从十六岁至二十岁者占第二位，从二十六岁至三十岁者占第三位。自然，这些人不仅是大学生，穷而无告者实多。唯情死一项，则非大学生，谁也没有这样的闲心。日本人婚姻非常的不自由，不但须经“父母之命，媒妁之言”，甚至有时还非得戚族人的同意不可。除从小时没有订婚的男子和已满二十五岁的女子，比较自由外，其余的人是极端的受着压迫。譬如遇着了已订婚的男子和未满二十五岁的女子，两个人恋爱，那么，除了情死以外，则无道路可以令他和她徘徊。

右倾的是指忠君爱国，完全承继着日本传统思想的人而言。在乡军人和青年团，是日本政局漩涡中两个最大的反动集团。右倾的学生，都是跟随着这些反动活动而活动的。他们的信仰，是国家至上主义，是日本至上主义。他们的一切活动，都要用之于为祖国斗争。他们痛恶的，是马克思主义的信徒，他们攻击左倾的人们，都是亡国奴。这些学生，最得学校当局的掩护与同情。甚至有时闹出大的乱子，也给他们以最大的原谅。几次暗杀案，就是这一派的极尖锐的代表者。这种活动的暗流，现仍方兴未艾。

浪漫的是指平时不用功，而且极端的贪玩学生而言。这也是环境太不良的结果。环境诱惑学生的机会太多，性情未定的人们，好像除了这些事以外，没有其他的事好干似的。日本学校都是走读，所以学生的生活很自由。尤其是到了大学，不上课也没有什么关系，反正每年只要能应付一回考试就得了。但一般的习惯，学生是要早出晚归。如果是在东京住家的人，不到学校，怕父兄责骂；外方寄居的人，不去学校，又怕受房主人的冷眼。所以他们虽是不到学校，仍是早出晚归的。这般人的生活，就寄托在唤茶店，咖啡店，麻雀庄，弹子场，跳舞场，电影馆，妓院等等。唤茶店的设备，都很平民化的。花得一角钱的光景，就可以盘桓很久。任招待的，都是少女。可以随便谈话，但是不能超乎一定的限度以上。咖啡店，就稍微放浪一点。进去的人，一定要喝酒，才可以受着招待女子的欢迎。除了不能性交以外，此外浪漫到一种什么程度也行。据说还有些地方，可以商量过夜的。麻雀庄也是遍地流行。有一个时期，日本人几乎有麻雀狂。并且大家还精心研究，而出版所谓麻雀讲座。他们打牌，彼此间并不赌钱，只是以几角钱给麻雀庄的主人。譬如说四个人打了四圈，输得最多的人，就出三角钱；其次的就是两角钱，再其次就是一角钱。其余的一个人，就不输钱。到现在只有半价，过去出一角钱的人，现在就是五分钱了。弹子场不待言完全是为学生设备的。招待的人，不待言也是翩翩少女。跳舞场在过去非穿西装，是不能进去的，到去年下半年，就开了禁，虽是穿学生服，也可以自由去跳。这就是见得跳舞的客人当中，学生也占大部分。大势所趋，不得不通融了。电影馆也是很多，并且有些地方，是特别为学生设备的，价格极低廉，有时把戏券送到学校里面去卖，还可以打折扣。妓院在日本是很不稀奇的。甚至有人说，日本是卖淫的国家，据调查报告：现在的公娼，至少有五万人。游客每年达二千万人以上。这中间未结婚的男子，占全数百分之十四。这就是说，游客中未结婚的男子每年有二百八十万人了。我们可以想到，这二百八十万人中，有多少大学生在内！日本公娼制度，娼妓的生活极苦，游客极为便宜。准备着一块钱，就可进妓院。

左倾的学生，就是指作社会运动的而言。日本社会组织严密，警察制度也是极完全。而一般作下层活动的人，方法也极巧妙。任他警察怎样加意防范，而作反现实活动的人，依然的还是在那儿活动。我们可以在学校附近收得着反政府的宣传品，我们可以在教室里面看得着反现状的标语。前次上海战变，日本征兵，各学校的学生有在被征之列，但是有些学校的学生，大家联盟不应征。甚至在帝国大学公开的讲演坛下，喊出打倒军阀的走狗的口号，可见左倾学生势焰之一斑。最近教育当局，于学生左倾对策问题大感苦恼。费了很多的工夫，制定出方案，希望建筑起一个反马克思主义的理论的体系。方案的内容，分左倾之原因与左倾对策两种。其实目前不景气之环境若无法改善，一切都不过纸上空谈而已。

三联经典文库第二辑简目

《游击战教程》　明凡 / 著

《游击战术纲要》　陶剑青 / 编著

《汪精卫卖国的理论与实践》　钱俊瑞 / 著

《抗战以来》　韬奋 / 著

《陕行纪实》　楚云 / 著

《随军散记》　沙汀 / 著

《被日寇囚系半载记》　王研石 / 著

《倭营历险记》　房沧浪 / 著

《活跃的新西北》　田影 / 编著

《保卫华北的游击战》　刘清扬　陈北鸥等 / 著

《徐州突围》　《徐州突围》编委会 / 编

《沦亡的平津》　长江　小方等 / 著

《淞沪火线上》　胡兰畦等 / 著

《瞻回东战场》　长江　罗平 / 著

《东线的撤退》　胡兰畦等 / 著

《抗战中的西北》　徐盈 / 著

《鲁闽风云》　徐盈等 / 著

《西线生活》　西北战地服务团集体创作

《中国解放区见闻》　［美］福尔曼著 / 朱进译

《全面抗战论》　潘汉年 / 著

《日本的间谍》　范士白自述 / 尊闻译

《日本大陆政策的真面目》　国难资料编辑社 / 编

《民众动员论》　李公朴 / 著

《中国外交史》　钱亦石 / 编著

《太平洋军事地理》　蒋震华 / 著

《世界经济地理讲话》　思慕 / 著

《列强军力论》　［德］马克斯·威纳尔著 / 宾符　仲持　梅益等译

《近代国际关系史》　张铁生 / 著

《太平洋现势手册》　沈志远　石啸冲 / 编著

《近代世界政治史》　钱亦石 / 著

《从战争到和平——一九四五年的世界政治》　乔木 / 著

《战后日本问题》　思慕 / 著

《最近一年间的国际动态（1946.7—1947.6）》　《东北日报》社 / 编

《论政党》　翟放 / 著

《法与宪法》　韩幽桐 / 编著

《中华民国宪法刍议》　罗家衡 / 著

《民主·宪法·人权——作之民》　费孝通 / 著

《宪法论初步》　潘念之 / 著

《对反民主的抗争》　韬奋 / 著

《农村改进的理论与实际》　江恒源 / 著

《上海产业与上海职工》（上下）　　朱邦兴　胡林阁　徐声 / 合编

《陶行知教育论文选辑》　陶行知著 / 方与严编

《中国通货膨胀论》　杨培新 / 著

《中国及其未完成的革命》　H·普拉特著 / 蒋天佐译

《中国的建设问题与人的训练》　卢作孚 / 著

《论中国特殊性及其他》　艾思奇 / 著

《中国经济问题讲话》　钱俊瑞　徐雪寒　王渔邨　姜君辰　骆耕漠 / 合著

《中国经济的道路》　许涤新 / 著

《中国财政之病态及其批判》　孙怀仁 / 著

《官僚资本论》　许涤新 / 著

《五四运动之史的评价》　陈端志 / 著

《中国通史简编》（上下）　中国历史研究会　范文澜 / 主编

《论文学的工农兵方向——读〈在延安文艺座谈会上的讲话〉》　雪苇 / 著

《中国近代史（上编　第一分册）》　武波 / 编著

《文学百题》　傅东华 / 编

《中国史学之进化》　周谷城 / 著

《论民族形式问题》　胡风 / 著

《论批评》　荃麟等 / 著

《中国史纲》（第一卷上下、第二卷上下）　翦伯赞 / 著

《近代中国思想学说史》（1–4）　侯外庐 / 著

《中国政治思想史》（上下）　吕振羽 / 著

《中国哲学史纲要》　向林冰 / 著

《中国政治史讲话》　钱亦石 / 著

《中国社会经济史纲》　王渔邨 / 著

《新财政学大纲》　千家驹 / 著

《太平天国革命运动论文集——金田起义百周年纪念》

华北大学历史研究室 / 编

《理性与自由——文化思想批评论文集》　胡绳 / 著

《战斗者的诗人》　黄药眠 / 著

《国语文法》　曹朴 / 著

《教育哲学》　张栗原 / 著

《妇女问题讲话》　杜君慧 / 著

《婚姻 · 子女 · 继承》　沙千里 / 著

《性教育新论》　布士克　雅各生合著 / 董秋斯译

《狱中杂感》　杜重远 / 著

《七人之狱》　沙千里 / 著

《爱迪生传》　伍况甫 / 译

《歌德自传》（上下）　歌德著 / 思慕译

《尼赫鲁自传》　［印度］尼赫鲁著 / 毕来译

《列宁传》　［苏］凯尔任采夫著 / 企程　朔望译

《罗斯福总统传》　C．Mackenzie 著 / 张尚之译

《托尔斯泰传》（1–3）　［英］阿尔麦 · 莫德著 / 徐迟译

《革命文豪高尔基》　［美］亚历山大·康恩著 / 韬奋编译

《鲁迅纪念特辑》　新中国文艺社 / 编

《回忆鲁迅先生》　萧红 / 著

《人民文豪鲁迅》　平心 / 著

《亡友鲁迅印象记》　许寿裳 / 著

《鲁迅思想研究》　何干之 / 著

《鲁迅研究》　夏征农 / 编

《过来的时代：鲁迅论及其他》　雪峰 / 著

《电影戏剧表演术》　洪深 / 著

《日常心理漫谈》　［美］约瑟夫·查斯特罗著 / 曾宝施译

《心理常识漫话》　朱智贤　杨云美 / 著

《读书的方法与经验》　王任叔 / 著

《美国黑人生活纪实》　［美］加德维尔　斯坦倍克著 / 董秋斯译

《初访美国》　费孝通 / 著

《事业与成功》　［美］马尔腾著 / 汪原放译

《萍踪寄语（初集）》　韬奋 / 著

《一生的幸福前途——〈生活周刊〉信箱选集》　生活书店 / 编选

《深刻的印象》　生活周刊社 / 编

《海外的感受》　生活书店编译所 / 编

ISBN 978-7-108-04653-6
9 787108 046536 >
定价：67.00元